S0-BAW-654

RUDOLF FRIELING · PSALMEN

# GESAMMELTE SCHRIFTEN
## ZUM ALTEN UND NEUEN TESTAMENT

RUDOLF FRIELING

# PSALMEN

*Welten-Schau*

*Der Weg des Lebens*

*Das neue Lied*

BAND II

URACHHAUS

CIP-Kurztitelaufnahme der Deutschen Bibliothek

*Frieling, Rudolf:*
Gesammelte Schriften zum Alten und Neuen Testament /
Rudolf Frieling. – Stuttgart : Urachhaus
NE: Frieling, Rudolf: [Sammlung]
Bd. 2. Psalmen.
Enth. u. a.: Welten-Schau. Der Weg des Lebens

ISBN 3-87838-344-4

BS
1430.2
.F73
1985

ISBN 3 87838 344 4

© 1985 Verlag Urachhaus Johannes M. Mayer GmbH, Stuttgart. Alle Rechte,
auch die des auszugsweisen Nachdrucks und der photomechanischen Wiedergabe,
vorbehalten. Satz und Druck der Offizin Chr. Scheufele, Stuttgart.

# INHALT

### III
### DAS NEUE LIED

### ANHANG

# VORWORT

Die im Jahre 1958 veröffentlichte Arbeit über ausgewählte Psalmen ist für den Band II der Gesammelten Schriften zum Alten und Neuen Testament verschiedentlich verbessert und erweitert worden. Es wurden Betrachtungen über die Psalmen 63, 91, 118 und 121 wie auch über den »Gesang der drei Männer im Feuerofen« eingefügt, die 1963 in dem Buch »Bibel-Studien« erschienen sind. Hinzugenommen wurden Betrachtungen zu Psalm 31 und 119, beide erstmals veröffentlicht in der Zeitschrift »Die Christengemeinschaft«, 1974 und 1965.

Die jeweils in die Darstellung hinein aufgeteilten Psalmen-Übersetzungen versuchen, das Notwendige für das Verständnis des hebräischen Urtextes zu tun, erheben aber keineswegs den Anspruch, vollgültige »Übersetzungen« zu sein. Wenn dem Inhalt wie der künstlerischen Form des Originals Genüge getan werden soll, muß noch viel Arbeit geleistet werden. Manche Anregungen verdanke ich den Übersetzungen von E. Bock, M. Buber, Franz Delitzsch, H. Gunkel, E. Kautzsch, R. Kittel, H. Schmidt und W. Stärk.

Im Folgenden sind von den 150 Psalmen 28 ausgewählt. Nicht als ob gerade diese Psalmen als die wichtigsten hingestellt werden sollten, die Auswahl ist mehr oder weniger subjektiv bedingt. Es sollte nur einmal ein Anfang gemacht werden.

Die Anordnung ist so getroffen, daß zunächst Natur-Psalmen behandelt werden. Danach solche, die sich auf das Thema von

Sünde und Gnade, auf das Heil des einzelnen Menschen beziehen. Schließlich Psalmen mit apokalyptischem Ausblick.

Diese Arbeit hätte nicht entstehen können ohne das Erkenntnis-Werk Rudolf Steiners, dem wir ein neues lebendiges Verstehen des Christentums und der biblischen Texte verdanken.

Eine Rechenschaft über die Methode der Auslegung folgt am Schluß (»Gesichtspunkte der Auslegung«) für solche Leser, die in dieser Richtung interessiert sind.

# ÜBERSETZUNGEN

*Herr, unser Herrscher,*
*wie leuchtet von Deines Namens Glanz alle Erde!*
*Der Du Deine Wesens-Erstrahlung*
*ausgetan hast in die Himmel.*
*Aus dem Munde der Unmündigen und der Säuglinge*
*hast Du eine Macht begründet*
*gegenüber Deinen Bedrängern,*
*zum Schweigen zu bringen den Feind und Empörer.*
*Wenn ich anschaue Deine Himmel,*
*das Werk Deiner Hände,*
*Mond und Sterne, die Du begründet hast,*
*was ist der Mensch, daß Du sein gedenkest,*
*und des Menschen Sohn,*
*daß Du Dich seiner annimmst?*
*Du ließest ihm wenig fehlen an der Gottes-Würde.*
*Mit Offenbarungs-Licht und Hoheits-Glanz*
*kröntest Du ihn.*
*Du hast ihn zum Herrscher gemacht*
*über das Werk Deiner Hände.*
*Alles hast Du unter seine Füße getan.*
*Schafe und Rinder allzumal,*
*und auch die Tiere des Feldes.*
*Die Vögel des Himmels und die Fische des Meeres,*
*und was seine Bahnen zieht in ozeanischen Weiten.*
*Herr, unser Herrscher,*
*wie leuchtet von Deines Namens Glanz alle Erde!*

## PSALM 104

*Lobpreise, meine Seele, den Herrn!*
*Herr, mein Gott, groß bist Du gar sehr.*
*In Wesens-Erstrahlung und Hoheits-Glanz*
*hast Du Dich gekleidet.*
*Du hüllst Dich in Licht wie in einen Mantel.*
*Du breitest aus die Himmel wie ein Zelt.*
*Du bauest an Wassern Dein hohes Haus.*
*Du machst Wolken zu Deinem Wagen.*
*Du brausest einher auf den Fittichen des Windes.*
*Du lässest Deine Engel wirken in Winden,*
*Deine erhabenen Diener in lohendem Feuer.*
*Er hat die Erde erfestigt auf ihren Grundlagen.*
*Nicht wird sie erschüttert immer und ewig.*
*Mit der Urflut decktest Du sie wie mit einem Kleid.*
*Auf den Bergen standen die Wasser.*
*Vor Deinem Schelten wichen sie zurück.*
*Vor der Stimme Deines Donners flohen sie.*
*Da gingen die Berge hervor, da senkten sich nieder die Täler*
*an den Ort, den Du ihnen bestimmt hast.*
*Eine Grenze setztest Du,*
*die überschreiten sie nicht,*
*nicht kehren sie wieder, zu bedecken die Erde.*
*Der Du Brunnen quellen lässest in den Gründen,*
*zwischen den Bergen fließt es dahin.*
*Da trinkt alles Getier des Feldes.*
*Da löscht das Wild seinen Durst.*
*An den Ufern sitzen die Vögel des Himmels,*
*unter den Zweigen lassen sie ihre Stimme ertönen.*
*Du tränkest die Berge von Deinem Himmelshause her,*
*Du sättigst das Land mit Früchten, die Du schaffest.*
*Du lässest Gras wachsen für das Tier*

und Brotgetreide zur Arbeit den Menschen,
um Brot hervorzubringen aus der Erde.
Daß der Wein erfreue des Menschen Herz,
daß sein Angesicht leuchte vom Öl,
und daß das Brot des Menschen Herz erfestige.
Es ersättigen sich die Bäume des Herrn,
die Libanon-Zedern, die Er pflanzte.
Dort nisten die Vögel.
Der Storch hat sein Nest auf den Wipfeln der Bäume.
Das Hochgebirge ist der Gemsen Reich.
Im Felsgestein schlüpfen die Murmeltiere in ihr Versteck.
Er schuf den Mond, um Zeichen zu geben.
Die Sonne weiß ihren Niedergang.
Du setzest die Finsternis ein, und es wird Nacht.
Da regt sich alles Getier des Waldes.
Die Löwen brüllen nach Raub,
das ist ihr Gebet zu Gott, um ihre Nahrung.
Du lässest aufgehn die Sonne – sie heben sich weg
und ruhen in ihren Höhlen.
Da geht der Mensch aus an sein Werk,
an seine Arbeit, bis an den Abend.
Wie zahlreich sind Deine Werke, o Herr.
Alle hast Du sie mit Weisheit geschaffen.
Erfüllt ist die Erde von Deinem Eigenen.
Da ist Gewimmel, ohne Zahl,
von Lebewesen, kleinen und großen,
Meerwunder ziehen darin ihre Bahn,
Levjathan, den Du gebildet, Dir zum Spiele.
Sie alle warten auf Dich, daß Du ihnen Speise gebest zu rechter Zeit.
Du gibst ihnen – sie sammeln ein.
Du tust Deine Hand auf – sie werden mit Gut gesättigt.
Du verbirgst Dein Angesicht – sie werden vom Schrecken erfaßt.
Du ziehest ein ihren Odem – sie vergehen, und kehren zurück zum Staub.

*Du sendest aus Deinen Odem – sie werden geschaffen,*
*und Du erneuest das Angesicht der Erde.*
*Es geschehe die Offenbarung des Herrn in Ewigkeit.*
*Es freue sich der Herr seiner Werke.*
*Er blickt die Erde an – und sie erbebt.*
*Er rührt die Berge an – und sie rauchen.*
*Singen will ich dem Herrn, solange ich lebe.*
*Spielen will ich meinem Gotte, solange ich bin.*
*Wohlgefallen möge ihm mein Dichten.*
*Ich freue mich an dem Herrn.*
*Mögen die Sünder verschwinden von der Erde*
*und die Frevler nicht mehr sein!*
*Lobpreise, meine Seele, den Herrn! Halleluja.*

## PSALM 19 V. 2–15

*Die Himmels-Sphären verkündigen die Licht-Offenbarung des Ewigen.*
*Es feiert seiner Hände Werk das Firmament.*
*Tag dem Tag läßt Offenbarungs-Wort erquellen.*
*Nacht der Nacht macht Erkenntnis lebendig.*
*Dieses Reden, diese Worte, sie sind nicht unhörbar:*
*Gegenwärtig in allem Erden-Sein ist ihr ordnendes Klingen.*
*Bis ans Ende des Erdenkreises kraftet ihr tönendes Sprechen.*
*Sein Wohn-Gezelt, er schlug es auf im Sonnenball.*
*Und Er – ein Bräutigam geht er hervor aus seinem Brautgemach,*
*in Freudigkeit, als Kraft-Held zu vollenden seine Bahn.*
*Vom Himmels-Ende nimmt er seinen Ausgang,*
*und zu den Enden wieder hin schließt er den Kreis.*
*Nichts bleibt verborgen seiner Glut.*
*Die Welten-Ordnung des Herrn ist ohne Fehl,*
*bringt heim die Seele.*
*Die Selbstbezeugung des Herrn begründet Vertrauen,*
*macht weise den Einfältigen.*
*Die Weisungen des Herrn zeigen geraden Weg,*
*erfüllen das Herz mit Freude.*
*Das Weihe-Ziel des Herrn ist klar,*
*erleuchtet die Augen.*
*Die Ehrfurcht vor dem Herrn läutert durch und durch,*
*besteht in Ewigkeit.*
*Die Satzungen des Herrn sind in der Wahrheit gegründet,*
*fügen sich alle gerecht ineinander,*
*edler als das edelste Gold,*
*süßer als der süßeste Honig.*
*Auch Dein Diener wird durch sie erleuchtet,*
*und wer sie in der Seele pflegt,*
*der erntet Gottesdank.*
*Übereilter Taten – wer ist sich ihrer bewußt?*

15

*Von den ungewußten Verfehlungen reinige mich!*
*Auch vor den Hochmuts-Mächten bewahre Deinen Diener.*
*Laß sie nicht Herrschaft über mich gewinnen.*
*Dann habe ich teil am Ewigen*
*und bin gereinigt von schwerer Sünde.*
*Mögen meine Worte in den Himmeln das Echo finden,*
*möge das Sinnen meines Herzens zu Dir dringen;*
*o Herr, meines Ich-Wesens Felsgrund und Erlöser!*

## PSALM 121

*Ein Lied zum Emporsteigen.*
*Ich hebe meine Augen auf zu den Bergen.*
*Woher kommt meine Hilfe?*
*Meine Hilfe – von dem HERRN, der Himmel und Erde gemacht hat.*
*Nicht wird er gleiten lassen deinen Fuß.*
*Nicht wird er schlummern, dein Hüter.*
*Siehe, nicht schlummert noch schläft Israels Hüter.*
*Der HERR ist dein Hüter.*
*Der HERR dein Schatten über deiner rechten Hand.*
*Des Tags die Sonne – nicht wird sie dich stechen,*
*der Mond nicht des Nachts.*
*Der HERR wird dich behüten vor allem Bösen,*
*wird behüten deine Seele.*
*Der HERR wird behüten deinen Ausgang und Eingang von jetzt an bis*
*    in Ewigkeit.*

## PSALM 148

*Halleluja*
*Hallet wider dem Herrn von den Himmeln her!*
*Hallet wider Ihm in den Höhen-Welten.*
*Hallet wider Ihm alle seine Engel.*
*Hallet wider Ihm all sein glänzendes Heer.*
*Hallet wider Ihm Sonne und Mond.*
*Hallet wider Ihm alle Sterne des Lichtes.*
*Hallet wider Ihm Himmel der Himmel und Himmels-Gewässer.*
*Widerhallen sollen sie alle den Namen des Herrn.*
*Denn Er gebot – sie wurden geschaffen.*
*Er stellte sie ins Dasein – für äonenlange Dauer.*
*Er gab eine Ordnung – die überschreiten sie nicht.*
*Hallet wider dem Herrn von der Erde her!*
*Drachen-Ungeheuer und Abgrundtiefen alle,*
*Feuer und Hagel, Schnee und Nebeldampf,*
*Windes-Geistes-Braus, seines Wortes Vollführer,*
*Berge und Höhen insgesamt,*
*Fruchtbäume und alle Zedern,*
*Wild und Vieh, Gewürm und geflügelte Vögel,*
*Könige auf Erden und alle Völker,*
*Fürsten und alle Richter auf Erden,*
*Jünglinge und Jungfrauen,*
*Greise mitsamt den Knaben –*
*Widerhallen sollen sie alle den Namen des Herrn.*
*Denn sein Name ist erhaben allein.*
*Sein Bekenntnis erglänzt über Erde und Himmel.*
*Den Strahl der Denkkraft wird er aufwärts lenken seinem Volke.*
*Ein Lobgesang ist er all seinen Frommen,*
*den Söhnen des Gottesstreiters Israel,*
*der Gemeinde seines Nahe-Seins.*
*Halleluja.*

## PSALM 29

*Traget herzu dem Herrn, ihr Söhne der Götter,*
*traget herzu dem Herrn Offenbarung und Macht!*
*Traget herzu dem Herrn den Widerschein seines Namens!*
*Bringet ihm dar den Kultus in heiligem Lichtgewand!*
*Donner-Ton des Herrn über dem Meer.*
*Der Gott der Glorie donnert,*
*der Herr über großen Wassern.*
*Donner-Ton des Herrn, voller Kraft.*
*Donner-Ton des Herrn, voller Majestät.*
*Donner-Ton des Herrn – Zedern zerspellt er.*
*Er zerspellt, der Herr, die Zedern des Libanon.*
*Springen macht er sie wie Kälber,*
*den Libanon und das Sirjongebirge,*
*jungen Einhörnern gleich.*
*Donner-Ton des Herrn sprüht feurige Lohe.*
*Donner-Ton des Herrn erschüttert die Wüste.*
*Er erschüttert, der Herr, die Wüste Kadesch.*
*Donner-Ton des Herrn erregt die Hirschkühe,*
*entblättert Wälder.*
*Und in seinem Tempel – alles, was sein ist, ruft: Gloria!*
*Der Herr – über der Sintflut thront er.*
*Ja, thronen wird er, der Herr, ein König in Ewigkeit.*
*Der Herr – Kraft geben wird er seinem Volk.*
*Der Herr – segnen wird er sein Volk mit Frieden.*

## PSALM 65 V. 2–14

*Stille, Dir zugeschwiegen, wird Lobgesang,*
*Du Gott von Zion.*
*Erfülltes Gelübde – Dir friedet es sich ein.*
*Du hörest Gebet.*
*Zu Dir kommt alles Fleisch.*
*Überwachsen uns unsere Verfehlungen,*
*unsere Sünden – Du deckest sie zu.*
*Selig ist, den Du erwählest,*
*dem Deine Nähe Du gönnest.*
*Wohnen wird er in Deinen Höfen.*
*Ersättigen mögen wir uns*
*am Gut Deines Hauses,*
*am Heiltum Deines Tempels.*
*Mit furchtbarem Ernst antwortest Du uns in Gerechtigkeit,*
*Gott, unsere Hilfe.*
*Der die Berge hinstellt in seiner Stärke, mit Macht umgürtet.*
*Der da stillet das Brausen der Meere,*
*das Brausen der Wogen,*
*das Toben der Völker.*
*Ehrfürchtig scheuen sich vor Deinen Zeichen,*
*die an den Enden wohnen.*
*Jubeln machst Du, was seinen Ausgang nimmt*
*von Morgen und Abend.*
*Heim suchst Du die Erde,*
*tränkest sie, beschenkest sie reich.*
*Der Gottes-Strom gehet voll Wassers.*
*Du erfestigest das Getreide,*
*ja, Du gibst ihm die Standkraft.*
*Du tränkest die Furchen,*
*machst eben die Schollen,*
*erweichest mit Regen-Schauern.*

*Du segnest, was da sprosset.*
*Das Jahr krönest Du mit Deiner Güte.*
*Deine Wagengeleise triefen von üppiger Fülle.*
*Es träufen die Auen der Steppe.*
*Mit Frohheit umgürten sich die Hügel.*
*Die Anger bekleiden sich mit Schafherden.*
*Dicht steht in den Tälern das Korn.*
*Da ist Jauchzen und Singen.*

## PSALM 84

*Ein Lied über den Keltern, von den Korah-Söhnen.*
*Wie sind sie Liebe-weckend, Deine Wohnungen,*
*  Du Herr der glänzenden Scharen!*
*Meine Seele sehnt sich, ja sie verzehrt sich*
*  nach den Vorhöfen des Herrn.*
*Mein Herz und mein Fleischesleib, sie frohlocken*
*  in dem Gotte, der das Leben ist.*
*Der Vogel fand sein Zuhause, die Schwalbe ihr Nest,*
*  ihre Jungen darin zu bergen:*
*Deine Altäre! Du Herr der glänzenden Scharen,*
*  meines Ich-Wesens König und Gott!*
*Selig, die da wohnen in Deinem Hause.*
*  Allzeit singen sie Dir den Lobpreis.*
*                                        Sela*


*Selig der Mensch, der seine Stärke hat in Dir.*
*Höhen-Wege im Herzen, durchschreiten sie das Tal*
*  der Tränen.*
*Zum Quellen-Ort wandeln sie es um –*
*Der Segnungen voll ist, der den Weg weist.*
*Sie wandern von Kraft zu Kraft, zur Gottes-Schau*
*  in Zion.*
*Herr, Du Gottheit der glänzenden Scharen,*
*höre mein Gebet, neige dein Ohr, Du Gott Jakobs.*
*                                        Sela*


*Du unser Schild, sende doch Deinen Lichtstrahl,*
*  o Gott!*
*Erlichte das Antlitz Deines Gesalbten!*
*Ein Tag in Deinen Vorhöfen ist mehr wert als*
*  tausend andere.*

22

*Lieber an der Schwelle weilen im Hause meines Gottes,*
*als wohnen in den Zelten der Gottes-Ferne.*
*Ja, Sonne und Schild ist der Herr, der Gott.*
*Gnade schenkt der Herr und Glorien-Licht.*
*Nicht versagt er Gutes denen, die in Frommheit*
    *wandeln.*
*Du Herr der glänzenden Scharen –*
*Selig der Mensch, der sein Vertrauen gründet in Dir!*

## PSALM 36 V. 2–13

*Es raunt die Sünde dem Bösen ein im Innern seines Herzens.*
*Es ist keine Scheu vor dem Göttlichen in seinen Augen.*
*Die Sünde schmeichelt ihm in seinen Augen, daß er findet Schuld und*
*    Haß.*
*Die Worte seines Mundes sind Verderben, Frevel und Trug.*
*Aufgehört hat er, weise und gut zu sein.*
*Frevelhaftes sinnt er auf seinem Lager.*
*Er betritt den Weg, der nicht gut ist.*
*Herr, in den Himmeln – Deine Gnade.*
*Deine Wahrheit – bis zu den Wolken.*
*Deine Gerechtigkeit – wie Berge Gottes.*
*Deine Gerichte – eine große Tiefe.*
*Mensch und Tier bist Du ein Heiland.*
*O Herr, wie kostbar ist Deine Gnade.*
*Göttliche Wesenheiten und Menschen-Söhne*
*bergen sich im Schatten Deiner Flügel.*
*Sie ersättigen sich an der Fülle Deines Hauses.*
*Du tränkest sie mit dem Strom Deiner Wonne;*
*denn bei Dir ist der Quellort des Lebens.*
*In Deinem Lichte sehn wir das Licht.*
*Erhalte Deine Gnade denen, die Dich erkennen,*
*und Deine Gerechtigkeit denen, die aufrichtigen Herzens sind.*
*Nicht möge ich niedergetreten werden vom Fuß des Stolzen,*
*und die Hand der Gottlosen reiße mich nicht zu Boden.*
*Da – sie sind schon gefallen, die Täter des Frevels,*
*sie sind gestürzt, stehn nicht wieder auf.*

## PSALM 51 V. 3–21

*Erbarme Dich mein, o Gott, nach Deiner Gnade!*
*In der Fülle Deiner Barmherzigkeit tilge meine Sünden!*
*Wasche mich ganz und gar von meiner Schuld,*
*und von meiner Verfehlung reinige mich.*
*Denn meine Sünden – ich erkenne sie,*
*und meine Verfehlung steht mir vor Augen, allezeit.*
*An Dir, an Dir allein habe ich mich vergangen,*
*und was böse ist in Deinen Augen, das habe ich getan,*
*damit Du recht behaltest mit Deinem Spruch*
*und rein dastehst mit Deinem Urteil.*
*Siehe, in Schuldverstrickung bin ich geboren,*
*im Sündenbereich empfing mich meine Mutter.*
*Siehe, Du liebst Wahrheit in den verborgenen Dingen,*
*geheime Weisheit lässest Du mich erkennen.*
*Entsündige mich mit Ysop, daß ich rein werde,*
*Wasche mich, daß ich weißer werde als Schnee.*
*Es frohlocken die Gebeine, die Du geschlagen hast.*
*Verbirg Dein Angesicht vor meinen Verfehlungen,*
*und alle meine Schuld mögest Du tilgen.*
*Ein reines Herz schaffe in mir, Gott,*
*und einen Geist der Festigkeit erneuere in meinem Innern.*
*Verwirf mich nicht von Deinem Angesicht,*
*und den Geist Deiner Heiligkeit nimm nicht von mir.*
*Laß mich wieder Deiner Hilfe froh werden,*
*und mit einem Geist der Freiwilligkeit rüste mich aus!*
*Ich will die Sünder Deine Wege lehren,*
*so daß zu Dir umkehren, die fehl gingen.*
*Errette mich aus der Blutschuld, Gott, der Du der Gott meines Ich und*
*meine Hilfe bist,*
*und rühmen wird meine Zunge Deine Gerechtigkeit.*
*Herr, tue meine Lippen auf, daß mein Mund Deinen Lobpreis verkünde.*

Denn Du hast nicht Gefallen am Schlacht-Opfer,
ich wollte es Dir sonst wohl darbringen.
Auch das Brand-Opfer ist nicht das, was Du willst.
Die wahren Gottes-Opfer sind ein hingegebener Geist,
ein hingegebenes demütiges Herz wirst Du, Gott, nicht verschmähen.
Erweise Deinen Güte-Willen an Zion! Baue die Mauern Jerusalems!
Dann wirst Du Wohlgefallen haben an gerechten Opfern, an Brand- und
    Ganz-Opfern.
Dann wird man Farren darbringen auf Deinen Altären.

## PSALM 90

*Ein Gebet des Moses, des Gottesmannes:*
*Herr, eine Zuflucht bist Du uns gewesen von Geschlecht zu Geschlecht.*
*Ehe denn die Berge geboren wurden und Erde und Welt gekreißt wurden,*
*und von Ewigkeit zu Ewigkeit BIST DU Gott.*
*Du lässest den Sterblichen zurückkehren zum Staub.*
*Du sprichst: Kehret zurück, Söhne Adams.*
*Denn tausend Jahre sind in Deinen Augen wie ein Tag,*
*wie das Gestern, das vorüberging, und wie eine Nachtwache.*
*Du lässest sie dahinfahren wie einen Strom. Ein Schlaf sind sie.*
*Wie ein Gras, das bald welk wird.*
*Am Morgen voll Frische, wird es bald welk. Am Abend geschnitten,*
  *verdorrt es.*
*Denn Dein Zorn ist es, daß wir so dahin müssen,*
*und Dein Grimm, daß wir so zunichte werden,*
*Du stellst unsere Vergehungen vor Dich hin,*
*unsere verborgene Sünde in das Licht Deines Angesichtes.*
*Darum gehen alle unsere Tage dahin durch Deinen Zorn.*
*Wir bringen unsere Jahre hin wie einen Seufzer.*
*Unsere Lebensdauer ist siebzig Jahre, und wenn es hoch kommt, achtzig*
  *Jahre,*
*und ihr Stolz war Mühe und Nichtigkeit.*
*Denn es eilt rasch dahin, wir fliegen davon.*
*Wer erkennt die Gewalt Deines Zornes?*
*Und wer empfindet Scheu vor Deinem Grimm?*
*Unsere Tage zählen, das lehre uns,*
*damit ein weises Herz wir gewinnen.*
*Bewirke die Wende, o Herr. Wie lange noch?*
*Und erbarme Dich über die, welche Dir dienen.*
*Sättige uns am Morgen mit Deiner Gnade,*
*und wir wollen frohlocken und uns freuen alle unsere Tage.*
*Mache uns froh, nachdem Du uns so lange beugtest,*

*nachdem wir so viele Jahre Böses sahen.*
*Geschaut werden möge von Deinen Dienern Deine Tat.*
*Und Dein Offenbarungsglanz möge sichtbar werden ihren Söhnen.*
*Und es walte die Huld des Herrn, unseres Gottes, über uns,*
*und bestätigen wolle er das Werk unserer Hände.*
*Ja, das Werk unserer Hände wolle er bestätigen.*

## PSALM 42 V. 2–12
## PSALM 43

*Wie der Hirsch lechzt nach frischem Wasser,*
*so lechzt meine Seele, Gott, nach Dir.*
*Es dürstet meine Seele nach Gott, nach dem lebendigen Gott.*
*Wann werde ich dahin kommen, daß ich Gottes Angesicht schaue?*
*Meine Tränen sind mein Brot Tag und Nacht,*
*weil man täglich zu mir sagt: Wo ist nun Dein Gott?*
*Daran will ich mich erinnern und will meine Seele hineingießen in diese*
   *Erinnerung,*
*wie ich einherwallte in der Schar der Edlen zu Gottes Hause,*
*unter dem lauten Festesjubel der feiernden Menge.*
*Warum bist du so gebeugt, meine Seele, und bist unruhig in mir?*
*Harre auf Gott; denn noch werde ich ihm danken, daß er die Hilfe meines*
   *Angesichtes und mein Gott ist.*


*Gebeugt ist meine Seele in mir. So gedenke ich Dein*
*vom Lande des Jordan, des Hermon und des Berges Misar.*
*Urflut ruft der Urflut im Brausen Deiner Gießbäche.*
*Alle Deine Wogen und Wellen – über mich gehn sie dahin.*
*Des Tages hat der Herr seine Gnade entboten,*
*und des Nachts ist Sein Lied in meinem Innern,*
*ein Gebet zu dem lebendigen Gott.*
*Ich will sprechen zu Gott, meinem Fels: Warum hast Du mein*
   *vergessen?*
*Warum muß ich in Trauer einhergehn, indes mein Feind mich höhnt?*
*Es ist wie ein Mord in meinen Gebeinen, daß mich meine Bedränger*
   *schmähen,*
*indem sie zu mir sprechen alle Tage: wo ist nun dein Gott?*
*Warum bist du so gebeugt, meine Seele, und bist unruhig in mir?*
*Harre auf Gott; denn noch werde ich ihm danken, daß er die Hilfe meines*
   *Angesichtes und mein Trost ist.*

*Richte mich, Gott, und führe meine Sache gegen das unheilige Volk.*
*Vor dem Betrüger und Frevler errette mich!*
*Denn Du bist der Gott meiner Stärke.*
*Warum hast Du mich verworfen?*
*Warum muß ich in Trauer einhergehn,*
*indes mein Feind mich höhnt?*
*Sende Dein Licht und Deine Wahrheit!*
*Sie werden mich führen und werden mich geleiten zu Deinem*
   *heiligen Berge*
*und zu Deinen Wohnungen.*
*Und hinschreiten will ich zum Altare Gottes,*
*zu dem Gott, der meine Freude und Wonne ist,*
*und will Dir den Lobgesang anstimmen mit Harfenklängen,*
   *Gott, der Du der Gott meines Ich bist.*
*Warum bist du so gebeugt, meine Seele, und bist unruhig in mir?*
*Harre auf Gott; denn noch werde ich ihm danken, daß er die Hilfe*
   *meines Angesichtes und mein Gott ist.*

## PSALM 63 V. 2–12

*O Gott!*
*Meines innersten Wesens Gottheit – Du!*
*Dir erwacht meine Morgenröte.*
*Es dürstet nach Dir meine Seele.*
*Es lechzt Dein-bedürftig mein Erdenleib,*
*in einem Lande, trocken und dürr, ohne Wasser.*
*So schaue ich aus nach Dir im Heiligtum,*
*zu sehen Deine Macht und Deine Gloria.*
*Ja, ein Gut höher als das Leben ist Deine Gnade.*
*Meine Lippen lobpreisen Dich.*
*Mit meinem ganzen Leben will ich Dich benedeien.*
*Will meine Hände erheben in Deinem Namen.*
*An reicher Fülle ersättigt sich meine Seele.*
*Meine Lippen jubeln, es frohlockt mein Mund.*
*Wenn ich Dein gedenke auf meinem Lager,*
*in den Wachen der Nacht*
*hege ich Dich in meinem Sinnen.*
*Denn Hilfe bist Du mir.*
*Im Schatten Deiner Flügel spüre ich Seligkeit.*
*Meine Seele hanget Dir an.*
*Mich hält Deine Rechte.*
*Jene aber, die darauf aus sind, meine Seele zu verwüsten,*
*sie sind auf dem Wege, der ins Unter-Irdische führt,*
*dem Schwert verfallen,*
*Schakalen zur Beute.*
*Aber der König freut sich in Gott.*
*Heil einem jeden, der Seinem Worte sich eint.*
*Denn verstummen wird müssen der Mund,*
*der Trügendes redet.*

## PSALM 73 V. 23–28

*Mein Ich – allezeit bei Dir!*
*Ergriffen hast Du meine rechte Hand.*
*Nach Deinem Rat führest Du mich.*
*Und dereinst – in die Glorie nimmst Du mich hin.*
*Wer sonst in den Himmeln*
*    ist meines Ich-Wesens schaffendes Urbild?*
*Und mit Dir im Bunde*
*    steh ich dem Irdischen frei gegenüber.*
*Mag denn hinschwinden mein Leib,*
*    hinschwinden auch meine Seele –*
*Gott ist mir ewig Felsgrund des Herzens und Schicksal.*
*Denn siehe, die fern von Dir sind, vergehn.*
*Den, der Dir den Treue-Bund bricht, gibst Du der Nichtigkeit anheim.*
*Und ich – Gottes Nähe ist mein Gut.*
*Meine Zuflucht habe ich genommen bei dem Kyrios, dem Gott des*
*    Ich-Bin.*

## PSALM 22 V. 2–32

*Mein Gott, mein Gott, warum hast Du mich verlassen?*
*Weit weg ist, was mein Heil wäre.*
*Ich kann es nicht er-rufen.*
*Du Gott meines Ich – ich rufe des Tages*
*und Du antwortest nicht.*
*Und auch des Nachts*
*gibt es kein Schweigen für mich.*
*Doch Du bist der Heilige,*
*Dich herniederlassend auf den Hymnen Israels.*
*Auf Dich vertrauten unsere Väter.*
*Sie vertrauten, und Du kamst ihnen zu Hilfe.*
*Zu Dir riefen sie und wurden gerettet.*
*Auf Dich bauten sie und wurden nicht enttäuscht.*
*Aber ich! – Ein Wurm! Kein Mensch!*
*Schmachbild eines Menschen,*
*der Verachtung preisgegeben!*
*Alle, die mich sehen, verspotten mich,*
*reißen wider mich den Mund auf,*
*schütteln den Kopf.*
*Wirf es auf den Herrn, der mag ihm helfen.*
*Der mag ihn erretten,*
*wenn er ein Wohlgefallen an ihm hat.*
*Du zogest mich aus dem Mutterleib.*
*Du warst mein Vertrauen an der Mutterbrust.*
*Auf Dich bin ich geworfen vom Mutterleibe her.*
*Vom Mutterleibe her bist Du mein Gott.*
*Leg nicht die Ferne zwischen Dich und mich!*
*Denn nah ist die Angst,*
*und ist kein Helfer.*
*Umgeben haben mich große Stiere.*
*Mächtige Stiere haben mich umringt.*

*Reißende und brüllende Löwen*
*sperren ihren Rachen gegen mich auf.*
*Wie Wasser bin ich ausgeschüttet.*
*Meine Knochen haben sich aus ihrem*
  *Zusammenhang gelöst.*
*Mein Herz ist geworden wie Wachs,*
*dahinschmelzend in meinem Inneren.*
*Vertrocknet wie eine Scherbe ist meine Kraft,*
*meine Zunge klebt mir am Gaumen.*
*Und Du legst mich in des Todes Staub.*
*Denn Hunde haben mich umgeben,*
*die Schar der Widersacher hat mich umringt,*
*sie haben meine Hände und Füße durchbohrt.*
*Ich kann alle meine Knochen zählen.*
*Sie aber schauen auf mich mit Triumph.*
*Sie teilen meine Kleider unter sich*
*und werfen das Los um mein Gewand.*
*Aber Du, Herr, sei nicht ferne!*
*Meine Stärke – zu meiner Hilfe eile herbei!*
*Errette vom Schwert meine Seele,*
*von der Gewalt des Höllenhundes meine Ich-Seele.*
*Errette mich aus dem Rachen des Löwen!*
*Und von dem Einhorn errette mich!*
*Ich will Deinen Namen verkünden meinen Brüdern,*
*inmitten der Gemeinde Dich lobpreisen.*
*Die ihr den Herrn fürchtet, lobpreiset ihn!*
*Ihn scheue aller Same Israels.*
*Denn er hat nicht verachtet die Armut der Armen*
*und hat sein Angesicht nicht vor ihm verborgen,*
*und als er zu ihm schrie, erhörte er ihn.*
*Dich preist mein Lobgesang in der großen Versammlung.*
*Meine Gelübde will ich einlösen vor denen,*
  *die ihn ehrfürchtig scheuen.*

Essen sollen die Armen und sich ersättigen.
Lobpreisen sollen den Herrn, die ihn suchen.
Euer Herz lebe auf ewig.
Es sollen sich erinnern und zum Herrn zurückkehren
alle Enden der Erde.
Anbeten werden vor seinem Angesicht
alle Geschlechter der Völker.
Ihm die Königsherrschaft!
Er herrscht unter den Völkern.
Ihn werden anbeten, die in der Erde schlafen.
Vor ihm werden sich beugen alle,
die herabgestiegen sind zum Staube.
Ihm lebt meine Seele.
Die Zukunft wird ihm dienen.
Verkündigt werden wird der Herr
den kommenden Geschlechtern,
und seine Gerechtigkeit denen,
die noch erst sollen geboren werden.
DENN ER HAT ES GETAN.

## PSALM 16

*Bewahre mich Gott; denn zu Dir nehme ich meine Zuflucht.*
*Ich sprach zu Jahve: Mein Herr bist Du.*
*Von keinem Gut weiß ich außer Dir.*
*An den Heiligen, die auf Erden sind, verherrlicht er sich.*
*All sein Wohlgefallen ruht auf ihnen.*
*Ein schweres Schicksal ziehn sich die zu,*
*welche dem Anderen sich weihen.*
*Ihre Blutopfer möchte ich nicht darbringen.*
*Ihre Namen sollen nicht auf meine Lippen kommen.*
*Der Herr ist mein Los-Anteil und mein Kelch.*
*Ja, Du sollst auf immer mein Los sein.*
*Die Lose fielen mir lieblich. Mein Anteil gefällt mir wohl.*
*Ich will den Herrn lobpreisen, der mich beraten hat.*
*Dazu fordert mich mein Inneres auf bei der Nacht.*
*Ich habe den Herrn beständig vor Augen,*
*denn zu meiner Rechten ist er, daß ich nicht erschüttert werde.*
*Darum freut sich mein Herz*
*und frohlockt meine Licht-Seele,*
*auch mein Fleisch wird im Vertrauen wohnen!*
*Denn Du wirst meine Seele nicht dem Hades überlassen,*
*Du wirst nicht zugeben, daß Dein Frommer*
*   die Verwesung schaue.*
*Du wirst mich erkennen lassen den Pfad des Lebens.*
*Sättigung mit Freuden ist vor Deinem Angesicht,*
*Fülle der Huld zu Deiner Rechten in Ewigkeit.*

## PSALM 23

*Der Herr ist mein Hirte. Es wird mir nicht mangeln.*
*Er weidet mich auf einer grünen Aue.*
*Er führet mich zum frischen Wasser.*
*Er erquicket meine Seele.*
*Er führet mich auf rechter Straße*
*um seines Namens willen.*
*Und ob ich schon wanderte im finsteren Tal,*
*fürchte ich nicht das Böse; denn Du bist bei mir.*
*Dein Stecken und Stab trösten mich.*
*Du bereitest vor mir einen Tisch*
*im Angesicht meiner Feinde.*
*Du salbest mein Haupt mit Öl*
*und schenkest meinen Kelch voll ein.*
*Güte und Barmherzigkeit werden mir folgen all mein Leben,*
*und ich will wohnen im Hause des Herrn immerdar.*

## PSALM 91

*Oh – zu siedeln im hüllenden Geheimnis des HÖCHSTEN,*
*zu herbergen in des ALLGEWALTIGEN Schatten…*
*Ich spreche zu dem HERRN:*
*Meine Zuversicht und meine Burg!*
*Mein GOTT, auf den ich traue.*
*Er ist es, der dich rettet vom Fallstrick des Jägers,*
*    von der Pest des Verderbens.*
*Mit seinem Fittich bedecket er dich.*
*Unter seinen Flügeln darfst du vertrauen.*
*Schild und Schirm ist seine Wahrheit.*
*Nicht mußt du dich fürchten*
*vor dem Grauen der Nacht,*
*vor dem Pfeil, der am Tag fliegt,*
*vor der Pest, die im Finsteren umgeht,*
*vor der Seuche, die am hellen Mittag wütet.*
*Fallen gleich tausend an deiner Seite,*
*zehntausend zu deiner Rechten –*
*nicht trifft es dich.*
*Blickst nur mit den Augen,*
*siehst an den Frevlern die Vergeltung.*
*Den HÖCHSTEN nahmst du zum Obdach.*
*Nicht wird dir Böses widerfahren.*
*Kein Schlag wird nahe treffen deinem Zelt.*
*Denn seine Engel befiehlt er zu dir hin,*
*dich zu behüten auf allen deinen Wegen.*
*Auf ihren Händen tragen sie dich,*
*daß nicht am Stein deinen Fuß du stoßest.*
*Über Löwen und Ottern hin gehst du deinen Weg,*
*schreitest über Löwenbrut und Drachen.*
*Mir hanget er an – ich will ihn erretten,*
*empor ihn heben – er erkannte meinen Namen.*

*Er ruft mich an – ich gebe ihm Antwort.*
*In der Bedrängnis – mit ihm bin ICH.*
*Heraus will ich ihn reißen.*
*Will ihn verklären.*
*Sättigen ihn mit der Erdentage Fülle.*
*Schauen will ich ihn lassen mein Heil.*

## PSALM 103

*Lobe den Herrn, meine Seele,*
*und alles, was in mir ist, seinen heiligen Namen!*
*Lobe den Herrn, meine Seele,*
*und vergiß nicht all seine Erweisungen.*
*Der dir alle deine Sünden vergibt,*
*Der alle deine Gebrechen heilt,*
*Der dein Leben von der Grube erlöst,*
*Der dich krönt mit Gnade und Barmherzigkeit,*
*Der mit Güte sättigt dein Verlangen,*
*Der adlergleich deine Jugend erneut.*
*Der Herr schafft Gerechtigkeit*
*und Recht allen, die Unrecht leiden.*
*Er hat seine Wege dem Moses zu erkennen gegeben,*
*den Söhnen Israels seine Taten.*
*Barmherzig und gnädig ist der Herr,*
*langmütig, ehe er zürnt, und reich an Gnade.*
*Nicht in alle Ewigkeit wird er abweisend sein,*
*nicht in alle Zeitenkreise wird sein Zorn währen.*
*Nicht nach unseren Verfehlungen handelt er an uns,*
*und nicht nach unserer Schuld vergilt er uns,*
*sondern wie der Himmel hoch ist über der Erde,*
*ist hoch seine Gnade über denen, die ihn ehrfürchtig scheuen.*
*So weit der Sonnenaufgang entfernt ist vom Untergang,*
*entfernt er von uns unsere Sünden.*
*Wie sich ein Vater über Söhne erbarmt,*
*so erbarmt sich der Herr über die, die ihn ehrfürchtig scheuen.*
*Denn er weiß, wie es mit uns beschaffen ist.*
*Er gedenkt daran, daß wir Staub sind.*
*Der Sterbliche – wie das Gras vergehen seine Tage.*
*Wie eine Blume des Feldes blüht er auf,*
*der Wind geht darüber hin, sie ist nicht mehr,*

*und nicht kennt man mehr ihre Stätte.*
*Die Gnade des Herrn ist von Ewigkeit zu Ewigkeit*
*über denen, die ihn ehrfürchtig scheuen,*
*und seine Gerechtigkeit über den Söhnen ihrer Söhne,*
*die da treu sind seinem Bunde*
*und seine Willensziele im Bewußtsein tragen,*
*sie zu verwirklichen.*
*In den Himmeln hat der Herr seinen Thron errichtet,*
*und seine Königsherrschaft umfaßt das All.*
*Lobpreiset Ihn, ihr seine Engel,*
*ihr Kraft-Helden, die ihr sein Wort wirket,*
*in die Hörbarkeit zu tragen die Stimme seines Wortes,*
*lobpreiset Ihn, all seine leuchtenden Heerscharen,*
*seine erhabenen Diener, die ihr seinen Willen vollzieht.*
*Lobet Ihn, alle seine Werke,*
*an allen Orten seines Waltens.*
*Lobe den Herrn, meine Seele!*

## PSALM 46 V. 2–12

*Gott ist uns Zuversicht und Stärke,*
*als Hilfe in Bedrängnissen gefunden, gar sehr.*
*Darum fürchten wir uns nicht,*
*wenn gleich die Erde sich um und um verwandelte*
*und die Berge hinstürzten zum Herzen der Meere.*
*Es tosen, es schäumen die Wassermassen.*
*Von ihrem Ungestüm erbeben die Berge.*

          *Sela*


*Ein Strom. – Seine Verzweigungen durchfreuen die Stadt Gottes,*
*das Heiligtum der Wohnungen des Höchsten.*
*Gott ist mitten darinnen,*
*so wird sie nicht erschüttert.*
*Gott hilft ihr früh am Morgen.*
*Es toben Heidenvölker.*
*Es wanken Königreiche.*
*Seine Stimme läßt er ertönen,*
*da zerrinnt die Erde.*
*Der Herr der himmlischen Scharen ist mit uns.*
*Der Gott Jakobs ist unsere Burg.*

          *Sela*


*Kommet und schauet die Wundertaten des Herrn!*
*Staunenswertes wirkt er auf Erden.*
*Zum Ruhen bringt er die Kriege*
*bis hin zum Ende der Erde.*
*Bogen zerbricht er, Spieße zerschlägt er,*
*Kampfwagen verbrennt er mit Feuer.*
*Laßt ab und erkennet in meinem großen ICH den Gott.*
*Hoch empor will ich ragen über den Völkern.*
*Hoch empor will ich ragen über der Erde.*

*Der Herr der himmlischen Scharen ist mit uns.*
*Der Gott Jakobs ist unsere Burg.*

*Sela*

## PSALM 118

*Lobpreis-Bekenntnis dem HERRN!*
*Denn gut ist er.*
*Denn in Zeitenkreisen ewig – seine Gnade.*

*So spreche denn Israel:*
 *In Zeitenkreisen ewig – seine Gnade!*
*So spreche das Haus Aarons:*
 *In Zeitenkreisen ewig – seine Gnade!*
*So spreche denn alles, was den HERRN ehrfürchtig scheut:*
 *In Zeitenkreisen ewig – seine Gnade!*
*Von der Angst-Enge her rief ich zum HERRN.*
*In der Weite gab Antwort der HERR.*
*Der HERR – mir!! Mir neigt er sich zu.*
 *Nicht fürchte ich mich.*
 *Was können Menschen mir tun?*
*Der HERR – mir!! Mir neigt er sich zu.*
 *Mir seine Hilfe.*
 *Mein Blick auf meinen Hassern.*
*Gut, zu vertrauen dem HERRN,*
 *besser als vertrauen auf Erden-Menschen.*
*Gut, zu vertrauen dem HERRN,*
 *besser als vertrauen auf Mächtige.*
*Die Widersacher – alle umringen sie mich.*
*Im Namen des HERRN*
 *ich mach sie zunichte.*
*Umringen, ja umringen mich!*
*Im Namen des HERRN*
 *ich mach sie zunichte.*
*Umringen mich wie Wespen-Schwärme,*
 *wie Feuer prasselnd im Gedörn.*
*Im Namen des HERRN*
 *ich mach sie zunichte.*

*Man stößt und stößt mich, daß fallen ich soll –*
*Der HERR kommt mir zu Hilfe.*
*Meine Stärke und mein Sang ist der HERR!*
*Geworden ist er zu meinem Heil.*
*Heiles-Frohlocken in den Zelten der Gerechten!*
*Die Rechte des HERRN – tut Macht-Tat.*
*Die Rechte des HERRN – hoch erhoben!*
*Die Rechte des HERRN – tut Macht-Tat.*
*Nicht werd ich sterben.*
*Leben werde ich*
*und verkünden die Taten des HERRN.*
*Mit Prüfungen prüft mich der HERR,*
*doch dem Tode gibt er mich nicht.*
*Tut mir auf Tore der Gerechtigkeit!*
*Durchschreiten will ich sie,*
*den HERRN zu lobpreisen.*
*Dies ist das Tor des HERRN.*
*Gerechte durchschreiten es.*
*Ich lobpreise Dich, der Du demütig mich machst,*
*und bist mir zum Heile.*
*Ein Stein – die Bauleute verwarfen ihn.*
*Zum Eckstein ist er geworden!*
*Vom HERRN her geschah dies,*
*ein Wunder vor unseren Augen.*
*Dies ist der Tag – der HERR hat ihn gemacht.*
*Lasset uns jubeln!*
*Lasset uns seiner froh werden!*
*O HERR – Hosianna – so hilf doch mit deinem Heil!*
*O HERR – so gib doch Gelingen!*
*Gesegnet, der da kommt im Namen des HERRN.*
*Den Segen geben wir euch vom Hause des HERRN her.*
*Gottheit – im HERRN ist sie da.*
*Er leuchtet vor uns auf.*

Feiert den Reigentanz mit Zweigen bis an die Hörner
   des Altars.
Mein Gott – Du!
Ich will Dich lobpreisen.
Du Fülle mir der göttlichen Kräfte –
Ich will Dich erheben.
Lobpreis-Bekenntnis dem HERRN!
Denn gut ist er.
Denn in Zeitenkreisen ewig – seine Gnade.

## PSALM 110

*Ein Psalm Davids. Raunung des Herrn*
*zu dem, der mein Herr ist:*
*Setze dich zu meiner Rechten,*
*bis ich lege deine Widersacher*
*als Schemel unter deine Füße.*
*Den Stab deiner Stärke streckt der Herr von Zion aus.*
*Herrsche inmitten deiner Widersacher!*
*Dein Volk – ganz Freiwilligkeit*
*am Tag deiner vollen Kraft-Entfaltung.*
*Es erstrahlt in heiligem Ornat.*
*Aus des Morgenrots Mutterschoß*
*tauet dir deine Jüngerschaft.*
*Geschworen hat der Herr,*
*nicht wird es ihn gereuen:*
*Du bist Priester in Ewigkeit*
*nach dem Ritus des Melchisedek.*
*Der Herr zu deiner Rechten*
*zerschmettert am Tag seines Zornes Könige.*
*Sein Völker-Gericht hinterläßt der Leichname viel.*
*Zerschmettern wird er das Haupt über große Lande.*
*Trinken wird er vom Bach am Wege.*
*Darum: erheben wird er das Haupt.*

## PSALM 96

*Singet dem Herrn einen Hymnus der Erneuung!*
*Singet dem Herrn, alle Erde!*
*Singet dem Herrn!*
*Ruft aus seinen Namen mit segnender Kraft!*
*Verkündet seine Heilands-Hilfe von Tag zu Tag!*
*Von seiner Licht-Glorie erzählet denen,*
*die noch naturgebunden sind,*
*von seinen Wunder-Taten allen Völkern!*
*Denn groß ist der Herr und hochverherrlicht.*
*Furchtbar erhaben überragt er alle Gottesmächte.*
*Die National-Götter, wesenlos wurden sie alle.*
*Der Herr aber, der das Ich-Bin spricht, erschuf die Himmel.*
*Offenbarungs-Glanz ist vor seinem Angesicht,*
*und hoheitsvolle Majestät.*
*Kraft ist in seinem Heiligtum, und würdereiche Schönheit.*
*Bringet dar dem Herrn, ihr Völkergeschlechter,*
*bringet dar dem Herrn den Wider-Schein seines Namens!*
*Traget Opfergabe herbei, betretet seine Vorhöfe!*
*Betet an den Herrn in strahlendem Priestergewande!*
*Ehrfürchtig scheue sich vor seinem Angesicht alle Erde!*
*Sprecht es aus unter denen, die noch naturgebunden sind:*
*Ergriffen hat der Herr die Königskraft im Ich.*
*Er, der den Erdkreis in Festigkeit gründete,*
*daß er nicht wanke.*
*In gerade Bahnen wird er lenken die Schicksale der Völker.*
*Freuen sollen sich die Himmel!*
*Aufjauchzen die Erde!*
*Das Meer erbrause, und seine Fülle.*
*Das Feld frohlocke, und alles was darauf west.*
*Jubeln sollen alle Bäume des Waldes.*
*DENN ER KOMMT! DENN ER KOMMT!*

*Einfügen wird er die Erde in die Gottes-Ordnung.*
*Richtung geben wird er allen Völkern*
*in der Amen-Kraft seiner Wirklichkeit.*

## PSALM 24

Dem Herrn die Erde und ihre Fülle,
der Erdkreis, und die darauf wohnen!
Denn Er hat sie auf wogenden Meeren erfestigt,
über flutenden Strömungen hat Er sie erhärtet.
Wer wird emporsteigen auf den Berg des Herrn?
Wer wird bestehen am Ort Seiner Heiligkeit?
Wer unschuldige Hände hat und reinen Herzens ist,
wer nicht zum Trug seine Seele hinträgt,
wer nicht frevelhaft schwört –
der wird Segen davontragen vom Herrn
und Gerechtigkeit von dem Gott, der ihm hilft.
Das ist das Geschlecht derer, die nach ihm fragen
und Dein Angesicht suchen, Du Gott Jakobs.

Sela

Erhebet, ihr Tore, eure Häupter!
Reckt euch empor, ihr Pforten der Ewigkeit!
Kommen wird der König der Glorie.
Wer ist dieser König der Glorie?
Es ist der Herr, ein machtvoller Held,
der Herr, ein Held des Kampfes.
Erhebet, ihr Tore, eure Häupter!
Reckt euch empor, ihr Pforten der Ewigkeit!
Kommen wird der König der Glorie.
Wer ist dieser König der Glorie?
Es ist der Herr der Heerscharen.
Der ist der König der Glorie!

# I

## WELTEN-SCHAU

# DER MENSCH
## UNTER DEM STERNENHIMMEL

PSALM 8

Der Herbst ist eine Jahreszeit, in welcher der Mensch mehr als sonst zu sich selber kommen kann. Im Sommer droht das Sonnen-Leben ihn zu überwältigen, im Winter schlägt ihn die Kälte der dunklen Erde in ihren Bann. Im Frühling will ihn das neue Werden mit fortreißen. Aber in der Kühle des Herbstes ist er sich selbst gegeben. Im Zeichen der Waage erlebt er sich im rechten Gleichgewicht.

Eine herbstliche Besinnung ist der 8. Psalm. Aller Wahrscheinlichkeit nach meint der hebräische Text nicht »ein Lied auf der Gitthit« (die man dann als ein Musikinstrument verstehen müßte), sondern ein Lied »über den Keltern«. So hat es auch schon die ins dritte vorchristliche Jahrhundert zurückgehende griechische Übersetzung aufgefaßt, wie denn ja auch die Griechen besondere Hymnen beim Wein-Keltern kannten. Die herbstlichen Weinberge mit den grün-goldenen reifen Trauben bilden den Hintergrund dieses Psalms, der das Geheimnis des Menschen-Wesens erwägen will, wie es zwischen Himmel und Erde steht.

Es ist aufschlußreich, zu beobachten, wie jede Sprache ihre besondere Bezeichnung hat für den Menschen. So hängt zum Beispiel unser Wort »*Mensch*« mit einem indogermanischen Wort zusammen, das auf das Denken hindeutet. Da ist der Mensch vor allen anderen Wesen erkannt als der Geistesträger. – »*An-thropos*« im Griechischen ist der »Hinaufschauende«; es wird als wesentlich empfunden, daß der Mensch des Aufblickes zum Himmel fähig ist, daß er seine Augen zu den Sternen aufheben kann. – »*Homo*«, »humanus« im Lateinischen ist verwandt mit »humus«, also: der Irdische, der Irdene, der in einem entscheidend wichtigen Zusammenhang steht mit der Erde. – Das Hebräische geht hier mit dem Latein einig. Auch für die Sprache des Alten Testamentes ist der Mensch wesentlich gekennzeichnet durch seine Erd-Beziehung. »Adamah« ist die Erde. »*Adam*« – der Mensch. Der Mensch wird also erlebt als ein Wesen, das nicht denkbar wäre ohne das speziell Irdische, Erdhafte. Er hängt innig mit der ganzen Erd-Entwicklung zusammen, ist ihr krönender Abschluß.

Dieser Erden-Aspekt des Menschen ist in der Tat von größter Bedeutung. Wir haben durch die Anthroposophie Rudolf Steiners in neuer Weise gelernt, den Menschen mit dem Erd-Planeten in Verbindung zu sehen. Er ist Ziel und Sinn der Erde. Er trägt in sich den Extrakt ihrer feinsten Kräfte. Nur unter den ganz besonderen, eigenartigen Bedingungen des Erden-Daseins kann sich der Mensch zu einer selbständigen, mit Ich-Bewußtsein ausgerüsteten Persönlichkeit heranentwickeln. – So tief berechtigt also die römisch-hebräische Namens-Gebung für den Menschen ist, so bedarf sie doch auch wieder der Ergänzung. Es kann zur Einseitigkeit des Materialismus führen, wenn man am Menschen nur seine Erd-Bezogenheit betont. Die andere Seite wird wunderbar zur Geltung gebracht durch den griechischen Aspekt: anthropos, der Emporblickende.

Einerseits ist es richtig: ohne den Durchgang durch die starke Sphäre des Irdischen kein selbständiges Ich-Bewußtsein. Aber es darf nicht vergessen werden: was sich da am Widerstand des Irdischen zu einem Bewußtsein von sich selber durchringt, das ist seinem Ursprung nach von oben her. Aus den Himmeln ist es herniedergestiegen. Und wenn der Mensch zu den Sternen emporblickt, dann erhebt er sich zu den Höhen-Welten seines

himmlischen Ursprungs. Auch hier gibt es die Gefahr der Einseitigkeit: drastisch ausgedrückt in der Redewendung von dem Phi-
losophen, der die Sterne betrachtet und in die Grube fällt, weil er
auf seinen irdischen Weg nicht achtgab.

Erst in der rechten Harmonie zwischen Oben und Unten, zwischen Himmel und Erde, kommt das wahre Mensch-Sein zustande. Klassisch formuliert ist es bei Goethe:

>»Zwischen Oben, zwischen Unten
schweb ich hin zu muntrer Schau.
Ich ergötze mich am Bunten,
ich erquicke mich am Blau.
Und wenn mich am Tag die Ferne
blauer Berge sehnlich zieht,
nachts das Übermaß der Sterne
prächtig mir zu Häupten glüht,
alle Tag und alle Nächte
rühm ich so des Menschen Los.
Denkt er ewig sich ins Rechte,
ist er ewig schön und groß.«

»Was ist der Mensch?« Im 8. Psalm wird grundsätzlich diese
Frage gestellt, und es wird in einer wunderbaren Ausgewogen-
heit der himmlischen und der irdischen Belange das Wesen des
Menschen dargestellt und gefeiert.

*Herr, unser Herrscher,*
*wie leuchtet von Deines Namens Glanz alle Erde!*

(V. 2)

Die Erde ist ein Bereich göttlicher Offenbarung. »Wie ist doch
allem Erden-Sein Dein Name sichtbar eingeschrieben!« Die Erde ist also nicht nur dumpfe Stofflichkeit, blind und taub. Sie ist
nicht nur anonyme Materie, zufällige Ansammlung namenloser
Atome. Vielmehr: sie ist voll des göttlichen Namens.

Der »Name« ist das ins Bewußtsein gehobene Wesen, Inbegriff dessen, was von einem Wesen gewußt wird. So ist »Gottes Name« der Inbegriff dessen, was die Gottheit von sich selbst zu erkennen gibt. In den einzelnen Werken der Schöpfung sind gewissermaßen Buchstaben dieses göttlichen Namens geheim-offenbar. Darum leuchtet der Name aus dem Erden-Dasein hervor.

Im selben Atem geht der Psalm vom Irdischen zum Himmlischen über und vollzieht damit die Augen-Aufhebung zur oberen Welt:

*Der Du Deine Wesens-Erstrahlung*
*ausgetan hast in die Himmel.*

Die Erde, schwer von den Geheimnissen des großen Namens, ist überwölbt von den Sphären der Himmel. Das Wort Himmel ist im Hebräischen eine Mehrzahl. Man wußte noch um die Vielheit übereinander sich emporsteigernder übersinnlicher Welten, die uns im Sternenfirmament ihre »Außenseite« zukehren. Paulus spricht zum Beispiel von seiner Entrückung bis in den »dritten Himmel« (2. Kor. 12,2). – Der Widerschein des Namens im Irdischen lenkt den Blick aufwärts zu den Himmeln, in denen sich die Gottheit in ewiger Wesens-Erstrahlung erschließt.

Für den 8. Psalm bleibt dieses Wechseln, dies Auf und Nieder des Blickes zwischen Himmel und Erde auch weiterhin charakteristisch.

Von der am Himmel ausgebreiteten Wesens-Erstrahlung wenden wir uns wieder zur Erde. Und nun erscheint erstmalig der Mensch im Blickfelde. Zuerst in der Daseinsform des Kindes:

*Aus dem Munde der Unmündigen und der Säuglinge*
*hast Du eine Macht begründet gegenüber Deinen Bedrängern,*
*zum Schweigen zu bringen den Feind und Empörer.*

(V. 3)

Für die intellektualistische Betrachtung des neuzeitlichen Menschen ist das Kind weiter nichts als der noch nicht erwachsene Mensch. Vom Erwachsenen aus angesehen: ein »noch nicht«. Demgegenüber gilt es zu erkennen, wie andererseits der Erwachsene, am Kinde gemessen, in vieler Hinsicht ein »nicht mehr« darstellt; wie er keineswegs nur das Ziel ist, dessen Erreichung die vorangegangenen Werde-Stadien entwertet. Vielmehr: das Kind-Sein ist ein Eigen-Wert! – Sehen wir den Menschen nur vom Irdischen her, so ist das Kind, als ein noch junger Erden-Bewohner, nur Unvollkommenheit, Unerwachsenheit, lauter »noch nicht« in bezug auf die vollständige Erden-Verkörperung. Fügt man aber den Himmels-Gesichtspunkt hinzu, dann ist Kind-Sein etwas Hochbedeutsames. Dann ist das Kind der noch nicht gänzlich verkörperte, dafür aber noch zu einem großen Teil den höheren Welten angehörende Mensch. »Ihre Engel schauen allezeit das Angesicht meines Vaters in den Himmeln« (Matth. 18,10). Sinnvoll ist im 8. Psalm das Wort von den Kindern in die Betrachtung des Sternenhimmels eingebettet, zwischen Vers 2 und 4.

Wer zum Irdischen das Himmlische hinzuerkennt, der sieht im Kinde nicht mehr bloß den noch unvollkommenen Erwachsenen. Er ist nicht mehr versucht, »diese Kleinen zu verachten«. Er erkennt im Kindes-Wesen geradezu so etwas wie eine Macht, ja eine Welten-Macht, einen kraftvollen Faktor innerhalb der großen Auseinandersetzung, die von guten und bösen Geistesmächten um den Menschen geführt wird.

Es ginge ja unendlich viel Spiritualität verloren, wenn der Mensch, ohne erst Kind zu sein, »gleich gescheit und erwachsen fix und fertig« zur Welt käme. Wenige haben eine Ahnung davon, wieviel sie den im zwielichtigen Halbdunkel dämmernden Kinderjahren an Berührungen durch eine höhere Welt verdanken. Ein gewaltiger Zufluß von Göttlichkeit kommt durch die eigene erlebte Kindheit sowie durch das Kind-Sein anderer

Menschen immer wieder in das irdische Dasein herein. Wieviel Licht und Wärme hat das Bild des Christkindes in der Krippe in eine kalt gewordene Erwachsenen-Welt eingestrahlt!

So kann man die Psalm-Worte ganz ernst nehmen, daß für die Gottheit die menschliche Kindheits-Stufe in ihrem Eigenwert einen Machtfaktor darstellt im Kampf mit den Widersacher-Gewalten, die dem Erdenmenschen das Ahnen seines himmlischen Ursprungs aus dem Herzen reißen und ihn zu einem nur-irdischen Wesen umgestalten wollen. Das nur-irdisch Intellektualistische ist seinem Wesen nach das Unkindliche, das im schlechten Sinne »altklug« macht und den Todesmächten in die Hände arbeitet.

»Eine Macht gegenüber Deinen Bedrängern.« Die »Bedränger« (so die wörtliche Übersetzung) – das sind eben die Wesen, die das Göttliche auf Erden »in die Enge treiben«, ihm den Lebensraum und die Luft zum Atmen auf Erden nehmen wollen.

Diese Psalmen-Stelle erscheint auch einmal im Munde des Christus. Die Hohenpriester und Schriftgelehrten nehmen Anstoß an dem »Hosianna«, das die Kinder im Tempel ihm bei seinem Einzug zurufen. Der Christus antwortet ihnen mit dem Psalmenwort 8,3 (Matth. 21,15.16). Mit dem Christus zieht ja der verlorene und vergessene Himmel wieder in die Welt des Erdenmenschen ein – da ist es gerade das Element des Kindhaften, das im Gegensatz zu den innerlich erstorbenen Hohenpriestern und Schriftgelehrten den Einziehenden erkennt und ihm zujubelt.

Von den Kindern geht der Blick des 8. Psalms wieder aufwärts.

> *Wenn ich anschaue Deine Himmel,*
> *das Werk Deiner Hände,*
> *Mond und Sterne, die Du begründet hast …*

(V.4)

Hier kommt der griechische Aspekt des Menschen zur schönsten Geltung: anthropos, der Emporblickende. Über alle irdischen Notwendigkeiten und Nützlichkeiten hinaus kann sich der Blick anbetend in die Herrlichkeit des nächtlichen Sternenhimmels versenken.

Von den Sternen sprechen die Psalmen nicht oft. Das Wort »Stern« (kōkāb) findet sich erst wieder gegen Ende des Psalmenbuches, und zwar zuerst Ps. 136,9. Im 136. Psalm werden die Werke der Schöpfung aufgeführt, wobei jedem Satz das Responsorium folgt: »Denn in Ewigkeit währt seine Gnade.« Da werden alle die einzelnen Schöpfungs-Akte der Genesis noch einmal zum Bewußtsein gebracht und als Gnaden-Erweisungen, als Mitteilungen innergöttlichen Lebens gefeiert. »Der große Lichter schuf – denn in Ewigkeit währt seine Gnade / die Sonne, den Tag zu beherrschen – denn in Ewigkeit währt seine Gnade / den Mond und die Sterne, die Nacht zu beherrschen – denn in Ewigkeit währt seine Gnade.«

Sodann Psalm 147,4: »Er ordnet den Sternen die Zahl und ruft sie alle mit Namen.« Das Zählen ist da nicht rechnerisch-äußerlich gemeint. Es will besagen: Gott trägt sie alle in seinem Bewußtsein, und zwar als Organismus einer Gesamtheit, als vollzähligen Chor. Aber dieses Gesamt (die Zahl) besteht wiederum aus lauter einzelnen Stern-Individualitäten, wie denn auch Paulus 1. Kor. 15,41 sagt, daß ein jeder Stern sich vom andern unterscheide durch seine besondere Lichterstrahlung. So ist dieser Chor wirklich eine »Symphonie«, ein harmonisches Zusammenklingen all der verschiedenen Individualitäten, die er alle »mit Namen« ruft.

Und schließlich Ps. 148,3 in dem großen Halleluja des Weltalls. So wie in Ps. 136 jedem Satz das Wort von der ewig-währenden Gnade beigefügt ist, so enthält Ps. 148 die immer wiederkehrende Aufforderung, in den großen Lobpreis einzustimmen. Es beginnt mit den Himmeln und den Höhen-Welten, schreitet dann weiter zu Engeln und himmlischen Heerscharen und geht dann erst mit Sonne, Mond und Sternen vom Unsichtbaren in die Sichtbarkeit über. »Lobet Ihn, Sonne und Mond, lobet Ihn, alle Sterne des Lichtes.«

Diese drei Stellen am Ende des Psalters ergänzen einander. In Ps. 136 gehen die Sterne hervor aus der gnadenvollen Selbstmitteilung und Erschließung ewiger Gottheit. In Ps. 147 erscheinen die Sterne als Vielheit und doch Einheit, als Symphonie von Individualitäten. In Ps. 148 strahlen die Sterne als klarer Spiegel dem Schöpfer seine Herrlichkeit zurück, indem sie ihn »loben«. Das ist wie eine Umkehrung des Gesichtspunktes von Ps. 136.

Diesen drei Stellen, die das Verhältnis von Gott zu den Sternen und von den Sternen zu Gott vor Augen haben, steht unser 8. Psalm gegenüber: Er zeigt das Verhältnis des Menschen zu den Sternen. »Wenn ich anschaue Deine Himmel... Mond und Sterne.« – Man muß eine Weile hier innehalten und die Ruhe der Kontemplation empfinden, wie hier alles um uns herum versinkt und nur noch der Sternenhimmel da ist, der ja in der Heimat des Psalmensängers noch viel klarer und strahlender leuchtet. Empfinden wir eine Weile das selbstvergessene Ruhen in dieser Schau »wenn ich anschaue Deine Himmel... Mond und Sterne«.

Gerade diese Selbstvergessenheit mündet nun aber im folgenden ein in die Frage nach dem Menschen. Es liegt eine tiefe innere Logik darin, wie das Sternen-Erlebnis, das uns in die Unermeßlichkeiten hinaus entrückt, sich zum Menschen umwendet. Der in den Anblick der Sterne Versunkene verliert sich nicht an fremde Fernen, sondern er tritt in Beziehung zu den ewigen Mächten, die aus dem Umkreis heraus zusammenwirken, um in ihrer Mitte den Menschen hervorzubringen. Er sieht in den Sternen die kosmischen »Wohnorte« der höheren Wesenheiten, die an seiner, des Menschen, Entwicklung schöpferisch beteiligt sind. Der Makrokosmos draußen steht in intimer Beziehung zu dem Mikrokosmos Mensch. Das liegt zwischen den Zeilen, das ist die innere Logik des Überganges von der Sternen-Schau zur Frage nach dem Menschen, wobei wir wieder die dem 8. Psalm eigentümliche Bewegung des Auf und Ab zwischen Himmel und Erde beachten wollen.

*Was ist der Mensch, daß Du sein gedenkest?*

(V. 5)

Man darf diese Frage nicht mit den Ohren des neuzeitlichen, »naturwissenschaftlich aufgeklärten« Menschen hören. Da hätte diese Frage den Sinn: »Was ist schon angesichts dieser astronomischen Riesenverhältnisse das Stäubchen Mensch!« Was kann der Mensch schon im Universum bedeuten! Weniger als nichts. Diese auf rein größenmäßiger Weltbetrachtung beruhende Stimmung liegt dem Psalm ferne, der noch von den übersinnlichen Welthintergründen weiß. – Nebenbei: diese Staubkorn-Stimmung hat zwar den Anschein lobenswerter Bescheidenheit, ist aber im übrigen sehr bequem. Man macht durch eine nur größenmäßige Betrachtung den Menschen zu einem Nichts und kann dann in Unverbindlichkeit als sowieso belangloses Staubkorn ein moralisch minderwertiges Leben führen. – Wenn der Sternenhimmel wieder als Offenbarung schaffender Geistesmächte erkannt wird, dann steht die Frage wieder mit allem Frage-Ernst da: Was ist der Mensch?

Das Wesen, das wir Mensch nennen, ist noch nicht vollendet. Zur freien Geistpersönlichkeit nach dem Bilde Gottes berufen, ist der Mensch noch im Werden begriffen. Um dieser seiner Entwicklung zu dem fernen hohen Ziel willen geht er durch eine »Geschichte« hindurch.

Ein Bestandteil dieser Geschichte ist der Sündenfall, ein Geschehen, das im Alten Testament in hieroglyphischen Schau-Bildern dargestellt ist. Es sonderte den Menschen von der Welt seines Ursprungs. Dadurch traten die Todesmächte an ihn heran.

61

Davon klingt etwas an in unserem Psalmtext, wo für »Mensch«
zunächst nicht das übliche Wort »adam« gebraucht ist, sondern
»enosch«. Das bedeutet: der Vergängliche, der Hinfällige. Etwa
wie wir von den Menschen als von den »Sterblichen« sprechen.
Also: »Was ist der Sterbliche, daß Du seiner gedenkest, daß Du
ihn in Deinem göttlichen Bewußtsein trägst?« In der nächsten
Zeile tritt dann aber das Wort »adam« auf, der »Menschen-
Sohn« heißt »ben-adam«.

*Und des Menschen Sohn, daß Du Dich seiner annimmst?*

Der Mensch versenkt sich in die Schau des Sternenhimmels.
Er könnte das nicht, wenn er durch und durch nur aus Vergänglichkeit gemacht wäre. Im Anschauen der Sterne wird er sich des
Todesrätsels bewußt, das seiner Menschheit als Sterblichkeit
und Vergänglichkeit beigegeben ist: »Was ist der sterbliche
Mensch, daß Du ihn in Deinen Gedanken hegest?« Der Blick
geht über den Menschen, wie er sich heute darstellt, hinaus auf
Zukünftiges. »Des Menschen Sohn.« Hier trägt der Mensch also
wieder den Adam-Namen, der zwar seine Erdbezogenheit betont, aber doch nicht den Beiklang des Hinfälligen hat. Des Menschen »Sohn« – das ist der in die Zukunft hinein sprossende, zu
neuen Möglichkeiten gedeihende Mensch. Es ist die Gestalt, die
aus dem alten, vom Sündenfall und vom Tod gezeichneten Menschen einmal als etwas Neues, Zukunftskräftiges hervorgehen
soll. In bedeutsamer Weise erscheint im Neuen Testament
»Menschensohn« als Bezeichnung des Christus; denn er allein
kann die Sündenfallsmächte überwinden und das Menschenwesen göttlich-zukunftsfähig machen.

Bemerken wir auch die Polarität von Gedankenhaftem und
Willenshaftem in den Worten »gedenken« und »sich annehmen«. Des sterblichen Menschen gedenkt Gott, er trägt ihn im
Bewußtsein. Des Menschen-Sohnes nimmt er sich an. Ihm läßt
er seine tatkräftige Hilfe zuströmen. Das hebräische Wort wird

manchmal auch mit »heimsuchen« wiedergegeben (»visitare«), in dem positiven Sinn des Zugastegehens. Mit der Zukunftsgestalt des Menschen verbindet sich die Gottheit wesenskräftig in wirksamer Zu-Neigung. – Damit werden Geheimnisse des Christus von weitem ahnungsvoll berührt. Erst im Lichte des Christus findet die Frage nach dem Menschen und nach seiner Zukunftsgestalt ihre Antwort.

Erst im Lichte des Christus als des Wiederherstellers und Vollenders wahren Menschentums erhalten auch die folgenden Verse ihren vollen Sinn, die von des Menschen Hoheit und Würde sprechen.

Ehe wir zu ihnen übergehen, blicken wir noch einmal darauf zurück, wie uns der Mensch in drei Erscheinungsformen entgegentritt, wie er im 8. Psalm die drei Namen trägt: das Kind – der Sterbliche – der Menschensohn.

Das »Kind« ist der noch ganz in die göttliche Ursprungskräfte eingehüllte Mensch. – Der »Sterbliche« ist der erwachsene Mensch des Sündenfalles, der seine Bewußtheit damit erkauft hat, daß er von den Todesmächten durchdrungen wurde. – Der »Menschensohn« steht als Zukunftsgestalt im Schein des Christus.

Daß der Psalm die unter dem Sternenhimmel entstehende Frage nach dem Menschen nicht in dem »Staubkorn«-Sinne beantwortet, zeigt der weitere Fortgang. Die Herrlichkeit des Urstandes und die Herrlichkeit dereinstiger Vollendung liegen in den Worten:

*Du ließest ihm wenig fehlen an der Gottes-Würde.*
*Mit Offenbarungs-Licht und Hoheits-Glanz kröntest Du ihn.*

(V. 6)

Der Mensch – »beinahe ein Gott«. In diesem »Beinahe« liegt seine Entwicklungsdramatik, liegt seine Problematik. Er fühlt sich zu göttlicher Würde berufen. Luzifer weiß ihn bei diesem

edlen Vollendungs-Drang zu fassen: »ihr werdet sein wie Gott«.
Aber erst ein Anderer wird dieses Versprechen wirklich einlösen
– »ihr seid Götter« (Joh. 10, 34).

Die strahlende Krone auf dem Haupte war in alter Zeit das
gültige Bild dafür, daß der geisterhöhte Mensch nach »Oben« zu
nicht »abgeschlossen« war, sondern nach Oben in das göttliche
Licht hineinragte. So ist der Mensch geistgekrönt, mit »Gloria
und Majestät«, mit »kābôd und hādār«. Das erste Wort steht im
Alten Testament des öfteren für die Licht-Aura der er-scheinen-
den Gottheit, wenn sie etwa die Stiftshütte oder später den Tempel mit ihrer spürbaren Gegenwart erfüllt. Das zweite Wort ist
ausstrahlende Hoheit, Majestät. Gewisse alte Rabbinen sahen in
dieser Krönung mit kābôd und hādār den Hinweis auf die Begabung des Menschen mit der »höheren Seele« (die »neschamah
aljonah«). Mit Recht; denn es handelt sich ja wirklich um die
Begabung des Menschen mit höheren Wesensgliedern, durch die
er in die Lichtsphäre der Gottheit hinaufragt. Seine volle Erfüllung findet dieses Mysterium erst wiederum durch den Christus.
Die Apokalypse spricht von der »Krone des Lebens«, die dem
zuteil wird, der mit Christus durch den Tod hindurchgeht, und
sie mahnt: »daß niemand deine Krone raube«, im Blick auf die
Widersachermächte, die dem Menschen seine höhere Geistigkeit
entreißen und ihn in die Tierheit hinabstoßen wollen.

Nochmals senkt sich der Blick des Psalms, der im Bilde der
Lichtkrone zu den Höhen aufschaute, vom Himmel zur Erde nieder. Von dem, was über dem Menschen ist und sich als Krone auf
sein Haupt senkt, schreitet die Betrachtung fort zu dem, was unter ihm ist.

> *Du hast ihn zum Herrscher gemacht*
> *über das Werk Deiner Hände.*
> *Alles hast Du unter seine Füße getan.*

(V. 7)

Dem Geistgekrönten ist die Kreatur unterworfen. Der Mensch hat an beiden Welten teil, nach oben ragt er in die Gottheit empor, nach unten hin hat er teil am kreatürlichen Dasein, das sich in seinem Leib zusammenfaßt. Zwischen sichtbarer und unsichtbarer Welt vermittelnd, ist er der berufene Stellvertreter Gottes auf Erden.

Läßt er sich von den Widersachermächten die Krone rauben, dann wird er zum Tyrannen, zum Ausbeuter der Erde. Daß er sich die Erdenwelt untertan mache, ist göttlicher Auftrag (1. Mos. 1, 28). Aber er darf nicht vergessen, daß er nur als Geistgekrönter die Erde beherrschen darf und daß die Welt unter ihm »das Werk Deiner Hände« ist! Hierin liegt das ganze Programm irdisch-menschlicher Kultur-Arbeit.

Und nun wird im besonderen die Tierwelt erwähnt, als unter den Menschen getan, wobei nicht die Genesis-Reihenfolge der Schöpfung beobachtet, sondern diese umgekehrt wird: so daß der Text mit den höheren, dem Menschen näherstehenden Tieren beginnt und dann zu den fernerstehenden Luft- und Wasser-Tieren weitergeht. Erst die Haustiere, dann die wild lebenden Säugetiere (Tiere des Feldes), dann Vögel und zuletzt Fische.

*Schafe und Rinder allzumal, und auch die Tiere des Feldes.*
*Die Vögel des Himmels und die Fische des Meeres,*
*und was seine Bahnen zieht in ozeanischen Weiten.*

(V. 8–9)

Diese Herrschaft des Menschen über die Tiere hat auch noch eine andere, mehr innere Seite. Es besteht etwas wie eine unterirdische Beziehung zwischen den Tieren und den verschiedenen Seelen-Regungen des Menschen. Daß die Tierwelt wirklich »das auseinandergelegte Gesamtgemüt des Menschen« ist, davon künden in mannigfacher Art Märchen und Träume. In den Tiergestalten sind gewisse Seelenkräfte »objektiviert«, die auch im Seelen-Innern wohnen. Zu herrschen über das Tier, auch über

65

das Tier in seinem eignen Innern, durch den Anschluß nach oben an das Reich des Geisteslichtes, das ist dem Menschen als Aufgabe gesetzt. Er steht zwischen Engel und Tier. Im 91. Psalm kommt das ebenfalls klassisch zum Ausdruck: »Denn Er hat seinen Engeln befohlen über Dir, daß sie Dich auf den Händen tragen... auf Löwen und Ottern wirst du gehn und schreiten über junge Löwen und Drachen« (91, 11–13).

Nicht im hochmütig-luziferischen Sinne ist hier die Hoheit des Menschen erfaßt. Der Psalm schließt wieder mit demselben Satz, mit dem er anfing:

*Herr, unser Herrscher,*
*wie leuchtet von Deines Namens Glanz alle Erde!*

(V. 10)

Derselbe Satz wie zu Beginn. Aber er ist nun reicher geworden.

Der Mensch ist nun in diesen Lobpreis mit eingebaut. Gerade wenn seine Würde voll hergestellt wird, kann sich der Name Gottes auf Erden recht offenbaren. Weihe zum Menschen ist der wahre Gottesdienst des Menschen.

*

*Herr, unser Herrscher,*
*wie leuchtet von Deines Namens Glanz alle Erde!*
*Der Du Deine Wesens-Erstrahlung*
*ausgetan hast in die Himmel.*
*Aus dem Munde der Unmündigen und der Säuglinge*
*hast Du eine Macht begründet*
*gegenüber Deinen Bedrängern,*
*zum Schweigen zu bringen den Feind und Empörer.*
*Wenn ich anschaue Deine Himmel,*
*das Werk Deiner Hände,*
*Mond und Sterne, die Du begründet hast,*
*was ist der Mensch, daß Du sein gedenkest,*

66

*und des Menschen Sohn,*
*daß Du Dich seiner annimmst?*
*Du ließest ihm wenig fehlen an der Gottes-Würde.*
*Mit Offenbarungs-Licht und Hoheits-Glanz*
*kröntest Du ihn.*
*Du hast ihn zum Herrscher gemacht.*
*über das Werk Deiner Hände.*
*Alles hast Du unter seine Füße getan.*
*Schafe und Rinder allzumal,*
*und auch die Tiere des Feldes.*
*Die Vögel des Himmels und die Fische des Meeres,*
*und was seine Bahnen zieht in ozeanischen Weiten.*
*Herr, unser Herrscher,*
*wie leuchtet von Deines Namens Glanz alle Erde!*

# GOTT IN DER NATUR

## PSALM 104

Der 104. Psalm ist wie ein hymnisches Echo der Schöpfungser-
zählung in der Genesis, deren Fortgang in der Folge der Schöpfungstage teilweise im Psalm anklingt. Der Psalm gliedert sich in
sieben Abschnitte.

### I. Der Himmel (V. 1–4)

> *Lobpreise, meine Seele, den Herrn!*
> *Herr, mein Gott, groß bist Du gar sehr.*

Dieser Satz vom Groß-Sein ist mehr als nur eine allgemein
erbauliche Wendung. Es liegt im rechten Verständnis dieses
»Groß-Seins« der Schlüssel zum Verständnis der Weltschöpfung. »Groß« ist für die Alten die Bezeichnung für eine Geistigkeit, die den Bereich des Nur-innerlich-Seins zu überschreiten
vermag. Es ist eine Innerlichkeit von solch überquellender Kraft,
daß sie sich schaffend in eine Außenwelt ergießen kann. Eine
Geistigkeit, die aus innerer Überschüssigkeit heraus »geistig-
physisch« werden kann. Der Vor-Rang des rein Geistigen als des
Urbeginnes ist damit nicht angetastet, nur müssen wir von einem
solchen Geist, dem man eine Weltschöpfung zutrauen will, im
Sinne des »magischen Idealismus« denken.

Der 104. Psalm geht den Weg noch einmal nach, der vom In-
nen-Sein der Gottheit bis zur Welt-Werdung führt. Dabei sind
mehrere Etappen unterscheidbar.

Mit der »geistig-physischen« Eigenschaft des »Groß-Seins« beginnt es. Das erste, das dann aus diesem Sein der Gottheit hervortritt, ist mit einem Wortepaar bezeichnet, das im hebräischen Urtext einen lautkräftigen (»mantrischen«) Klang hat: »hôd we hādār«.

> *In Wesens-Erstrahlung und Hoheits-Glanz*
> *hast Du Dich gekleidet.*

»Wesens-Erstrahlung und Hoheits-Glanz« – so läßt sich vielleicht der Sinn, nicht aber die sprechende Lautlichkeit der beiden Worte von fern wiedergeben, die sowohl konsonantisch wie vokalisch ungemein eindrucksvoll sind, gerade auch in ihrem Nacheinander. Das erste Wort »hôd« erscheint in der griechischen Septuaginta-Übersetzung als »exomologesis«, lateinisch »confessio«. Das wäre deutsch: »Bekenntnis«. Es wäre damit ausgesprochen, daß im Bekennen ein Inneres nach außen gekehrt und offenbar gemacht wird. Goethe nannte seine Werke »Bruchstücke einer großen Confession«.

Die beiden Worte besagen ein Aus-Strahlen aus dem Unoffenbaren ins Offenbare. Sie haben ihre Stelle noch vor dem »Licht«. Es ist noch gar nichts Äußerlich-Physisches im Spiel, wir sind noch in einer Region ätherischen Lichtes. Im folgenden erst betreten wir den Bereich der sichtbaren Welt, wiewohl ja auch das »Licht« an und für sich noch nicht eigentlich »sichtbar« ist, sondern uns nur die Welt sichtbar macht. Aber es ist doch gegenüber »hôd« und »hādār« schon wieder ein Schritt weiter in das Außen-Sein.

> *Du hüllst Dich in Licht wie in einen Mantel.*
> *Du breitest aus die Himmel wie ein Zelt.*
> *Du bauest an Wassern Dein hohes Haus.*

Jetzt erst sind wir bei dem »Es werde Licht« der Genesis angekommen. Das Aufleuchten von Wesens-Erstrahlung und Hoheits-Glanz hält ein noch früheres, vorausgehendes Stadium fest. – Mit dem Licht tritt zugleich der Himmel in Erscheinung, dann »die Wasser«. Das ist noch kein irdisches Wasser, auch noch nicht in Wolkenform existierendes Wasser, sondern es ist das »Wasser über der Feste«, ein himmlischer Ozean von ätherisch-fluidalen Kräften.

Überblicken wir noch einmal die bisherige Folge: Groß-Sein – Wesens-Erstrahlung – Hoheits-Glanz – Licht – Gewässer. Es ist der Weg in immer dichtere Daseinsformen, der Weg von Innen nach Außen. Das wird auch sehr deutlich, wenn wir noch die andere Reihe daneben stellen; die Vergleichs-Worte, die das Verhältnis zur Gottheit zum Ausdruck bringen sollen: Kleid, Mantel, Zelt, Höhen-Palast (Söller, Obergemach). Das Kleid[1] liegt unmittelbar an – damit vergleicht der Psalm die dem Lichte noch vorausgehende Erstrahlung. Der Mantel ist schon »äußerlicher«. Noch weiter von der ursprünglichen Person abgerückt ist dann das Zelt, das aber dem Mantel noch nicht so fern steht wie schließlich das Haus. Mit dem »Groß-Sein« zu Anfang sind wir noch im Wesen der Gott-Person selber. Dann beginnt die Offenbarung, und die entstehende Welt löst sich immer mehr von der Unmittelbarkeit des Schöpfers ab, sie umhüllt ihn, verbergend-offenbarend, offenbarend-verbergend, als Kleid, als Mantel, als Zelt, als Haus. Aber dieses Himmels-Haus ist immerhin der Tempel seiner unmittelbaren Gegenwart.

Von diesem hohen Licht-Himmel steigen wir nun herab zum atmosphärischen Himmel, der schon der Erde näher ist. Jetzt gehen wir zugleich über aus einer Welt ruhevollen Seins und ruhevoller Offenbarungs-Erstrahlung in die dynamisch bewegte Sphäre wirkender Kräfte.

*Du machst Wolken zu Deinem Wagen.*
*Du brausest einher auf den Fittichen des Windes.*
*Du lässest Deine Engel wirken in Winden,*
*Deine erhabenen Diener in lohendem Feuer.*

Wolken und Winde tragen den Herrn in seiner Bewegtheit, wenn er die Tempel-Ruhe seines himmlischen Seins verläßt und »aus sich herausgeht«, »ausfährt« in der Ek-stase des Sturmes. – Schließlich springt die Betrachtung über von der unmittelbaren göttlichen Person zu den Kräften, die sich aus ihr als eigene Wesen, als selbständige Geistpersönlichkeiten losgelöst haben. Da sind die »Boten«, die »Engel« (Angeloi), die sich im wehenden Winde wie in einem feinen Leibe einkörpern können. Da sind die »erhabenen Diener« Gottes, seine »Liturgen«, wie die griechische Übersetzung sagt, die sich im lohenden Feuer, im Blitz, so etwas wie einen Leib geben. Das hebräische Wort »meschōreth« meint nicht den sklavischen Diener, sondern den, der aus Freiwilligkeit dient als »Minister«, als Diener im hohen erhabenen Sinne. Die Neunheit der himmlischen Hierarchien hat als unterste Stufe die Boten, die Engel. Sie können sich im wehenden Winde verleiblichen. Die oberste Hierarchie sind die Seraphim, zu deutsch die »Brennenden«. Sie offenbaren sich im Blitzesfeuer. Der Prophet Jesaja schaut sie in seiner großen Tempel-Vision als die himmlischen Liturgen, die den Hymnus des »Dreimal-Heilig«, das »Sanctus«, anstimmen.


## II. Die Erde (V.5–9)

Durch die elementarisch durchwetterte Sphäre von Wolken, Stürmen und Blitzen steigen wir zur festen Erde herab.

> *Er hat die Erde erfestigt auf ihren Grundlagen.*
> *Nicht wird sie erschüttert immer und ewig.*

Rudolf Steiner hat einmal, um die allmähliche Loslösung der Welt von der schöpferischen Gottheit in ihren Etappen zu kennzeichnen, die vier Begriffe in eine Reihe gebracht: Wesen – Offenbarung – Wirksamkeit – Werk. – »Du bist groß« – damit stan-

71

den wir noch im Wesen. Mit dem Licht-Himmel begann dann
die Offenbarung aus dem Wesen hervorzutreten; aber sie bleibt
noch intim mit diesem Wesen verbunden. Die Welt der Wolken
und Winde, der Blitze und Gewitterstürme – das war die Sphäre
der Wirksamkeit, wo das Wesen durch seine ausgesandten Kräfte vertreten wird, aber selbst schon tiefer im Hintergrund steht.
Mit der festen Erde ist schließlich das Stadium des abgeschlosse-
nen, fertigen, aus der Hand gegebenen, nunmehr vom Schöpfer
losgelösten »Werkes« erreicht. Das Hervorgebrachte ist wie kalt
gewordene Lava erstarrt.

Gerade in der materiellen Erstorbenheit ihrer steinernen Härte hat die Erde eine wichtige Funktion bei der Entwicklung des
Menschen. Er soll ja zur Selbständigkeit kommen. Dazu muß er
eine Zeitlang der unmittelbaren Lebendigkeit göttlichen Seins
entzogen werden, um in einer Welt des Todes seiner eigenen In-
itiativ-Kraft inne zu werden. Gerade am starren Erden-Element,
vom unmittelbaren Leben der höheren Welten isoliert, kann der
Mensch zum Bewußtsein seiner selbst als einer Eigenpersönlich-
keit erwachen. Die feste Erde hält ferner die Werke des Menschen fest und stellt ihm die Folgen seines Bauens wie seines Zer-
störens eindrucksvoll vor Augen.

Das Zustandebringen dieser festen Erde war ein besonderes
Werk des Ich-schaffenden Gottes.

> *Mit der Urflut decktest Du sie wie mit einem Kleid.*
> *Auf den Bergen standen die Wasser.*
> *Vor Deinem Schelten wichen sie zurück.*
> *Vor der Stimme Deines Donners flohen sie.*

Die Urflut, »Thehôm«, erscheint oft im Alten Testament wie
ein dämonisch-unheimliches Wesen, als eine Art Urwelt-Chaos-
Drache. Der Entwicklungsweg zur harten Erde mit ihrem festen
Boden für des Menschen zu entwickelnde Selbständigkeit war

72

gottgewollt. In den immer wieder eintretenden Überflutungen der entstehenden festen Erde schaute man die Drachenhäupter luziferischer Wesen, die dem Chaos dienten und der am harten Gestein zu erweckenden Wachheit und Klarheit entgegenwirkten. So wie im babylonischen Mythos Marduk in einer Art Michaelskampf den Urweltdrachen Tiamat bändigt, so »schilt« hier der Ich-schaffende Gott mit gewaltiger Donner-Stimme die alten Chaos-Mächte und kämpft den Erdenschauplatz frei für den Menschen.

So tritt nun die Erde heraus aus der Hülle der Urgewässer.

> *Da gingen die Berge hervor, da senkten sich nieder die Täler*
> *an den Ort, den Du ihnen bestimmt hast.*
> *Eine Grenze setztest Du (den Wassern),*
> *die überschreiten sie nicht,*
> *nicht kehren sie wieder, zu bedecken die Erde.*

Im 95. Psalm wird das noch deutlicher gesagt, wie die Gestaltung der Erd-Oberfläche göttlich bewirkt ist: »Und das Trockene haben Deine Hände plastiziert« (95,5). (Im Griechischen »eplasan«!) So sind Berge und Täler der von der göttlichen Vorsehung vorbereitete Schauplatz für menschliche Schicksale. Dabei können wir an manche heilige Berge denken, auf denen Menschen göttliche Offenbarung empfingen, und etwa an das Tal der tief eingeschnittenen, tief unter dem Meeresspiegel liegenden Jordan-Senke, wo in der Johannes-Taufe der Gott in das Erden-Sein einging.

### III. Das Leben der Erde (V. 10–18)

Der Flut ist die Grenze gesetzt. Die Kontinente sind da, als Grundlage für eine »Kontinenz«, für eine Zusammenhänglichkeit menschlich-irdischen Bewußtseins. Im festen Element ist die Erde erst recht zur »Erde« geworden. Aber wenn die Erde nur aus Erde bestünde, müßte sie eine Wüste des Todes werden. In den Chaosfluten wirkt Luzifer – aber im Schatten Jahves, der die Erde härtet, erscheint Ahriman, wie die Perser den Herrn des Todes nannten. Die Erde muß lebendig gehalten werden. Das Wasser-Element, nicht mehr als Thehôm, als Urflut-Drachenmacht, sondern in dienender Funktion, verhilft der Erde zur Lebendigkeit.

So wird nun geschildert, wie die Erde vom Wasser in Gestalt der Flüsse und Bäche und in Gestalt des Regens der Todesverknöcherung entrissen wird. Ohne Wasser keine Pflanze. Das Wasser ist allerdings noch nicht als solches dem Leben selber gleichzusetzen, aber es ist auf Erden das notwendige »Medium« des Lebens, das Vehikel der ätherischen Lebenskräfte, die an die harte Erdenkrume nicht »direkt« herankönnen, die aber durch die Vermittlung des ihnen näherstehenden feineren Wasser-Elementes in die Erdenstofflichkeit eingreifen können. Kein Leben auf Erden ohne Wasser. Und geradeso wie die Erdgestaltung in Berg und Tal kein Zufallsprodukt ist, sondern das Ergebnis plastischer göttlicher Bilde-Tätigkeit, so sind auch die Bäche und Flüsse in der Landschaft, die aus dem Quell-Wunder hervorgehen, das Ergebnis organisierender göttlicher Wirksamkeit.

> *Der Du Brunnen quellen lässest in den Gründen,*
> *zwischen den Bergen fließt es dahin.*
> *Da trinkt alles Getier des Feldes.*
> *Da löscht das Wild seinen Durst.*
> *An den Ufern sitzen die Vögel des Himmels,*
> *unter den Zweigen lassen sie ihre Stimme ertönen.*

Auf die poetische Schönheit dieser Natur-Schilderungen wurde schon in vielen Kommentaren aufmerksam gemacht. – Das belebende Wasser tritt nicht nur auf in Bächen und Flüssen, indem es aus der Erde quillt. Es kommt auch im Regen auf die Erde. Die Erscheinungsform des Regens ist wunderbar auf die

Lebensbedingungen der Pflanzen abgestimmt. Das Fallen in vielen Tropfen nimmt der herabstürzenden Wassermasse das Zerstörende. Ferner hat sich das Wasser im Emporsteigen und Verdunsten mit gewissen Kräften angereichert, die es nun wie einen Segen im Regen mit herunterbringt. So ist für die antike Welt – mit Recht – etwas Unmittelbares von Oben her, von Gott her, damit verbunden. Mag für unsere physikalische Aufgeklärtheit das Regenwasser auf dem Wege der Verdunstung von der Erde herkommen, seine eigentliche »ätherische« Qualität ist ein Geschenk himmlischer Sphären, sein »Segen« stammt »von Oben«.

> *Du tränkest die Berge von Deinem Himmelshause her,*
> *Du sättigst das Land mit Früchten, die Du schaffest.*

Dann schildert der Psalm im einzelnen die Fruchtbarkeit der Erde:

> *Du lässest Gras wachsen für das Tier*
> *und Brotgetreide zur Arbeit den Menschen,*
> *um Brot hervorzubringen aus der Erde.*

Das Gras ist für das Tier, so wie es wächst. Das Getreide wächst zur »Arbeit«, zum »Dienst« des Menschen. Menschliche Bemühung muß sich hier in den bloßen Naturprozeß einschalten, um das Getreide recht zu pflegen und dann auf einem längeren Arbeitswege das Brot zustande zu bringen. Der arbeitsame Menschendienst am Brotgetreide – agri cultura, der Ursprung der »Kultur«. Auch des »Kultus«. Beides leitet sich ab von dem Wort »colere«, den Acker bebauen. Hier, im Zusammenhang der Brot-Bereitung, wird erstmalig der Mensch im 104. Psalm genannt.

> *Daß der Wein erfreue des Menschen Herz,*
> *daß sein Angesicht leuchte vom Öl,*
> *und daß das Brot des Menschen Herz erfestige.*

75

Die Dreiheit Wein – Öl – Brot weist ja auch besonders in die Sphäre kultischer Ur-Erlebnisse. Brot und Wein werden beide mit dem menschlichen Herzen in Zusammenhang gebracht. Das Brot »gründet unser Herz in Festigkeit«, der Wein »erfreut« es. Das sind die beiden Grundkräfte der formgestaltenden Verfestigung und der blutvoll-feurigen Durchströmung, die im Dienste des Sonnen-Wesens Christus als sein Leib und als sein Blut im Altarsakrament wirken. Das Herz wiederum ist im besonderen das Sonnenorgan des Menschen.

Zu Brot und Wein mit ihrer Herzens-Bezogenheit kommt als Drittes die ebenfalls sakrale Substanz des Öles hinzu. »Daß sein Angesicht leuchte vom Öl.« Das Öl ist lichtverwandt. Es tritt auf bei der letzten Ölung und bei der Priesterweihe als Träger der Vergeistigung. Es ist nicht mit dem Herzen, sondern mit dem Angesicht verbunden, in dem ja besonders die Geistigkeit zum Ausdruck, zum Vor-Schein kommt.

Von der Welt der Kulturpflanzen geht der Psalm sodann zur menschen-fernen Natur über. Wieder anknüpfend an das Wort »Er tränkt die Berge von Oben her« heißt es nun:

> Es ersättigen sich die Bäume des Herrn,
> die Libanon-Zedern, die Er pflanzte.
> Dort nisten die Vögel.
> Der Storch hat sein Nest auf den Wipfeln der Bäume.
> Das Hochgebirge ist der Gemsen Reich.
> Im Felsgestein schlüpfen die Murmeltiere in ihr Versteck.

In einer grandios-mythischen Weise wird da von den »Bäumen Jahves« gesprochen, den Libanon-Zedern, die Er selber pflanzte. Auf dem Libanon standen Urwälder, vom Menschen noch unberührte Natur. Immer wieder begegnet uns im Alten Testament die staunende Bewunderung, die man angesichts der mächtigen Zedern-Bäume dort empfand. In solchem Baum-Wachstum wurde in alter mythologischer Zeit noch unmittelbar die schaffende Gottheit selber erlebt. So spricht auch Psalm 80,11 von »Gottes Zedern«. Gerade im Blick auf die dem späteren Judentum eigentümliche Naturlosigkeit kann man an solchen Klängen im Alten Testament seine Freude haben. – In den Geschichten des Erzvaters Abraham spielen heilige Haine und sakrale Pflanzung heiliger Bäume eine große Rolle. Diese Pflanzung hat bei den Libanon-Zedern Gott selber vollzogen.

Wenn wir uns die »Klippdachse«, wie wir das entsprechende hebräische Wort exakterweise wiedergeben müßten, in unsere europäische Hochgebirgswelt übersetzen wollen, könnten wir etwa an das Murmeltier denken. Auf einer Bergwanderung über einsame Geröllhalden kann man den Pfiff des Murmeltieres hören, das vor dem Herannahen des Menschen warnt. Die Welt, in der man den Pfiff des Murmeltieres hört und das Rascheln der Steine, die sich unter dem Tritt flüchtender Gemsen losgelöst haben, – das ist eine Welt unberührter Einsamkeit, fern vom Menschen und seiner Kultur. Auch diese menschenferne Welt bezieht der Psalm in seine andächtige Natur-Betrachtung ein. Als ob er ein Gefühl dafür hätte, wie der Bereich menschlichen Kulturwirkens um sich herum immer noch eine Zone unberührter Gott-Natur nötig hat. –


*IV. Sonne und Mond (V. 19–24)*

Wie die Genesis die Himmelskörper Sonne, Mond und Sterne erst am vierten Schöpfungstage sichtbar werden läßt, obgleich der Licht-Himmel schon längst da ist, so kommt auch der 104. Psalm, der in freier Weise dem Gang der Genesis folgt, erst in seinem vierten Abschnitt auf die Gestirne zu sprechen, auf Mond und Sonne.

Der Psalm stieg zu Anfang herab aus den Sphären des Lichtes zu den Himmelsgewässern und Wolken und dann bis zur festen

Erde. Bei der Betrachtung der Erde wird dieser Weg wieder rück-
wärts gegangen: erst die Erde als »Festland«, dann die Erde,
insofern sie vom Wasser lebendig erhalten wird, nun die Erde mit
den mannigfachen Seelen-Regungen ihrer Bewohner, wie diese
seelischen Möglichkeiten »astral« mit den Himmelslichtern in
Beziehung stehen. Denn Sonne und Mond erscheinen hier nicht
in ihrem »An sich«, als Angehörige des Licht-Himmels, sondern
in ihrer Bezogenheit auf seelisches Leben im Erdbereich. Die Gestirne, die »astra«, wirken in der auf Erden befindlichen »Astra-
lität«.

> *Er schuf den Mond, um Zeichen zu geben.*
> *Die Sonne weiß ihren Niedergang.*
> *Du setzest die Finsternis ein, und es wird Nacht.*
> *Da regt sich alles Getier des Waldes.*
> *Die Löwen brüllen nach Raub,*
> *das ist ihr Gebet zu Gott, um ihre Nahrung.*
> *Du lässest aufgehn die Sonne – sie heben sich weg*
> *und ruhen in ihren Höhlen.*
> *Da geht der Mensch aus an sein Werk,*
> *an seine Arbeit, bis an den Abend.*

Zunächst das Reich des Mondes. Der Mond steht am Himmel,
als ein »Zeichen«. Von seinen Phasen las man die Zeit-Eintei-
lung ab. Wir wissen, wie weitgehend die Mond-Perioden im Irdischen von Bedeutung sind. Bis hin zur Festsetzung des Osterfe-
stes. – Die Sonne »weiß ihren Niedergang«. Sie »weiß«, daß die
Erdenwesen nicht ununterbrochen ihren Wirkungen ausgesetzt
sein dürfen. So macht sie untergehend Platz für das Reich der
Nacht, das vom Mond regiert wird.

»Finsternis« und »Nacht« sind (wie in der Genesis) etwas
Wesenhaftes. Sie sind nicht bloß »Abwesenheit des Lichtes«.
Mit der Nacht wird die astrale Welt des Mondes lebendig, der die

Tiere angehören. Monden-Astralität, noch von keinem Ich-Bewußtsein durchstrahlt, traumgebannt und traumverzaubert, läßt die Raubtiere im finsteren Walde sich regen, läßt die Löwen ihre Stimme erheben. Gerade das nächtliche Brüllen oder Schreien oder Röhren der Tiere läßt uns die Menschen-Ferne dieser aus Weltenvorzeiten stammenden tierischen Seelenwelt unheimlich eindrucksvoll empfinden.

Man hat es rührend naiv gefunden, daß der Psalm dem Brüllen der Löwen ein Gebet zu Gott unterlegt. Aber die naive Anschauung steht eben zumeist dem Ursprünglichen noch näher. So ist hier geahnt, wie diese tierische Seelenhaftigkeit in ihren Ur-Regungen gleichsam noch unmittelbar ist zu den göttlichen Welten. Beim Menschen sind diese Ur-Triebe nicht mehr so unschuldig wie beim Tier, sondern sie sind durch die Berührung mit einer egoistischen Selbstheit, die zum wahren selbstlosen Ich noch nicht vorgedrungen ist, vergiftet. Sie haben beim Menschen diese Unmittelbarkeit zu Gott fast ganz eingebüßt.

Die Mondenwelt wird außer Kraft gesetzt durch den Aufgang der Sonne in heiliger Frühe. Die nächtlichen Raubtiere verbergen sich in ihren Höhlen. Etwas Ähnliches geht auch im Seelenleben des Menschen vor sich. Nachtmahre und Albträume, Sorgengespenster – all das verliert sich, wenn die Sonne aufgeht. Sie hilft dem Menschen, in seinem Ich das Geistbewußtsein zu entzünden, sie bringt ihn zu sich selber, sie hilft ihm, er selber zu sein. »Ängste, quäle dich nicht länger, meine Seele. Schon sind da und dorten Morgenglocken wachgeworden.« – Kultisch-feierlich ist es gesagt: »Da geht der Mensch aus an sein Werk.« Es ist die Sonnen-Tages-Welt, der der Mensch zutiefst verwandt ist. Ihrem Licht gehört sein Werk an, seine »Arbeit bis an den Abend«.

Mit diesem klassischen Bilde des arbeitenden Menschen, der im Sonnenlichte »wirkt, solange es Tag ist«, schließt der vierte Abschnitt. Die Betrachtung der Erdenwelt hat ihren Höhepunkt erreicht. Zuerst: die Erde als fester Boden. Dann: die Erde, vom Wasser belebt im Schmuck ihrer Pflanzen. Dann: die Erde mit den Seelenregungen ihrer Tiere, und schließlich der sonnenverwandte Mensch, sein Erdenwerk verrichtend. Hier erhebt sich der Psalm zu einem Wort staunender Bewunderung:

> *Wie zahlreich sind Deine Werke, o Herr.*
> *Alle hast Du sie mit Weisheit geschaffen.*
> *Erfüllt ist die Erde von Deinem Eigenen.*

Wörtlich: voll ist die Erde Deines Eigentums, Deines Besitzes. Die schaffende Gottheit hat etwas von ihrem Eigenen in die Erdenwelt hineingelegt.

### V. Das Meer (V.25–26)

Wie die Genesis auf das Erscheinen der Himmelslichter (am vierten Tage) das Gewimmel des im Meere sich regenden tierischen Lebens folgen läßt (fünfter Tag), so lenkt auch der Psalm den Blick noch einmal auf das Meer und seine Lebewesen.

> *Da ist Gewimmel, ohne Zahl,*
> *von Lebewesen, kleinen und großen,*
> *Meerwunder ziehen darin ihre Bahn,*
> *Levjathan, den Du gebildet, Dir zum Spiele.*

Hier lebt noch Thehôm, die Urflut, aber innerhalb der ihr gesteckten Grenzen. Das Meer ist wie Erinnerung an Vorstufen des Erdendaseins, ehe dieses zur festen Gestalt erstarrte. Hat doch alles Lebendige im Meer seinen Anfang genommen. Unser Menschenblut zeigt in seiner Zusammensetzung eine geheimnisvolle Verwandtschaft mit dem Meerwasser – Erinnerung an urferne Werde-Stufen unserer Leiblichkeit.

In der klassischen Walpurgisnacht im zweiten Teil des »Faust« führt Goethe den Homunkulus, der gern zu einer rechten Leiblichkeit entstehen möchte, an das Meer. Proteus, der Meister der Verwandlung, der Metamorphose, rät ihm:»Im weiten Meere mußt du anbeginnen!« Und Thales, der Weise, der den Ursprung im Wasser lehrte, spricht:»Gib nach dem löblichen Verlangen, von vorn die Schöpfung anzufangen! Zu raschem Wirken sei bereit! Da regst du dich nach ewigen Normen, durch tausend, abertausend Formen, und bis zum Menschen hast du Zeit.«

Nach einer einleuchtenden Konjektur heißt es nicht»da gehen die Schiffe«, sondern statt Schiffe»Meer-Ungeheuer«. Daran schließt sich ja auch gleich die Erwähnung des Levjathan an. Der mythische Meerdrache ist ein Nachklang vergangener Saurier-Welten.»Mit ihm zu spielen.« Das»Spielen« weist in die Region künstlerischer Betätigung. In all dem Gestaltenwandel des lebendigen und beseelten Plasma ist göttliche Bilde-Kraft am Werke, am Spiele. Sie»spielt« auf den unendlichen Gestalt-Möglichkeiten der organischen Substanz, bis nach diesem großen Präludium schließlich die Menschengestalt ans Licht tritt. Auf dem Wege zur Menschengestalt liegen auch die phantastischen Gestaltungen der Vorzeit, Meer-Ungeheuer und Drachen.

(Um kein Mißverständnis aufkommen zu lassen, sei noch hinzugefügt: Der Mensch selber war niemals»Tier«. Sein geistig-seelisches Wesen entstammt der höheren Welt. Wohl wurde sein Leibliches durch tierähnliche Gestaltungen geführt, aber das zu solchen Leibesgestalten gehörende Übersinnliche war nie»tierischen«Wesens. Solche Leiblichkeiten, die zu weiterer Umgestaltung in Richtung auf den Menschenleib hin nicht zu brauchen waren, wurden abgestoßen, fallen gelassen, und dann von tierischer Seelenhaftigkeit bewohnt.)

*VI. Das Mysterium der Welt-Erhaltung (V. 27–30)*

> *Sie alle warten auf Dich, daß du ihnen Speise gebest zu*
> *rechter Zeit.*
> *Du gibst ihnen – sie sammeln ein.*
> *Du tust Deine Hand auf – sie werden mit Gut gesättigt.*
> *Du verbirgst Dein Angesicht – sie werden vom Schrecken*
> *erfaßt.*
> *Du ziehest ein ihren Odem – sie vergehen, und kehren*
> *zurück zum Staub.*
> *Du sendest aus Deinen Odem – sie werden geschaffen,*
> *und Du erneuest das Angesicht der Erde.*

In einem Rückblick auf das Gesamt der Lebewesen wird die Gottheit erkannt und gefeiert als der große Erhalter. In drei Bildern wird ausgesprochen, was die Gottheit auch nach abgeschlossener Schöpfung fortdauernd für die Welt bedeutet. Diese drei Bilder sind: die sich auftuende Hand, das sich zu- oder abwendende Antlitz, der ein- und ausgehende Odem. Diese Bilder klingen zu einer wunderbar organischen Dreiheit zusammen. Sie sind den drei Gliedern des menschlichen Organismus entnommen, wie sie von der Anthroposophie erkannt werden als das Nerven-Sinnes-System, das in Puls und Atem wirkende rhythmische System und das Stoffwechsel-Gliedmaßen-System.

Im Angesicht gibt sich unser Bewußtsein seinen Ausdruck. Voraus-Setzung für die Existenz der Welt ist, daß Gott ihr sein Angesicht zuwendet. Kehrt er sein Antlitz ab, so kommt der große Vernichtungs-Schrecken über alle Lebewesen. Die Welt ist so lange im Dasein, wie sie vom göttlichen Bewußtsein angeschaut und bejaht wird.

Aus der Sphäre des Rhythmischen ist das Bild vom Odem entnommen. Die Welt ist so lange existent, wie der göttliche Odem sie durchdringt. Zieht Gott seinen Odem ein, so fällt die Welt ins

Nichts. Ähnlich im Hiob-Buch (34,14.15): »Wollte er seinen Odem an sich ziehn, so müßte alles Fleisch miteinander vergehn.« Diese Betrachtung gemahnt an alte indische Weisheit. Die Welt ist abhängig von den Atemzügen der Gottheit. Sie atmet aus: Welt entsteht. Sie atmet ein: Welt vergeht. Und so in erhabenen, unübersehbar weiten Rhythmen. Manvantaras und Pralayas, Weltentage und Weltennächte, sind das Resultat dieses göttlichen Atem-Rhythmus. – Beim weltenschaffenden Ausatmen ist der Lebenshauch (das hebräische »ruach« ist sowohl »Geist« wie »Odem«) noch unmittelbar Gottes – »Dein Odem«. Beim Zurück-Atmen zeigt sich, daß die ausgeströmte göttliche Lebenskraft inzwischen sich in die einzelnen Wesen verteilt hat, ihnen zu eigen geworden ist; denn da heißt es: »ihr« Odem. »Du ziehst ein ihren Odem.« Gottes Leben wird zum Leben der Einzelwesen. Aber indem er die Welt wieder in sich zurückholt, kehrt »ihr« Odem wieder an den Ursprung zurück.

Der Sphäre willkürlicher Bewegung gehört das Bild von der Hand an, die sich schließt oder öffnet. Die göttliche Hand tut sich auf, die Wesen sättigen sich mit »Gut«. »Gut« ist ein Wort, das im besonderen Sinne allein der Gottheit eignet. Die Gottheit gibt von ihrem eignen Sein, von ihrer eignen Substanz her, damit etwas dasein kann. Es wäre nichts da, wenn dieses Mysterium göttlicher Selbst-Mitteilung, Selbst-Hingabe nicht wäre. Alle Welt speist sich aus göttlicher »Substanz«. Die Nahrungs-Aufnahme ist nur wieder ein Bild. Auch ohne im äußeren Sinn zu essen, »zehrt« ein Wesen in jedem Augenblick seines bloßen Existierens von der Gottheit. Über das Gleichnis der einzelnen Nahrungsaufnahme hinaus gibt es die große Kommunion aller Wesen an der Substanz Gottes selber. »Du tust Deine Hand auf – sie werden mit Gut gesättigt.« »Gut«, das ist im Urtext das gleiche Wort wie »Güte«. Im weiteren Sinne hängt jedes Gut, hängen alle Güter, bis hin zu den alltäglichen »Gütern des Verbrauches« mit göttlicher Selbstmitteilung, mit Ur-Güte zusammen. Im

Abendmahl wird dieses Mysterium anschaubar. Die sich auftuende Hand ist die Gebärde des großen göttlichen »Nehmet
hin!«. (Eine Parallele dazu bietet Psalm 145, 16: »Du tust Deine
Hand auf und sättigest alles Lebendige mit Wohlgefallen.«)

So ist das Verhältnis des Gottes zu seiner Welt in diesen drei
Bildern nach verschiedenen Seiten hin dargestellt. Damit die
Welt sei, muß Gott ihr sein Angesicht zuwenden, muß er ihr sei-
nen Odem einhauchen, muß er ihr seine Hand spendend auftun.
– Der Psalm beginnt mit der Speisung, geht von da zum Bild vom
Angesicht über und verweilt schließlich länger bei dem Myste-
rium des Odems. (Von dem schöpferischen Aushauch spricht
auch Psalm 33, 6: »Durch das Wort Jahves wurden die Himmel
geschaffen, und durch den Hauch – ruach – seines Mundes all ihr
Heer.«)

Das Antlitz der Erde wird erneut. Die Erde ist schon durch
mancherlei Gestalten gegangen, es gab einmal die Erde der
Steinkohlenwälder und der Saurier, und so noch viele andere
Werde-Phasen. Jedesmal war das Antlitz der Erde einheitlich,
nach einem bestimmten »Stil« gebildet. Diese alten Welten ver-
gingen, als ihre Stunde geschlagen hatte, und machten neuen
Epochen Platz. So hat sich schon oft das Angesicht der Erde erneut. Das gilt auch für die Abfolge der verschiedenen Kulturzeit-
alter. Alle diese Vorgänge hängen mit dem Ein- und Ausatmen
Gottes zusammen. Die Welt wird nicht nur »erhalten«, sie wird
in größeren und kleineren Rhythmen fortwährend erneuert
durch den lebendigen Geisteshauch, der immer wieder neue
Wellen des Werdens herauführt, als »Creator Spiritus«.


*VII. Ausklang (V.31–35)*

> *Es geschehe die Offenbarung des Herrn in Ewigkeit.*
> *Es freue sich der Herr seiner Werke.*
> *Er blickt die Erde an – und sie erbebt.*

*Er rührt die Berge an – und sie rauchen.*
*Singen will ich dem Herrn, solange ich lebe,*
*Spielen will ich meinem Gotte, solange ich bin.*
*Wohlgefallen möge ihm mein Dichten.*
*Ich freue mich an dem Herrn.*
*Mögen die Sünder verschwinden von der Erde*
*und die Frevler nicht mehr sein!*
*Lobpreise, meine Seele, den Herrn! Halleluja.*

Nachdem der Psalm widmend der Gottheit dargebracht ist, klingt am Schluß noch ein Mißton in die Harmonie der Schöpfung herein. Die wunderbare Symphonie ist gestört durch das Böse in den Menschen. Der Psalmsänger weiß sich da keinen anderen Ausweg, als die Vertilgung der Übeltäter von der Erde zu wünschen.

Auf die Weltschöpfung folgte der Sündenfall. An dieser Tatsache kann der Hymnus, weil er ehrlich und realistisch ist, nicht vorübergehen. Er ruft ein Strafgericht herbei, um die Schöpfung wieder zu reinigen und herzustellen. Noch ist das Christus-Mysterium nicht offenbar geworden. Noch kann es nicht deutlich sein, daß die Zulassung des Bösen nur ein Ausholen war zu einer neuen Schöpfung, noch über die Natur hinaus: Der Mensch sollte auf seinen Entwicklungsweg gebracht werden, um künftig einmal als Erlöster seine auf Erden errungene Selbständigkeit frei in den Dienst des Göttlichen zu stellen.

Aber dieser dunkle Schatten, diese nicht aufgelöste Dissonanz kann doch dem Gesamteindruck nicht wesentlich Eintrag tun, daß dieser große Hymnus des 104. Psalms in das Element der Freude getaucht ist. Freude ist der eigentliche Charakter dieses Lobgesanges auf die Natur. In den Schlußversen wird die Freude mit Namen genannt. Gott freut sich an seinen Werken. Ohne Freude keine Schöpfung. Dem antwortet die Freude des Menschen an Gott. Die Anschauung der Natur und ihrer Schönheit mündet in Gottesfreude ein: »Ich habe meine Freude an dem Herrn.«

Der Psalm schließt, wie er begann, mit der Aufforderung an die eigne Seele zum Lobpreis.

# DIE HIMMEL RÜHMEN

## PSALM 19

*I. Der Sternenhimmel*

Der 19. Psalm nimmt seinen Ausgang von der Versenkung in die Wunder des *gestirnten Himmels*. Sein erstes Wort heißt: »Die Himmel.« Aus der Hingabe an diesen Inhalt blüht der ganze Psalm hervor. – Indem der Psalmsänger in selbstvergessener Anschauung der leuchtenden Welten verweilt, werden sie für sein inneres Gehör tönend und sprechend. »Die Himmel erzählen die Ehre Gottes, und die Feste verkündiget seiner Hände Werk.«

Wenn die Antike von einer »Musik der Sphären« sprach, so war das nicht ein unverbindliches Fabulieren ihrer Phantasie, sondern es ging im letzten Grunde auf konkrete übersinnliche Erfahrung zurück. Die Himmel leuchten nicht nur – dem eröffneten Geistgehör werden sie klingend, tönend, ja sprechend. Es ist ein Nachklang ehemaligen intimen Welt-Erlebens in den Worten des Goetheschen »Faust«: »Die Sonne tönt nach alter Weise in Brudersphären Wettgesang.« »Tönend wird für Geistesohren schon der neue Tag geboren.«

Die Himmel »*erzählen*« – die hebräische Vokabel ist gleichen Stammes wie das Wort »sepher«: das »Buch«. Das Buch, in dem eingetragen, aufgezählt, erzählt, gebucht wird. Der Sternenhimmel ist das Ur-Buch, das Buch der Bücher. An ihm hat die Menschheit zuerst das Erlebnis einer offenbarenden heiligen Schrift gehabt. Das heilige Buch auf Erden war Gleichnis. So ist uns auch heute wieder das Buch auf dem Altar nicht nur Ge-

87

dächtnis-Stütze für den zelebrierenden Priester, sondern kultisches Abbild des Himmelsbuches.

Der Inhalt dieser kosmischen Verkündigung ist die »*Ehre Gottes*«. »Ehre« ist allerdings eine zu äußerliche Wiedergabe. Es handelt sich um das Offenbarungslicht, um die »Gloria«, in der sich das Göttliche zu erkennen gibt.

Spricht der erste Satz von der göttlichen Weisheit, die sich im Lichtglanz offenbart, so lebt im zweiten Satz etwas von der göttlichen Willens-Macht: »Und die Feste verkündigt seiner Hände Werk.« Die »*Feste*«, das »*Firmament*« – für den heutigen Menschen ist das zunächst die Ausdrucksweise einer naturwissenschaftlich noch zurückgebliebenen Zeit, die sich unter dem Firmament etwas Festes vorstellte (denn firmus heißt ja »fest«). Für den modernen Naturdenker ist der Sternenhimmel in die Bewegung einzelner Weltkörper aufgelöst, die Ruhe des Firmamentes ist ihm nur äußerer Schein. – Und doch liegt in dem alten Wort »Firmament« etwas Richtiges. Es vermittelt uns das Geist-Erlebnis einer bei aller schöpferischen Bewegtheit doch zutiefst »in sich ruhenden«, in sich selber ewig gegründeten Gotteswelt. Dieses Geist-Erlebnis wurde durch den Anblick der Sterne ausgelöst. Daß dem menschlichen Auge die Fixsterne eben in ihrer Fixiertheit als Ruhe-Sterne erscheinen, ist nicht umsonst. Es ist genausowenig zufällig wie die Bläue des Himmels, die ja auch »nur« optisches Phänomen ist. Die Bilder, in denen sich die Welt dem Auge des Menschen darbietet, sind nicht wesenlos-zufällig. Sie haben ihren eigenen Bild-Wert, ihre eigene Bild-Richtigkeit. Das liegt auf einer ganz anderen Ebene als die Frage, was ihnen als physikalischer Vorgang zugeordnet sein mag. Sie haben als Bilder, die der Welten-Künstler so und nicht anders vor den Augen der Menschen erscheinen läßt, ihre Eigengesetzlichkeit und stehen den physikalischen Sachverhalten unabhängig gegenüber. Insofern hat es seine Richtigkeit, wenn der Mensch im Anschauen des Firmamentes eine überirdische, ewig in sich gegründete Ruhe-Welt erfährt, die ihn mit innerer Festigkeit und Sicherheit, mit ruhevoller Harmonie erfüllen kann.

\*

Der Psalm urständet in der Welt der Ewigkeit. Er ruht zunächst im Anschauen der höchsten Sphären. Dann steigt er allmählich herab. Es ist, als durchmesse er dabei zugleich den Weg der Inkarnation, den Weg, den das Überirdische nimmt, wenn es sich zur Fleisch-Werdung herabbegibt.

Aus der Ewigkeitswelt der Ruhesterne senken wir uns langsam nieder in das Zeitliche. Noch sind wir nicht im Räumlich-Leiblichen angekommen. Aber die Seele, die dem Zeitlos-Ewigen hingegeben war, hüllt sich jetzt in das feine Gewebe des *Zeitlichen*. Ehe sie in den Raum-Leib eingeht, nimmt sie gewissermaßen den »Zeit-Leib« an wie eine feine Hülle.

»Ein Tag sagt es dem andern, und eine Nacht tut es kund der andern.«

Wir haben damit die Welt des *Zeitlich-Rhythmischen* betreten. Das kommt im Urtext eindrucksvoll zum Erlebnis. »jom le jom... lajelah le lajelah« – »Tag dem Tage... Nacht der Nacht.« Ganz wörtlich heißt es: »Tag dem Tag läßt Wort erquellen, Nacht der Nacht macht Erkenntnis lebendig.« Damit ist eine feine Differenzierung von Tag und Nacht gegeben. Der *Tag* bringt die Offenbarung ans Licht, er spricht das kündende Wort aus, er bringt es »an den Tag«. Aber dieses »An-den-Tag-Bringen« ist nur die eine Seite des Erkenntnisvorganges. Wenn wir dann schlafen, wird nächtlicherweise in den Seelentiefen geheimnisvoll weiterverarbeitet, was wir am Tage als bewußtes Erlebnis hatten. Jeder kennt das, daß ein Gedanke sich lebendig weiter entwickeln kann, wenn wir »darüber schlafen«. Was uns der Tag einleuchten ließ, wird in der *Nacht* mit höherem Leben durchdrungen. Zum Licht kommt das Leben hinzu. Wir sagen im Deutschen »der« Tag, »die« Nacht. Auch im Hebräischen ist jom ein Männliches, lajelah ein Weibliches. Im hellen Tages-Erkennen wirkt gleichsam ein männliches Element, die Nacht aber ist eine Mutter des Lebens.

*

Jetzt erst erreicht der Psalm unsere *Erde* und ihr räumlich-stoffliches Dasein. Aber er sieht sie nun nicht mehr mit dem All-tagsblick: Vom Himmel herabsteigend, hört er in der Leiblich-keit das Sternen-Wort erklingen. Das Irdische zeigt sich als vom Himmlischen geordnet, überformt, durchklungen.

»Ihre Schnur geht aus in alle Lande.« Die Schnur – das ist die Meß-Schnur. Indem sich das Chaos der Erdenstoffe zu mannig-faltigen Formen belebt, sehen wir jetzt mit erleuchteten Augen die Himmelskräfte »maß-gebend« am Werke. Man erinnere sich an das bekannte Experiment der Chladnischen Klangfiguren, wo der Eisenfeilstaub auf der Glasplatte durch den erklingenden Ton geordnet wird. So sind der Erde in ihren Gestaltungen die Klangfiguren der Sterne eingewirkt.

»Es ist keine Sprache noch Rede, da man nicht ihre Stimme höre. Ihre Schnur geht aus in alle Lande (›erez‹ ist zugleich: die Erde) und ihre Rede an der Welt Ende.«

Wir können nunmehr den ersten Teil des Psalms, der vom Sternenhimmel und seinen Wirkungen spricht, überschauen. Er führt uns durch drei Welten. Zuerst: Ewiges im Ewigen. Am Fir-mament erstrahlen die Ruhe-Sterne. – Dann: Ewiges eingehend in die Zeit. Die zeitlich-rhythmische Welt von Tag und Nacht steht vermittelnd zwischen dem ewigen Himmelslicht und der Dunkelheit der Erde. – Schließlich: Ewiges hereinwirkend in den Raum, »Sternenwirken in Erdenstoffen«, die Klangfiguren der ertönenden Himmels-Sphären im Staub der Erde.

*Die Himmels-Sphären verkündigen die Licht-Offenbarung des Ewigen.*
*Es feiert seiner Hände Werk das Firmament.*

90

*Tag dem Tag läßt Offenbarungs-Wort erquellen.*
*Nacht der Nacht macht Erkenntnis lebendig.*
*Dieses Reden, diese Worte, sie sind nicht unhörbar:*
*Gegenwärtig in allem Erden-Sein ist ihr ordnendes Klingen.*
*Bis ans Ende des Erdenkreises kraftet ihr tönendes Sprechen.*

(V. 2–5 a)

## II. Die Sonne

Der erste Teil des Psalms hat uns den Weg aus Sternen-Höhen in Stoffes-Tiefen geführt. Indem wir uns wieder in das Erdendasein hineinfinden, verblaßt die Sternenherrlichkeit. Noch hören wir sie nachklingen in den Erdenstoffen – da verschwindet dies alles vor der Glut des Sonnenaufganges. Die tieferen Grundlagen des Erden-Daseins verbergen sich hinter dem Schleier der Sinnenwelt. Die aufgehende *Sonne* entzieht uns den Anblick der Sterne, aber sie zeigt uns dafür die Erde als das Feld unserer Arbeit, als den Ort unseres eigentlichen Mensch-Seins.

»Und dieselbe geht heraus wie ein Bräutigam aus seiner Kammer und freut sich wie ein Held, zu laufen den Weg. Sie geht auf an einem Ende des Himmels und läuft um bis wieder an sein Ende, und bleibt nichts vor ihrer Hitze verborgen.«

Wir müssen uns vor Augen halten, daß im Urtext »die« Sonne nicht etwas Weibliches ist, sondern etwas Männliches. Wir müßten es etwa wiedergeben: »der Sonnen-Geist«, »der Sonnen-Genius«. Er wird uns hier im Psalm eine Offenbarung des *Sohnes*, so wie hinter den Sternen Gott-Vater als ewiger Daseinsgrund erschien.

Die Menschen alter Zeiten trugen die Kraft eines selbständigen Ich-Bewußtseins noch nicht so stark in ihrem Innern wie die heutigen Menschen. Sie waren darauf angewiesen, daß ihnen die Sonne mit ihrem Tageslicht dabei zu Hilfe kam. Im Schein der Sonne waren sie erst richtig »bei sich selber«. Mit dem Unter-

91

gang der Sonne fingen auch die Konturen ihres Persönlichkeits-Bewußtseins an zu verschwimmen, und bei gedämpfter Helligkeit des »Ich« trat Übersinnliches, Göttliches, aber auch Dämonisches an sie heran. Je mehr die Menschheit sich von ihren reinen Ursprüngen entfernte, desto stärker wurde die Nacht zum Reich der Gespenster und des Spukes, anstatt »heilige Nacht« der Offenbarung zu sein. – In Christus erscheint die Gottheit als das große Ich-Bin in der Helligkeit des Bewußtseins-Tages, um das wache Ich des Menschen zu heiligen und es auf diesem Wege an das Übersinnliche wieder anzuschließen. Etwas von Seinem Wesen strahlte den Menschen vorchristlicher Zeit aus der Sonne entgegen. – Auch heute noch kennen wir das Erlebnis, wie der Aufgang der Sonne uns dem Grauen einer bangen Nacht entreißen und uns »zu einem anderen Menschen machen« kann. Die Sonne gibt neuen Lebensmut, neue Freude am Erdendasein und »heilige Nüchternheit«. Sie vertreibt die Nacht-Gespenster.

In zwei Bildern schaut der Psalm den erhabenen Sonnen-Geist: als Helden und als Bräutigam.

Der *Held* ist der überragende Mensch, der den anderen zeigt, was das eigentlich bedeutet: Mensch sein. Daß es bedeutet: einen Weg gehen, eine Bahn vollenden. Der Mensch ist ein sich entwickelndes, ein in der Wandlung lebendes Wesen. Je stärker die Persönlichkeit, desto deutlicher zeichnet sich die Linie dieser Laufbahn ab. Der Durchschnittsmensch vertrödelt seine Zeit rechts und links vom Wege, wie Rotkäppchen, als es dem Wolf begegnete. Je höher der Mensch in das Göttliche hinauffragt, je mehr er »Held« ist, desto mehr Linie und sinnvolle Figur tritt in seinem Leben zutage. In den alten Mysterien gab es den Weihe-Grad des Sonnen-Helden, wörtlich: »Heliodromos«, der »Sonnen-Läufer«, der wie die Sonne zielsicher und kraftvoll seine Bahn geht. So darf es Paulus in seinem Alter aussprechen: »ich habe die Bahn vollendet« (ton dromon teteleka, 2. Tim. 4, 7). – Die Sonne in dem unbeirrbaren großartigen Wandeln ihres We-

ges – »und ihre vorgeschriebne Reise vollendet sie mit Donner-
gang« – zeigt täglich das erhabene Bild einer glorreichen »Lauf-
Bahn«. Schön ist in dem Psalmenkommentar von Professor
R. Kittel[2] dargestellt, wie der Israelite diesen täglichen Sonnen-
Lauf erlebte: »Hinter den östlichen Bergen, den Gebirgen Mo-
abs oder Basans, und weiter zurück hinter der unendlichen östlichen Wüste, steigt sie den Bewohnern Palästinas in rot und gol-
den glänzender Pracht, von der der Abendländer sich nur schwer
eine Vorstellung machen kann, aus dem duftumflossenen Horizont hervor. In majestätischem Laufe schreitet sie über das Land
hin, um am Abend in die blauen Fluten des westlichen Meeres
hinter den Klippen von Joppe oder an den Dünen am Fuße des
Karmel abermals in rotgoldenen Dunst, wie in einen Purpur-
mantel gehüllt, einzutauchen« (S. 370).

Was einer alten Zeit die sich vollendende Laufbahn eines Helden war, das konnte doch nur eine Weissagung sein auf den Erdenweg Christi. Vor allem das Löwen-Evangelium des Markus
beschreibt das Christus-Leben auf Erden als unbeirrbare, so und
nicht anders verlaufen könnende Sonnen-Bahn. Immer wieder
findet sich bei Markus das »und sogleich... und sogleich...« Sogleich, das bedeutet nach dem griechischen Wort (euthys) soviel
wie »geradenwegs«. Das sich so auffallend häufende »sogleich«
des Markus will nicht Hast oder Atemlosigkeit in die Darstellung
bringen, sondern ausdrücken, wie all die Taten Christi am geraden Wege seiner Sonnen-Helden-Bahn liegen.

Aber Christus ist nicht nur als Vor-Gänger des Weges das große Vor-Bild. Ein Vorbild, gerade je vollkommener es ist, kann
auch mutlos machen und alles nacheifernde Bemühen als aus-
sichtslos erscheinen lassen. Christus ist nicht nur Vor-Bild, er ist
mehr: Er ist das schaffend in uns eintauchende Ur-Bild unseres
wahren Wesens. Das Ur-Bild der Pflanze zum Beispiel, die »Ur-
Pflanze«, bleibt nicht außerhalb der Pflanze, sondern ist *in* ihr
konkret wirksam, schaffend gegenwärtig. So will Christus als

93

schaffendes Urbild in uns einziehen. Damit geht die Beziehung zu ihm in Mystik über: Er ist der »*Bräutigam*«. Dieses Wort hatte einen Mysterien-Klang. Johannes der Täufer »freut sich hoch über des Bräutigams Stimme«, und öfters bezeichnet sich Christus selber als den »Bräutigam«. Der erhabene Sonnen-Geist heißt »Bräutigam«, weil ihm die volle Hingabe der menschlichen Seele gehören soll, mit der er sich in der innersten Kommunion der »mystischen Hochzeit« vereinen will. –

Der überlieferte hebräische Text lautet (19,5 b): »Er hat der Sonne (im Hebräischen ist die Sonne männlich) ein Zelt gesetzt an ihnen« – was mit »an ihnen« gemeint ist, ist nicht deutlich, denn voran geht »das Ende des Erdkreises«. Offenbar ist da mit dem Text etwas nicht in Ordnung. Ändert man nur einen hebräischen Buchstaben, so hieße es »der Sonne setzte er ein Zelt im Meere«. Damit würden antike mythologische Vorstellungen hereinklingen. Man sah die Sonne am Abend in das Meer tauchen, dadurch wurde das Bild vom Brautgemach des Sonnengottes in Meerestiefen ausgelöst. In solch einem Bild liegt verborgene Wahrheit. So ganz tritt sie erst im Lichte des Christentums zutage. Die Sonne, die nachts in Meerestiefen ihr Brautgemach hat – der im Tagesbewußtsein vom Menschen erlebte Christus, der sich darauf während des Schlafes mit den tieferen Schichten der Seele verbindet. – Aber es ist die Frage, ob der ursprüngliche Text nicht noch anders lautete. Wie wäre sonst die griechische Übersetzung (die Septuaginta) dazu gekommen, hier zu sagen: »In der Sonne hat er (Gott) sich sein Zelt gesetzt.« (Die lateinische Vulgata: in sole posuit tabernaculum suum.) Dann hieße es also nicht: »der Sonne wies er eine Wohnung an den Enden der Welt an (oder ›im Meere‹)«, sondern: »Er, Gott selber, hat sich die Sonne zum Wohn-Zelt erwählt.« Das griechische Wort für Zelt ist vom selben Stamm wie das »wohnen (zelten)« im Johannesprolog: Das Wort ward Fleisch und »wohnte (zeltete)« unter uns (Joh. 1, 14). Johannes sagt, daß die Stätte der göttlichen Gegenwart, wie sie einst auf dem Wüstenzug in der »Stiftshütte« erlebt wurde, nun in das Menschenwesen Jesus von Nazareth verlegt worden ist. Sein Leib ist jetzt das heilige Tabernakel, die »Hütte Gottes unter den Menschen«. Es scheint, daß die griechischen Übersetzer im 3. und 2. vorchristlichen Jahrhundert noch einen anderen hebräischen Text vor sich hatten, in welchem noch im Sinne uralter kosmischer Frömmigkeit die Sonne als jenes »Tabernakel« angesprochen wurde. Möglicherweise hat spätere jüdische Orthodoxie diesen Text verändert, als zu »heidnisch« klingend. Man wird in solcher Vermutung bestärkt, wenn man sieht, wie auch beim Tempel-Weihe-Gebet des Salomo die griechische Übersetzung eine Zeile enthält (1. Kön. 8, 12, griechisch: 8, 53), die im hebräischen Text gänzlich fehlt. Sollten die Übersetzer diese Zeile frei erfunden haben? Wiederum handelt es sich um die Sonne! Der hebräische Text sagt: »Der Herr hat geredet, er wolle im Dunkel wohnen. So habe ich nun ein Haus gebaut, Dir zur Wohnung…« Im Griechischen: »Die Sonne hat der Herr zu erkennen gegeben (andere Lesart: ›hin-gestellt‹) am Himmel. Er hat gesprochen im Dunkel zu wohnen…« Man hat da offenbar später diese Worte uralter Sonnen-Frömmigkeit ganz einfach ausgetilgt. Salomo war sich wohl dessen bewußt, daß nun allmählich die Zeit gekommen war, wo der große Sonnen-Geist seine Wohnung verlegen will in das Dunkel menschlicher Innerlichkeit hinein. Der Tempel Salomos war die Weissagung auf den Leib des Jesus, in dem die Herrlichkeit wohnen sollte. Im Tempelweihgebet Salomos wurde demnach jener große Übergang ausgesprochen von einer Zeit, die das Göttliche von außen, vom Kosmos her, einstrahlen sah, zu einer neuen Epoche, die den Gott im Inneren empfangen soll. Mit dem 19. Psalm, der ja den Namen Davids trägt, stehen wir noch in der Zeit *vor* dem salomonischen Tempel.

So könnte man den zweiten Abschnitt des Psalms, hinter dem das Mysterium des noch im Kosmos erlebten Sonnen-Sohnes steht, etwa mit folgenden Worten wiedergeben:

*Sein Wohn-Gezelt, er schlug es auf im Sonnenball.*
*Und Er – ein Bräutigam geht er hervor aus seinem Brautgemach,*
*in Freudigkeit, als Kraft-Held zu vollenden seine Bahn.*
*Vom Himmels-Ende nimmt er seinen Ausgang,*
*und zu den Enden wieder hin schließt er den Kreis.*
*Nichts bleibt verborgen seiner Glut.*

(V.5 b–7)

## III. Das heilige Buch

Nach diesen naturkräftigen Versen verfällt der Psalm in einen
ganz anderen Ton. Er wendet sich ab von Stern und Sonne und
wird zu einem Hymnus auf das Gesetz. Dabei verliert er an Farbigkeit, an gemütbezwingender Elementarkraft; wird blässer,
abstrakter. Die kritische Forschung urteilt deshalb, daß dieser
Lobpreis des Gesetzes nicht ursprünglich zu dem Vorangehenden gehört habe, sondern in späterer Epigonenzeit an den kraftvollen Naturpsalm angehängt worden sei. Wie sich das damit
auch verhalten mag: jedenfalls gehört dieser Hymnus auf das
Gesetz nun einmal zum 19. Psalm, und man kann finden, daß er
doch eine richtige Vervollständigung des Vorangehenden ist. –
Im Sternen-Himmel wird etwas vom Wesen Gott-Vaters erlebt,
in der Sonne etwas Sohnhaftes. Das Erlebnis am *heiligen Buch*
vertritt dann gewissermaßen die noch zukunfthafte Sphäre des
*Heiligen Geistes.* Und weil das Wirken des Heiligen Geistes etwas
erst noch Bevorstehendes ist, kann es uns nicht wundernehmen,
wenn wir in dem dritten Teil des Psalms etwas noch mehr Ab-
straktes, weniger Blutvolles und Urwüchsiges finden. Doch hat
auch dieser Teil durchaus seine Schönheit.

Zu Beginn des Psalms wird der Sternenhimmel als die große
Offenbarung verherrlicht, da ist der Himmel das Buch. In dem
dritten Teil des Psalms wird umgekehrt im Buch der Himmel
gefunden. »Entrollst du gar ein würdig Pergamen, so steigt der

ganze Himmel zu dir nieder« – auch wenn der vertrocknete und
verstaubte Büchergelehrte Wagner in Goethes »Faust« diese
Worte spricht, sie sind trotzdem so etwas wie ein Abglanz echter
Geistes-Freude, echter Erkenntnis-Beglückung durch das offenbarende Weisheits-Buch. – Auch in dem Gesetzes-Studium der
alten jüdischen Rabbinen ist schon diese trockene Gelehrtenhaf-
tigkeit des Famulus Wagner zu bemerken. Aber die Psalm-Worte, die von der Seligkeit sprechen, die aus dem besinnlichen Stu-
dium inspirierter heiliger Texte erquillt, haben doch auch abseits
von dem »Schriftgelehrten«-Element etwas zeitlos Gültiges. Sie
können uns gerade erst im Christentum in neuem Sinne lebendig
und wahr werden. So kann uns heute zum Beispiel das Johannes-
Evangelium ein Buch werden, in dem wirklich »der ganze Himmel zu uns niedersteigt«.

Der Lobpreis der Heiligen Schrift hat sich einen streng geglie-
derten Formenleib von gerade zwölf Sätzen (in sechs Doppelsät-
zen) geschaffen. In dieser Zwölfheit lebt etwas von der Ordnung
des Sternenhimmels. Die sich an das »Gesetz« hingebende Seele
fühlt die Harmonien des Sternen-Alls friedebringend in ihr Inneres einströmen.

> *Die Welten-Ordnung des Herrn ist ohne Fehl,*
> *bringt heim die Seele.*
> *Die Selbstbezeugung des Herrn begründet Vertrauen,*
> *macht weise den Einfältigen.*
> *Die Weisungen des Herrn zeigen geraden Weg,*
> *erfüllen das Herz mit Freude.*
> *Das Weihe-Ziel des Herrn ist klar,*
> *erleuchtet die Augen.*
> *Die Ehrfurcht vor dem Herrn läutert durch und durch,*
> *besteht in Ewigkeit.*
> *Die Satzungen des Herrn sind in der Wahrheit gegründet,*
> *fügen sich alle gerecht ineinander.*

(V.8–10)

Diesen zwölf Aussagen folgt ein Vergleich, der die ganze Stimmung noch einmal zusammenfaßt und der in seiner Bildkräftigkeit spüren lassen will, daß Geistes-Freude den Erlebnissen der Sinnen-Freudigkeit nicht nachsteht, sondern sie an Intensität der Beseligung übertreffen kann:

*edler als das edelste Gold,*
*süßer als der süßeste Honig.*

(V. 11)

Im Gold sah man von jeher das vergängliche Gleichnis sonnenhaften Weisheitslichtes. In Goethes Märchen spricht der goldene König die Worte: »Erkenne das Höchste!« – Honig war in alter Zeit so etwas wie eine Mysterien-Speise. Der Auferstandene nahm nach dem Lukas-Bericht außer »Fisch« auch »Honig« zu sich. Im Oberuferer Weihnachtsspiel erzählt der eine Hirte von seinem hellsichtigen Traum: »Mein Seel empfing viel Süßigkeit, viel Honig und viel Rosen.« Im Sinne des Psalms vermittelt das heilige Buch das Gold der Weisheit und die feinste Beseligung.

## IV. Der Mensch

Der 19. Psalm hat die drei Offenbarungsfelder des Vaters, des Sohnes und des Geistes betreten. Nun kehrt am Schluß der *Mensch* aus der selbstvergessenen Versenkung in göttliche Geheimnisse zu *sich selbst* zurück. Und wie die ersten Verse vom Ertönen der Sterne sprachen, von dem aus den Himmeln erklingenden Gotteswort, dem der Fromme lauscht, so endet der Psalm mit dem Wunsche, daß auch des Menschen inneres Wort oben in den Himmeln gehört werden möge. Das ist nicht Vermessenheit, sondern eine wirkliche Ahnung von der Würde, zu

98

welcher der Mensch berufen ist, in die er erst voll eingesetzt werden kann durch den Christus: daß er nicht nur »hören«, sondern auch als Geist zu Geistern, zur Gottheit »sprechen« darf. – Wie im Vater-Unser der Betende aus der selbstlosen Versunkenheit der Anrede zu den großen, im Interesse des Göttlichen gewünschten Wünschen (»Dein Name – Dein Reich – Dein Wille«) übergeht und dann erst zu seinen eigenen Nöten und Bedürftigkeiten kommt, so tritt auch im 19. Psalm am Schluß der Mensch wieder in seinen eigenen Schicksalsbereich ein. Aus der anbetenden Versenkung taucht er gleichsam wieder auf, findet sich selber wieder vor. Aber er ist sich selbst ein anderer geworden. Er hat die Beseligung des höheren Lebens erfahren. Dabei hat er aber auch zugleich tiefere Einblicke in das eigene Innen-Wesen und in dessen Gefährdetheit und Bedrohtheit getan. Er weiß, wie uns vieles Unrecht, das wir tun, gar nicht zu Bewußtsein kommt. Er weiß um manches, das »vom Menschen nicht gewußt oder nicht bedacht, durch das Labyrinth der Brust wandelt bei der Nacht«. Er hat Eindrücke bekommen von dem Walten der Widersacher-Mächte; denn es gilt das alte Gesetz, daß auch der Teufel näher an uns herantritt, wenn wir einen Schritt zu Gott hin haben tun dürfen. – Wiederum muß gesagt werden, daß die Psalmworte erst im christlichen Zusammenhang ihre volle und richtige Bedeutung gewinnen.

*Auch Dein Diener wird durch sie (die Satzungen des Herrn) erleuchtet,*
*und wer sie in der Seele pflegt,*
*der erntet Gottesdank.*
*Übereilter Taten – wer ist sich ihrer bewußt?*
*Von den ungewußten Verfehlungen reinige mich!*
*Auch vor den Hochmuts-Mächten bewahre Deinen Diener.*
*Laß sie nicht Herrschaft über mich gewinnen.*
*Dann habe ich teil am Ewigen*
*und bin gereinigt von schwerer Sünde.*

*Mögen meine Worte in den Himmeln das Echo finden,*
*möge das Sinnen meines Herzens zu Dir dringen;*
*o Herr, meines Ich-Wesens Felsgrund und Erlöser!*

(V.12–15)

# »ICH HEBE MEINE AUGEN AUF
# ZU DEN BERGEN...«

PSALM 121

## I.

Die Worte »Ich hebe meine Augen auf zu den Bergen« sprechen ein religiöses Ur-Erlebnis der Menschheit aus. Sie bilden den Eingang des 121. Psalms, der in all seiner Einfachheit ein klassisches Dokument der Religion ist.

Er gehört einer Gruppe von Psalmen an, welchen die Überschrift gemeinsam ist: »Ein Lied im höheren Chor«. Wörtlich nach dem Hebräischen: »Ein Lied der Hinauf-Steigungen«. Es handelt sich offenbar um Pilgergesänge, die man anstimmte, wenn man zu der hochgebauten heiligen Stadt Jerusalem emporzog. Damals war im Erlebnis solcher Pilger-Wanderung Äußerliches und Innerliches noch unzertrennlich verbunden. Es war äußerlich wie innerlich ein Emporsteigen, eine »Erhebung«. In den von ferne schon emporgehobenen frommen Sehnsuchts-Blick trat wie ganz von selbst ein Schauen höherer Art ein.

»Ich hebe meine Augen auf...« Auch die Tiere haben Augen, manche Tiere sind dem Menschen sogar an durchdringender Schärfe der Sehkraft überlegen. Aber das Tier kann sich nicht so selbstlos der reinen An-Schauung hingeben wie der Mensch. Das drückt sich schon physiologisch darin aus, daß das tierische Auge stärker durchblutet ist, es ist mehr in die eigentlichen Lebensprozesse einbezogen. Das tierische Sehen ist immer irgendwie von der Biologie her bestimmt. Der Tier-Blick hat stets die fachmännische Interessiertheit und damit auch Befangenheit des hauptberuflichen Lebenskämpfers. Das Auge des Menschen ermöglicht den reinen, objektiv anschauenden Blick, in dem der Mensch von sich selber und den Bedürfnissen seines Organismus ganz loskommen kann. Er vermag die Augen aufzuheben zu den fernen Bergen.

Im Urtext heißt die zweite Zeile nicht eigentlich »von welchen mir Hilfe kommt«, sondern man hat es mit einem Fragesatz zu tun: »Woher kommt meine Hilfe?« Diese Frage wird rege im Anschauen der fernen Berge. Sie weisen, recht angeschaut, über sich hinaus und lassen das Göttliche erahnen. Es ist nicht überflüssig, sich klarzumachen, daß die Reihenfolge der Sätze nicht etwa umgekehrt ist. Nicht etwa so: »Woher kommt mir Hilfe? So hebe ich denn die Augen auf und blicke Hilfe-suchend zum Göttlichen empor.« Der Ausgangspunkt wirklicher Religion ist nicht die Hilfsbedürftigkeit, die den Menschen nach Hilfe ausschauen läßt, die Not, die beten lehrt. Der Ausgangspunkt des 121. Psalms ist das hingebungsvolle Erleben des Göttlichen im Aufblick zu heiligen Bergen. Das liegt eine Ebene höher als das bloße Hilfsbedürftig-Sein, es ist die selbstlose Sphäre der selbstvergessenen Anbetung. Wenn dann aus dieser frommen Aufschau heraus die Frage entsteht: »Woher kommt meine Hilfe?«, so geht das nicht mehr um die einzelnen Bedürftigkeiten, sondern um die grundlegende Ur-Bedürftigkeit, die aus unserem ganzen Menschen-Sein im Angesicht des Göttlichen emporsteigt: Im Aufschauen wird mir erst bewußt, daß ich nicht so bin, wie ich sein sollte, daß mein Menschentum unvollständig ist. Es kommt zunächst nicht darauf an, daß mir in dieser oder jener Einzel-Not geholfen werde – ich werde mir der Ur-Not meines Menschen-Wesens bewußt. Er ruft nach einer entscheidenden Wesens-Hilfe, die mir nur von oben zukommen kann. Nicht daß mir dieser oder jener Wunsch erfüllt wird, ist die Hauptsache, sondern daß ich selbst erfüllt werde.

Diese Einsicht erwächst in echter und rechtmäßiger Weise gerade am »strebenden Bemühen«. Nur wer sich strebend bemüht,

kommt gerade dadurch auch an den Punkt, wo er die Unentbehr-
lichkeit der Gnade, der »Liebe von oben« erkennt. – Die aus dem
Berges-Aufblick geborene Frage: »Woher kommt meine Hilfe?«
ist die Frage nach jener Liebe von oben. »Woher kommt das, was
für mein ureigenes Wesen *die* Hilfe ist?« – Wenn wir als Christen
uns den Psalm zu eigen machen, dann dürfen wir ihn dadurch
ergänzen, daß ja diese entscheidende Wesens-Hilfe in dem Christus zu uns gekommen ist. Der Jesus-Name bedeutet sogar »Got-
tes-Hilfe«. In dem Christus Jesus steigt *die* Hilfe zu uns herab, die
allein der Ur-Bedürftigkeit unseres notvollen Menschentums
Genüge tun kann.

Indem die Frage nach der Hilfe erst am Aufblick zum Göttli-
chen erwachsen ist, stößt sie durch sich selber schon in die hohe
Region vor, wo sie sich selbst beantwortet. Wie von jenen fernen
Bergen her inspiriert tönt es an den Menschen heran und ist doch
zugleich etwas, das er sich in seinem höheren Ich selber sagt:
»Meine Hilfe – von dem Herrn!«

Der »Herr« – »Jahve« im Hebräischen, »Kyrios« in der griechischen Übersetzung – weist schon auf den Bereich des Christus-Wesens hin. Aber der die Seele weit und groß machende
Berges-Aufblick macht es dem Psalm-Beter sogleich deutlich,
daß dieser Herr nicht nur der Gebieter unserer Seele, sondern
zugleich das universale Welten-Ich ist. Er ist es, der »Himmel
und Erde gemacht hat«. So wird die Schau des Hilfe-bringenden
Gottes ins Welt-Umspannende erweitert.

> *Ein Lied zum Emporsteigen.*
> *Ich hebe meine Augen auf zu den Bergen.*
> *Woher kommt meine Hilfe?*
> *Meine Hilfe – von dem HERRN, der Himmel und*
> *Erde gemacht hat.*
>
> (V. 1–2)

103

## II.

Das fromme Selbst-Gespräch führt weiter zum Vernehmen einer »Stimme«, die aus einer objektiven geistigen Welt, in einem höheren Sinne »von außen her«, an das Seelen-Ohr herandringt. Wurde die Antwort auf die Hilfe-Frage noch so erlebt, daß sie sich dem Fragenden wie im eigenen Ich ergibt, daß er »es sich selber sagt«: »Meine Hilfe – von dem Herrn…«, so haben wir nunmehr, wenn wir mit dem Psalm innerlich mitgehen wollen, den Schritt zu tun vom Sich-selber-Sagen zu einem Gesagt-Bekommen aus einer sich eröffnenden höheren Welt heraus. »Er wird deinen Fuß nicht gleiten lassen.« Eben hieß es noch: *Meine* Augen… *meine* Hilfe…, jetzt mit einem Mal: *Dein* Fuß, *dein* Hüter.

Man steckt nicht mehr so selbstverständlich im eigenen Leibe darin, den man mit Besitzer-Gefühl betrachtet, sondern man schaut wie aus der Geistwelt in umgekehrter Blick-Richtung auf sein Erden-Wesen hin.

> *Nicht wird er gleiten lassen deinen Fuß.*
> *Nicht wird er schlummern, dein Hüter.*
> *Siehe, nicht schlummert noch schläft Israels Hüter.*
>
> (V. 3–4)

Mit den Füßen gehen wir unseren Lebens-Gang, wandeln wir unseren Lebens-Wandel. Hat man das Gehen einmal gelernt, dann kommt es einem normalerweise kaum noch zum Bewußtsein. Die Füße gehen richtig die Treppenstufen hinab, sie finden ihren Weg auch in dunklem, unebenem Gelände, oft sind sie dabei mit »nachtwandlerischer« Sicherheit unserem bewußten Acht-Geben voraus. Aber dann kann auch unerwartet ein Stolpern, ein Ausgleiten sich ereignen, das oft ungeahnte Unfallfolgen nach sich zieht. Das alles liegt nicht so ganz in der bewußten Kontrolle des Menschen, es wirkt da Unbewußtes herein. Hier soll nun dem unzureichenden Wachen des Menschen das allezeit wachende göttliche Bewußtsein ergänzend zu Hilfe kommen, das auch dort wacht, wo wir »schlafen«.

Gott schläft nicht. Was bedeutet das eigentlich? Was heißt schlafen? Für die heute übliche Betrachtungsweise ist der Schlafende ein reduzierter Mensch, vermindert um jenes Etwas, das ihn ansprechbar und aktionsfähig macht. Er ist sozusagen ein geschrumpfter Mensch. In Wahrheit ist das Geistig-Seelische herausgegangen, um im Schoße höherer Wesen zu weilen, die nun an der schlafend hingegebenen Seele wie auch dem vom Bewußtsein verlassenen Leibe Aufbauendes, Heilendes und Erneuerndes vollbringen. Man schläft nur dadurch, daß etwas Höheres da ist, in das man sich hineinbegibt, hineinbettet. Man braucht etwas, in das man hinein schlafen kann. Gott ist das höchste Wesen. Er schläft nicht – denn wohinein sollte *er* schlafen? Er ist selbst der All-Umfassende. Er hat in seinem eigenen Wesen seine Ruhe und Stütze, er braucht sich nicht in ein Anderes hinein zu betten, sondern er ist es, der alle Wesen immer wieder in sich hineinnehmen kann, damit sie sich in ihm von ihrem Sonder-Sein erholen, damit sie in ihm ihre Neubelebung und Neuschöpfung finden. Man kann nie anders wahrhaft ruhen als »in Gott«. Damit der Schlafende in Gott ruhen kann, muß Gott für ihn wachen. Diesem – für alle – wachenden Wesen wird im Psalm auch das anbefohlen, was wie das Schreiten des Fußes auch während unseres Wachseins teilweise im Schlafend-Unbewußten verläuft. »Er wird deinen Fuß nicht gleiten lassen.« Er wird aus geheimnisvollen Tiefen heraus dem Lebens-Gang, dem Lebens-Wandel Sicherheit verleihen und vor »Fehl-Tritten« bewahren.

Und wieder wird der Beter über die eigene Person hinausgeführt zum großen Ganzen: Sein Hüter ist zugleich Israels Hüter. Wohl hat dieser einen ganz persönlichen Bezug zu jedem Einzelnen, aber es darf nie aus dem Auge verloren werden, daß er dar-

105

über hinaus der Hüter größerer überpersönlicher Zusammenhänge ist. Christlich gesprochen ist er der »Menschheitshüter«.

## III.

Die dritte Strophe greift das Hüter-Motiv wieder auf, wie unserem Psalm überhaupt ein gewisses Ineinander-Greifen der Gedanken eigentümlich ist.

> *Der HERR ist dein Hüter.*
> *Der HERR dein Schatten über deiner rechten Hand.*
> *Des Tags die Sonne – nicht wird sie dich stechen.*
> *der Mond nicht des Nachts.*

(V. 5–6)

Der Schatten wird von uns Nordländern, die wir in einer son-
nenarmen Welt leben, meist als Bild für etwas Negatives erlebt,
als ein Hereinragen des Reiches der Finsternis in den hellen Tag.
Man muß einmal an einem heißen Augusttag Erntearbeit getan
haben, um zu wissen, wie wohltätig es sein kann, wenn auch nur
für Augenblicke eine Wolke die unbarmherzige Strahlung hin-
wegnimmt. Von da aus kann man sich vorstellen, wie in dem
Lande der Bibel die überschattende Wolke mit ihrer Leben-erfri-
schenden Kühle empfunden wurde. So spricht das Lukas-Evan-
gelium von der Überschattung der Maria durch den Heiligen
Geist. So meint hier der Psalm die Überschattung unserer Hand
durch das Göttliche. Es ist die rechte Hand, mit der wir tätig in
die Gestaltung des Erdendaseins eingreifen sollen. Gott behütet
den Wandelnden, er überschattet den Handelnden. Die schaffende Hand des Menschen bedarf dieser Überschattung, damit ihre
Tätigkeit segensvoll sei.

Von dieser positiven Seite des Überschattens her verstehen wir
es auch, wenn im nächsten Vers von der Abwehr der schädlichen
Strahlen-Einwirkung die Rede ist. Wie im hohen Mittag die

überstarke Sonnen-Strahlung dem Menschen etwas anhaben kann, so dem Vernehmen nach auch der mitternächtig im Zenith stehende, mit ungedämpfter Helligkeit scheinende Vollmond in südlichen Ländern. Für uns mag hier Sonnen- und Monden-Stich für alle schädigenden Strahlen stehen, die dem Menschen Verderben drohen, aus der Welt des Tages wie aus der Welt der Nacht.

## IV.

Der Psalm hat von den Augen gesprochen, vom Fuß, von der Hand. Es ist wie ein Durchgang durch die ganze dreifaltige Wesenheit des Menschen: das denkende Haupt – der die Erde beschreitende Fuß – die von der Mitte, vom Herzen her schaffende Hand. – In einer vierten Strophe wird nun das Thema noch einmal aufgenommen und in einer abschließenden Dreiheit von Sätzen gefeiert.

Zuerst die Behütung vor »allem Übel«. Wie bei der siebten Vaterunser-Bitte wäre es zu äußerlich, nur an das Fernhalten von leidvollen Erlebnissen zu denken, die uns von außen treffen. In christlicher Vertiefung ist es das »Böse«, das wir nicht nur von außen her erleidend kennenlernen, sondern für das wir ja vor allem selber im eigenen Innern zugänglich sind, insofern unsere Selbstheit vom Egoismus durchsetzt ist. – Die dunkle Möglichkeit zum Bösen hängt immer auch mit der wunderbaren Möglichkeit des Ich-Sagens zusammen.

Von dieser Region geht es dann weiter zur »Seele«, die mit all ihren Gefühls-Möglichkeiten der göttlichen Behütung anheim gestellt wird, und endlich zu »Ausgang und Eingang«, was uns wieder auf den Erden-Wandel hinweist, diesmal betrachtet in seinem Rhythmus von Gehen und Kommen, von Aufbruch und Heimkehr. Diesen Rhythmus finden wir im kleinen und im großen, im ganzen Leben. Wir finden ihn im morgendlichen Aus-

107

dem-Hause-Gehen und im abendlichen Nachhause-Kommen, im Ausatmen und Einatmen, im Schlafen und Aufwachen, im Geboren-Werden und im Sterben. Von oben her gesehen ist das Auf-die-Welt-Kommen der Ausgang aus einer höheren Welt, das Sterben die Heimkunft. Von der Erde aus gesehen ist die Verkörperung der Eingang und der Tod der Ausgang, der »Exitus«.

Aus diesen Lebens-Rhythmen heraus eröffnet sich am Schluß der Fern-Blick in das Überzeitliche, in das Ewige: »Von nun an bis in Ewigkeit«. Um den Sinn dieser altheiligen Formel wieder ganz neu zu würdigen, sollte man vielleicht einmal statt »nun« das Wort »jetzt« gebrauchen. In dem Lautgebilde »jetzt«, noch mehr in seiner altertümlichen Form »itzt«, steckt noch etwas von dem intuitiven Blitz-Erlebnis des Augenblickes. Zwischen Vergangenheit und Zukunft steht das »Jetzt« – nur der wahren »Geistes-Gegenwart« faßbar. Wer in Gegenwärtigkeit des Geistes das »Jetzt« ergreift, der öffnet sich damit zugleich ein Fenster in das Überzeitliche: »von jetzt an« bis in Ewigkeit.

Wie in der ersten Strophe der Aufblick zu den Bergen in die Weiten des Raumes hinausführt, so in der letzten Strophe das Ergreifen der Rhythmus-Welt zu den Zeiten-Fernen und durch sie hindurch zur Ewigkeit.

*Der HERR wird dich behüten vor allem Bösen,*
*wird behüten deine Seele.*
*Der HERR wird behüten deinen Ausgang und Eingang von jetzt an bis*
*in Ewigkeit.*

(V. 7–8)

108

# VON DEN LEBENSKRÄFTEN
# DES FROMM-SEINS

## I.

Religiöses Leben, wenn es wirklich ein »Leben« sein soll, bedarf des Geübt-Werdens. Alles was »Übung« genannt werden kann – und nicht umsonst spricht man von »Religions-Übung« –, verlangt einen Willen, der nicht nur momentan hochflammt, sondern der sich immer wieder und immer wieder von neuem ins Zeug legt, sozusagen also ein »langer Wille«.

In solchem Bemühen um die heute mehr denn je lebenswichtige Pflege einer ernsthaften Religions-Übung kann man eine gewisse Anregung empfangen durch einen Text aus alter Zeit, der auf seine Weise – noch vor dem Erscheinen Christi – den langen Willen, man könnte auch sagen: den langen Atem des Fromm-Seins bekundet. Wir meinen den 119. Psalm, der wohl wenig gekannt und wenig geschätzt wird, schon weil er durch seine ungewöhnliche Länge den Leser leicht von vornherein verschreckt; denn er hat tatsächlich 176 Verse, während beispielsweise der bekannte Psalm »Der Herr ist mein Hirte« nur ganze 6 Verse lang ist.

Nun kann man aber gerade von der merkwürdigen hohen Zahl aus einen ersten Zugang zu diesem seltsamen Dokument finden. Die 176 gliedert sich nämlich – in der Luther-Bibel kaum erkennbar – in 22 mal 8. Es sind 22 Strophen, deren je 8 Verse jeweils mit demselben Buchstaben beginnen, und 22 ist die Zahl des hebräischen (konsonantischen) Alphabetes. So beginnt jede der ersten 8 Zeilen mit einem »Aleph«, jede der nächsten 8 mit

»Beth«, und so fort. Man hat darin bisher meist nur eine Art von frommer Spielerei gesehen. Aber wir haben ja inzwischen anfangsweise gelernt, dem »Wort« und seinen verschiedenen Lauten einen ganz neuen ahnungsvollen Respekt entgegenzubringen. Wir lernen allmählich wieder in den einzelnen Lauten die verschiedenen schaffenden Weltenkräfte zu verehren, die in ihrer Gesamtheit den Wirkens-Organismus des göttlichen Weltenwortes bilden, von dem Johannes als von dem »Logos« spricht. So verstehen wir: Das andächtige Verweilen bei den einzelnen Buchstaben des Alphabetes war für den alten hebräischen Frommen ein systematisches Fühlung-Suchen mit dem »Worte«.

Diese alphabetische Struktur des 119. Psalms läßt sich ohne Künstlichkeit in deutscher Übersetzung kaum wiedergeben. Aber schon ein Gefühl für dieses im Hebräischen vorhandene Buchstaben-Geheimnis kann uns hilfreich sein, nun auch im Inhaltlichen des Textes das Wort, das Wort Gottes, als das große Thema deutlicher zu sehen. In vorchristlicher Zeit entstanden, kennt der Psalm noch nicht das in Jesus Christus fleischgewordene Wort. So hält er sich an die hereinstrahlende Vor-Offenbarung des herannahenden Wortes, wie sie für den jüdischen Frommen in seinen heiligen Schriften, vor allem in der »Thora«, den fünf Büchern des Moses, vorliegend war. Der stetige religiös übende Umgang mit dieser Wort-Offenbarung in ernsthafter, das ganze Leben überformender und heiligender Art – das ist die Seele des 119. Psalms.

Das ursprünglich-elementar Dichterische, das Urwüchsige der David-Psalmen kann im 119. Psalm allerdings vermißt werden. Er gehört offenbar der jüdischen Spätzeit an und kann sich als Poesie mit manchen anderen Passagen des Alten Testamentes sicherlich nicht messen. Das darf uns aber nicht hindern, auf seine eigentümliche Stärke aufmerksam zu werden – die liegt eben gerade auf dem Felde des unerschütterlichen langen Willens, der mit letztem Ernst gepflegten Religions-Übung, die aber

dann hier und da zu konkreter übersinnlicher Erfahrung durchdringt. Wo solches geschieht, da kann man dann den sonst so
spröden Text zu eigentümlicher hoher Schönheit aufblühen sehen.

*

»*Ich trage meine Seele immerdar in meinen Händen, und ich vergesse Deines
Gesetzes nicht*« (Vers 109). Klassischer Ausdruck für Selbst-Erziehung, für Disziplin des Bewußtseins. Im Urtext noch knapper:
»meine Seele in meiner hohlen Hand immerdar«. Das energische
Bestreben macht sich geltend, nicht ein Spielball dessen zu sein,
was sich in der Seele tut im Auf und Ab wechselnder Regungen
und Stimmungen. Von einer höheren Warte aus wird die Seele
unter Kontrolle gebracht, »in die Hand genommen«. – Dieser
durchgehende Geistes-Wille führt auch den ständigen Kampf
gegen das »*Vergessen*«. Wir kennen es aus Mythen und Märchen,
dieses Motiv des Vergessens, wie es da immer wieder ernst mah-
nend auftaucht. Es ist schwer, die Zusammenhänglichkeit des
höheren Bewußtseins mit sich selbst im Innern aufrechtzuhal-
ten, es sozusagen als ewig brennende Lampe zu bewahren. Immer von neuem droht die Gefahr des Müde-Werdens, des Nach-
lassens, des Loslassens, des Sich-abhanden-Kommens. Wie
heißt es doch in Richard Wagners »Parsifal«: »Die Mutter
konnt' ich vergessen! – Was alles vergaß ich wohl noch?« – Das
Vergessen ist kein bloßer Naturvorgang im Menschen, der eben
nun einmal mit Selbstverständlichkeit seinen Weg nimmt. Bis zu
einem gewissen Grade mag das durchaus der Fall sein, aber es
weiß doch schließlich jeder aus der Selbstbeobachtung, welche
Rolle Gefühl und Wille beim Vergessen oder Nicht-Vergessen
spielen. So hält sich der Fromme des 119. Psalms die Worte der
göttlichen Weisung (mit »Weisung« hat Martin Buber das Wort
»Thora« übersetzt) als etwas Nicht-zu-Vergessendes, Niemals-
vergessen-werden-Dürfendes bewußt vor Augen: »und Deine

111

Thora vergesse ich nicht«. Nicht weniger als achtmal wird dieser Impuls des Nicht-Vergessen-Wollens im Psalm ausgesprochen. Damit hängt es zusammen, daß solche Worte wie »*Behüten*« und »*Bewahren*« zu den oft wiederkehrenden gehören. Eines dieser Worte heißt im Hebräischen »nazar«, es läßt uns an die »Nazaräer« denken – das waren strebende Menschen, die sich um das bewahrende »Pflegen« des Geistig-Religiösen mühten. Unser deutsches Wort »pflegen« meint ja sowohl pflegliches Verhalten wie auch zur Gewohnheit gewordene Gepflogenheit. Gleich zu Beginn erklingt die Seligpreisung: »Selig, die Seine Zeugnisse pflegend bewahren (nazar), die von ganzem Herzen Ihn suchen« (V. 2).

Bei dieser systematisch betriebenen Pflege der heiligen Schriften handelt es sich nicht nur um ein Lernen und Aufsagen der Texte, obwohl das auch seinen Platz hat. Der Umgang mit den gottgeoffenbarten Wahrheiten verbleibt nicht in der intellektuellen Sphäre, er vertieft sich zum »*Sinnen*«. Die lateinische Übersetzung gibt es denn auch verständnisvoll mit »meditari« wieder – meditieren. Dieses meditative »Sinnen« ist ebenfalls eines der Schlüsselworte des Psalms, nicht weniger als achtmal kehrt es wieder. Gerade durch solche Wiederholung wird es als immer wiederkehrende Betätigung des langen Willens fühlbar gemacht. Es ist übrigens dasselbe Wort, das uns einmal so eindrucksvoll in den Patriarchen-Erzählungen begegnet. Da wird von Isaak gesagt, daß er des Abends hinausging auf das Feld »zu beten« (1. Mos. 24,63), wörtlich: zu »sinnen«. Nicht in der Bedeutung etwa unseres »Sinnierens«, sondern eines solchen Sinnens, das die fromme Gebetsstimmung mit Selbstverständlichkeit in sich einbegreift. Bei Tag (V. 97) wie bei Nacht (V. 55, 62, 148) macht der Psalmist die göttliche Offenbarung zum Gegenstand dieses Sinnens.

Solch frommes Tun, in Treue durchgetragen, führt zu inneren Erfahrungen höherer Art. Der Psalm weiß um gewisse Licht-Erlebnisse. Was »*Erleuchtung*« ist, findet sich wunderbar ausgesprochen im 130. Vers, wo es nur durch Luthers Übersetzung (»wenn Dein Wort offenbar wird, so erfreut es«) zugedeckt ist. Beim Urtext hat man den Eindruck, daß da ein konkretes Erleben unmittelbar ins Wort gebracht ist: »Das Sich-öffnen Deiner Worte leuchtet«. Die Worte eines heiligen Textes sind immer wieder in das fromme Sinnen hereingenommen worden – aber eines Tages kommt der Augenblick, wo sie sich wie sich öffnende Knospen innerlich erschließen und wie in einem Licht-Vorgang höchsten Ranges leuchtend in der Seele »aufgehen«. – Mystische Licht-Erfahrung ist es auch, die letzten Endes hinter dem leider so oft ins Allzugeläufige abgebrauchten Spruche verborgen ist: »Dein Wort ist meines Fußes Leuchte und ein Licht auf meinem Wege« (V. 105). »Weg« und »Pfad« sind uralte Wahr-Bilder für ein Fortschreiten in inneren Wandlungen. Wie der äußere Pfad im Dunkel nicht gefunden wird, so ist noch viel mehr dieser übersinnliche Pfad des erhellenden Gnadenlichtes bedürftig.

Mit der Erweckung für die Wahrnehmung göttlichen Lichtes wächst dem Menschen so etwas wie eine neue Dimension zu. Er empfindet eine *Erweiterung* seines ganzen Wesens. Das Bild der Erweiterung stellt sich nicht zufällig ein, es ist genau richtig. In den »Brüdern Karamasoff« schildert Dostojewski, wie der junge Aljoscha am Sarge des verehrten Starez etwas Übersinnliches erfährt, er gebraucht dabei zweimal den Ausdruck, daß es Aljoscha vorkam, als habe sich der Raum erweitert. – Unser normales Alltagsbewußtsein ist an den grobstofflichen Erdenleib gebunden, es weiß zunächst nichts davon, daß außerdem auch noch Hüllen von viel feinerer Art zum Menschenwesen gehören. Diese feinere Hüllen-Natur des Menschen bewirkt, wenn wir Rudolf Steiners Darstellung folgen, einen viel geringeren Grad von »Abgeschlossenheit« als der grobstoffliche Erdenkörper. Letzterer ist so etwas wie eine »Isolierzelle«, wohingegen der ätherische Lebenskräfte-Organismus dem Einstrom kosmischer Kräfte sehr viel mehr offensteht. Entwickelt die Seele ein Bewußtsein, das sich in diesem feineren Organismus erlebt, dann tritt sie den »Weg ins Freie« an, dann tut sich vor ihr die lichte Weite auf, die vom großen Weltenatem durchweht ist. »Enge und Weite«, »Angst (das Wort hängt ja mit ›eng‹ zusammen) und Befreiung« ins Lichte und Weite sind Ur-Motive religiösen Lebens, die auf ganz bestimmte Erfahrungen zurückgehen. In dem David-Psalm 18 heißt es: »Der Herr führte mich hinaus in den weiten Raum« (V. 20). Im 118. Psalm: »Aus der Angst-Enge rief ich zum Herrn – es antwortete in der Weite mir der Herr« (V. 5). Im 4. Psalm: »Auf mein Rufen antworte, du Gott meiner Gerechtigkeit! In der Enge machest Du mir weit« (V. 2). Luther übersetzt: »tröstest Du mich«, aber es steht ausdrücklich »weit machen« da. In den Isaak-Erzählungen des ersten Mosesbuches empfängt ein Brunnen den Namen Rehoboth – »die Weiten«. Um andere Brunnen war Zank entstanden. Irdisch-menschlicher Besitz-Egoismus, der mit dem Beengt-Sein im groben Stoffeskörper zusammenhängt, hatte mit unheiliger Hand nach der lebenspendenden Gottesgabe des Brunnens gegriffen. Nun war da endlich ein Brunnen, »um den stritten sie nicht«, er durfte ungekränkt sein Brunnengeheimnis darleben. Dieses Erlebnis führte die Menschen aus der »Enge« und hieß sie »die Weiten« erspüren – Rehoboth (1. Mos. 26, 22). – Zu diesem Ur-Erlebnis gelangt auch der 119. Psalm. »Und ich wandle in der Weite; denn ein Sucher bin ich Deiner Ordnungen« (V. 45). Luther: »ich wandle fröhlich«. Aber charakteristisch ist hier gerade die »Weite«. Die göttlichen Ordnungen und Anordnungen, die ihren Ausdruck im Gesetz haben, werden von dem Frommen nicht als etwas empfunden, das ihm sein Dasein beengt. Indem sie seinem »Sinnen« durchsichtig werden als göttliche Lebenstatsachen, stellen sie ihn »ins Weite«. So auch im 96. Vers: »Ich habe alles Dinges ein Ende gesehen, aber (so nach dem Urtext:) weit ist Dein Gebot gar sehr.« Man muß spüren, wie diese »Weite« nicht nur äußer-

114

lich ist, sondern wie in das Erlebnis »ich komme ins Weite, ins Freie« Lebensgefühle einer übersinnlichen Daseinsweise einfließen.

Einmal gebraucht der Psalm das Wort »Weite« auch in bezug auf das menschliche *Herz*. Im Urtext lautet der 32. Vers: »Den Weg Deiner Gebote will ich laufen; denn Du machest weit mein Herz.« – Dieses Wahr-Bild hat sogar seinen Weg in den Koran gefunden. Zur Zeit Mohammeds lebten in Arabien mancherlei »Emigranten« aus unorthodox christlich-jüdisch-gnostischen Kreisen. Bei Menschen solcher Art mag auch der »Nazaräer«-Psalm 119 besonders in Ehren gestanden haben, durch ihre Vermittlung kam wohl das Motiv des »Weitmachens« von Herz oder Brust zu Mohammed. Schließlich erscheint es in Goethes »Faust«. Goethe kannte sowohl die Bibel wie den Koran sehr gut. Es dürfte auf eine Anregung von daher zurückzuführen sein, wenn er die Monden-Göttin anrufen läßt: »Du Brusterweiternde« (Faust II, 2. Akt).

Im 119. Psalm verbindet sich das »Weitmachen des Herzens« mit dem Motiv des »*Laufens*«. Nicht wie sonst heißt es »wandeln«, sondern gerade nur hier: »›laufen‹ will ich den Weg Deiner Satzungen«. Da könnte uns der 19. Psalm (»Die Himmel rühmen...«) in den Sinn kommen, wo auch vom »Laufen« die Rede ist. Und zwar im Blick auf die Sonne. Sie »läuft« ihre Bahn als wie ein Held (V. 19, 6). Nicht ein hastig-eiliges »Rennen« ist gemeint, in Gehetztheit und Unrast. Dieses »Laufen« des Sonnenhelden ist ein Sichfortbewegen aus einem Überschuß gewaltiger Lebens-Energien heraus. So »lief« Elias nach dem Gottesgericht auf dem Berge Karmel wie in einem ihn fast sprengenden Übermaß flutender Gotteskraft im Wetter bis nach Jesreel vor des Königs Wagen einher (1. Kön. 18, 46). Als »Helio-dromos«, »Sonnen-Läufer« wurde in den Mithras-Mysterien ein gewisser Grad der Einweihung bezeichnet. – Im 119. Psalm, wie gesagt in spätjüdischer Zeit, geht es still und verinnerlicht zu. Aber es mag doch kein Zufall sein, daß gerade da, wo vom Herzen, das ja doch des Menschen Sonnen-Organ ist, gesprochen wird, auch dieser alte Mysterienton vom Sonnen-»Läufer« anklingt. Das Herz, »weit gemacht«, erfüllt sich mit den Sonnenkräften. Dadurch kann der Mensch seinen Weg unter die Füße nehmen, der zugleich im Einklang mit den göttlichen Ordnungen ist. Sein innerer Fortgang ist dann wie ein Abbild der machtvollen Sonnen-Bewegung selber, »wo der Sonnenheld seine Bahn läuft« von Sternbild zu Sternbild.

## II.

Das »Räumliche«, mit dem wir es zu tun haben, wenn wir von Enge und Weite sprechen, war für die Menschen früherer Zeiten keineswegs seelisch leer. Es war von innerlichem Erleben durchsetzt, so daß die Erfahrung der »Weite« wie unmerklich aus dem Räumlichen in ein Übersinnliches hinüberleitete.

Entsprechendes gilt auch für die *Zeit*. Für den abstrakt gewordenen Menschen unserer Tage ist die Zeit als solche ebenso etwas Äußerliches, dem Übersinnlichen fremd Gegenüberstehendes geworden wie der Raum. Auch solchen Zeitgenossen, die religiös sein möchten, scheint zunächst das »Zeitliche« von dem »Ewigen« streng getrennt zu sein, wie zwei gänzlich verschiedene Welten, die einander nichts angehen, zwischen denen es keinerlei Übergänglichkeit geben könne. – Nun muß man sich aber einmal klarmachen, daß der Begriff »Ewigkeit« in seiner ihm heute beigelegten abstrakten Absolutheit in der Bibel gar nicht zu finden ist. »In die Äonen – in die Äonen der Äonen – äonisch« – so etwas kommt in den biblischen Texten wohl vor. Aber das ist nicht ohne weiteres dem gleichzusetzen, was man sich heute unter »ewig« vorstellt. Das im Neuen Testament so oft gebrauchte Wort »Äon« bezeichnet einen »Zeitenkreis«. Da steht das Erlebnis im Hintergrunde, daß die Zeit nicht einfach wie eine gerade

116

Linie ins Endlose läuft. Vielmehr: sie hat es an sich, daß sie sich zu Kreisen schließt. So im Tageslauf, so im Jahr. Da macht sich ein Wiederkehrendes bemerkbar. In der Wiederkehr schließt sich ein »Ring«, und im Schließen eines solchen Ringes wird das Zeitliche durchfühlig für ein Höheres, das als solches über alles Zeitliche erhaben ist, das aber im sich rundenden Zeitenkreis gleichsam von oben her hereinleuchtet. Das Gespür für dieses von oben Hereinleuchtende gibt dem Wort »Ewigkeit« seinen religiösen Klang. Es deutet nicht etwa auf eine ins Schrankenlose wuchernde Zeit hin, die »überhaupt nicht aufhört«, sondern es läßt jene göttlich-erhabene Welt ahnen, die allem Zeitlichen gegenüber grundsätzlich einer anderen Ebene angehört, die sich aber gnadevoll herab-läßt, in den sich schließenden Zeiten-Ringen geheimnisvoll aufzuscheinen.

Dieser zur Ewigkeit hinführende Zeitenkreis ist im Neuen Testament der »aion«, im Hebräischen »olām«. Nicht weniger als achtmal begegnet er uns im 119. Psalm.

Der 152. Vers lautet in der Lutherübersetzung: »Zuvor weiß ich aber, daß Du Deine Zeugnisse ewiglich gegründet hast.« »Ewiglich« steht für »ôlām«. Aber der Leser kann wohl kaum ahnen, daß an der Stelle des beginnenden Wortes »Zuvor« im hebräischen Text ein gewichtiges Wort steht, das ebenfalls wie olām eine Ewigkeits-Aura hat. Es ist das Wort »*qedem*«. Räumlich bedeutet es den Osten, die Himmelsrichtung des Sonnenaufgangs. Zeitlich meint es die Morgen-Frühe als Schöpfungs-Frühe, als Welten-Morgen. Man könnte an den für die kabbalistische Geheimlehre aufgeschlossenen Liederdichter Knorr von Rosenroth denken: »Morgenglanz der Ewigkeit, Licht vom unerschöpften Lichte«. Als auf den Welten-Morgen zurückdeutend bezieht sich qedem auf Urvergangenes. So wird es denn auch gelegentlich als »einst«, »ureinst«, »Anfang«, »vorig«, »zuvor«, »voralters«, »alt« übersetzt. Aber damit ist die spezielle, eigentümliche Nuance des qedem nicht getroffen. Trotz der Beziehung

117

zur Vergangenheit sollte man das Wort »alt« vermeiden. Denn qedem weist gerade hin auf das Jungsein der aus Gott hervorgegangenen Welt. Für die Rückschau sind die weit zurückliegenden Lebensanfänge »die alten Tage«, aber diese »alten Tage« sind doch eigentlich gerade nicht »alte Tage«, insofern als sie in ihrer Frühe noch an die Ewigkeit rückangeschlossen sind. Mörike spricht einmal (in seinem Gedicht »Im Frühling«) von »alten unnennbaren Tagen«. Da ist durch das hinzugefügte »unnennbar« die Qualität des Geheimnisvollen bewahrt und von dem Wort »alt« die Vorstellung eines sozusagen grauen Altwerdens hinweggenommen. – Psalm 77,6 bei Luther: »Ich denke der alten Zeit, der vorigen Jahre.« In diesem Satze finden sich die beiden Ewigkeitsworte zusammen: »die vorigen Jahre« – das sind im Hebräischen »die Jahre der äonen (olamim)«. »Die alte Zeit« – das sind im Hebräischen »die Tage von qedem her«. Das Wort »alt« wird der Qualität qedem nicht gerecht. – Ein anderes Beispiel: Im 78. Psalm übersetzt Luther den 2. Vers: »Ich will meinen Mund auftun zu Sprüchen und alte Geschichten aussprechen.« »Alte Geschichten…«. Wiederum verwischt »alt« den Urtext, in dem hier das Wort qedem steht. Wörtlich könnte man es etwa wiedergeben: »Ich will meinen Mund auftun zu Weisheitssprüchen und will unter Inspiration rätselvolle Reden von qedem her, vom göttlichen Welten-Morgen her, verkünden.«

Wenn man, was ja tief berechtigt ist, in zielstrebigen Entwicklungen denkt, läuft man unter Umständen Gefahr, im Hinblikken auf das Entwicklungsziel die dazu hinführenden Vorstufen eben nur als solche zu nehmen und ihnen dadurch nicht gerecht zu werden. Beispielsweise ist das Kind eine Vorstufe zur ausgereiften Persönlichkeit. Aber es können durch das Kindsein gewisse wunderbare Lichter auf das Menschentum fallen. Die Vorstufe läßt etwas aufleuchten, was einen Eigenwert darstellt und später in dieser Weise nicht mehr gefunden werden kann. So ist auch die Morgen-Röte als Vorstufe der vollen Tages-Helle nur ein vorübergehender Durchgang, aber als solcher hat sie ihre besondere Wertigkeit. Sie kann ein gewisses Etwas, eine gewisse zart-geistige Transparenz offenbaren, die sich dann in die robustere Helligkeit des Tageslichtes hinein verliert. qedem als heilige Morgen-Frühe hat ihre besondere Qualität dadurch, daß sie noch den Rückanschluß an das Geheimnis der Nacht hat und im Glänzen der Tautropfen und im Schein der Morgen-Röte noch etwas vom göttlichen Ursprung verspüren läßt. – qedem ist auch in dem Adam »qadmon« enthalten, von dem die hebräische Geheimlehre weiß. Damit ist nicht etwa der »alte Adam« gemeint, sondern der Adam im heiligen Früh-Licht des Schöpfungs-Morgens, der nicht vom Sündenfall berührt ist.

Kehren wir wieder zu dem 152. Vers des 119. Psalms zurück »Zuvor weiß ich…«. Es heißt also: »Kraft qedem weiß ich«. Der Mensch trägt in seinem Inneren einen Anteil an dem Welten-Schöpfungs-Morgen. Kraft dessen kann er ein Ewigkeitswissen aus seiner Wesenstiefe heraufholen, im wahrsten Sinne ein Wissen »a priori«, von früher her, von der Gottes-Frühe des Welten-Morgens her.

Wie dieses Morgengeheimnis »qedem« dem Ewig-Überzeitlichen, aus dessen Schoß es sich gerade erst losgelöst hat, noch besonders nahesteht, so gilt auch Entsprechendes für die *Zukunft*, wo gegen das Welt-Ende zu im hereindämmernden Abend alles Vergänglichen die Ewigkeit wieder deutlicher durchzuscheinen beginnt. So dringt der Blick des Erweckten auch in die Zukunft, aus der ihm, wie aus der Urzeit, das Ewige entgegenstrahlt. »Mein Erbe für die Ewigkeit sind Deine Selbstbezeugungen; denn sie sind meines Herzens Wonne« (111). Der Fromme ist durch sein betendes Sinnen über die heiligen Texte so mit den göttlichen Offenbarungs-Inhalten zusammengewachsen, er hat sie so gründlich in sein Seelenleben aufgenommen, daß ihm daraus unmittelbar gewiß wird: »*das* trage ich mit mir in fernste Zukunft, *das* trägt mich mit sich in die Ewigkeit«. Diese in der Seele zum Leben gebrachten Inhalte können ihm selber die Ewigkeit verbürgen, weil er sie sich nicht nur verstandesmäßig zu eigen gemacht hat, sondern unter Aufrufung der Tiefenkraft seines Wesens – weil er sie hat »seines Herzens Wonne« sein lassen. – Ähnlich im 98. Vers (Luther: »denn es ist ewiglich mein Schatz«). Da heißt es im Urtext nur ganz einfach und groß: »denn für die Ewigkeit ist dieses mir«.

Das Offen-Sein für die von der Zukunft her sich zeigende Ewigkeit verleiht dem 119. Psalm auch die Wahrnehmung des kommenden »*Heiles*«. In den Jahrhunderten, die auf das Christus-Ereignis hinführen, geistert immer wieder hier und da in der antiken Menschheit die Hoffnung auf ein großes die Welt errettendes Geschehen. Im Griechischen ist es die »sotēría«, die große Errettung, im Hebräischen die »jeschuah«, die große Gotteshilfe. Ihrer harrt der Fromme (V. 41, 81, 166, 174). Wie eine Ahnung dessen, daß dieses große Heil einmal sichtbarlich vor Menschenaugen stehen soll, mutet es an: »meine Augen sehnen sich nach Deinem Heil«(V. 123). »Selig die Augen, die sehen, was ihr sehet«, wird einmal der Christus zu den Jüngern sprechen. Der alttestamentliche Fromme unseres Psalms hat ein Gefühl dafür, daß die Menschheitsgeschichte reif ist für den erlösenden Eingriff von oben her. »Zeit ist es für den Herrn zu handeln« (V. 126).

Wir dürfen von unserer christlichen Sicht aus sagen, daß in diesem Psalm trotz seiner starken Alttestamentlichkeit doch auch schon der Vor-Schein des herannahenden Erlösers zu bemerken ist. Gewiß kann man im 119. Psalm das Schriftgelehrten-Element des zum Spröde- und Hart-Werden neigenden spätjüdischen Wesens nicht übersehen. Das ist schon auch da. Aber man sollte nun auch dafür einen Blick gewinnen, wie sich an gewissen Stellen etwas von der Wärme der herannahenden Christus-Sonne fühlbar macht. Man kann einmal darauf aufmerksam werden,

wie oft das Wort »*lieben*« erscheint. Dieser Fromme ist bei weitem
nicht bloß ein gehorsamer Knecht. Zwölfmal drängt es ihn in
seinem Psalm zu sagen, daß er die göttlichen Weisungen »liebt«.
Wohl hält er in strenger Disziplin eines geordneten Tageslaufes
seine siebenmalige Gebetszeit ein (V. 164), aber das ist für ihn
kein mechanischer Lippendienst. In einer wundervollen Formulierung spricht er von den »Freiwilligkeiten seines Mundes«
(V. 108), die er darbringt. In seinem Bemühen schielt er nicht
auf Belohnung hin. Er ist dazu gelangt, in solchem Tun selber
schon den ewigen Lohn zu schmecken; denn das ist wohl die eigentliche Meinung der Verse 33 und 112: »Geneigt habe ich
mein Herz, deine Gesetze zu tun. In Ewigkeit ist es Lohn.« Die
Gesetze, die in Liebe anerkannten Notwendigkeiten der göttlichen Welt, werden nicht bloß im Gehorsam befolgt. Sie werden
in der liebenden Seele zur Beschwingung und erwecken ihr
Schöpferisches. »Hymnen (Psalmen, Lobgesänge) sind mir Deine Anordnungen im Hause meiner Pilgerschaft« (V. 54). Zum
»Gedicht« wird ihm, was Gesetz war. Ein höheres Künstlertum
erwacht in der Seele und tritt mit schöpferischer Kraft in das
ethische Leben ein. Der in Liebe innerlich neu erschaffene göttliche Wille wird zum preisenden Gesang.

Die Gottesliebe, die sich an solchen Höhepunkten kundgibt,
ermangelt andererseits nicht der heiligen Scheu. Die Unangemessenheit des Menschen, der den Einschlag der Widersacher-
mächte in sich trägt, dem Göttlichen gegenüber wird stark empfunden. Es sind erschütternde Schwellen-Erlebnisse im Hintergrunde, wenn der Psalmist sagt: »Mein Fleisch erschauert«
(V. 120). »Vor Deinen Worten erschauert mein Herz« (V. 161).
– Um so echter darf auf solchem Hintergrunde der Ausdruck der
Gott-Zugehörigkeit sein, in der innig-schlichten Formel »Dein
bin ich« (V. 94).

Diese Gott-Innigkeit hilft dem Frommen, eine Gefahr zu vermeiden, die sich so leicht einstellt, wenn der Mensch sich recht

anstrengt und sein Allerbestes tun möchte: daß er dadurch in pharisäische Selbstzufriedenheit verfällt. Es ist ergreifend, wie am Schlusse des Psalms der mit all seinen inneren Energien Strebende, der gewiß auf manche Errungenschaften hinblicken darf, die Worte findet, in denen er sich selbst im Bilde eines irregegangenen »verlorenen Schafes« erblickt und mit dem Gebet endet: »Suche Deinen Knecht« (V. 176). Es ist so bedeutungsvoll, wie gerade bei diesem religiösen »Aktivisten« ganz elementar die Erkenntnis hervorbricht, daß alles Gott-Suchen des Menschen, und sei es noch so inbrünstig, nicht zum Ziele führen kann, wenn nicht in Gnaden als die »Liebe von oben« das Menschen-Suchen des sich herabneigenden Gottes entgegenkommt. Solche Einsicht ist kein Ruhekissen für den zur Bequemlichkeit neigenden Menschen, der auf eigenes Bemühen verzichten möchte, weil es ja doch nur auf die Gnade ankomme. Es ist gerade das strebende Bemühen, das, wenn es echt ist, an das Gnaden-Erlebnis erst so recht heranführt. Es bringt gerade den Menschen erst in die Verfassung, die Gnade zu würdigen und sich von ihr ergreifen zu lassen.

Mit aller Deutlichkeit wird am Ende des 119. Psalms, der dem späteren Judentum entstammt, die Einsicht ausgesprochen von der Verlorenheit des Menschen ohne die Hilfe von oben her. Gerade dadurch, daß diese Einsicht von einem fromm Strebenden ausgesprochen wird, ist sie um so eindrucksvoller. Von der christlichen Anschauung aus heißt das: Die Menschheit, auch wenn sie sich noch so sehr bemüht, müßte heillos bleiben ohne den Christus, der die persongewordene rettende »Liebe von oben« ist. Ohne ihn und seine Tat könnte sich die Menschheit niemals aus ihrer »Verlorenheit« herausarbeiten. – Man kann die innere Einsicht dessen, der den 119. Psalm verfaßt hat, nicht genug bewundern, die ihn dazu führt, trotz aller seiner Erfahrungen von einer Ewigkeitswelt, trotz seiner Aufschwünge zu selbstloser Gottesliebe sich selber in dem Bilde des »verlorenen Schafes« zu sehen, das darauf angewiesen ist, von Gott gesucht zu werden. Mit diesem Bilde kommen wir schon ganz nahe an das Gleichnis Christi von dem Hirten, der das verlorene Schaf suchen geht.

Aber eben – die Gnade, die »Liebe von oben«, sie muß eine Möglichkeit haben, beim Menschen anzuknüpfen. Der Mensch ist ein bewußtes und verantwortliches Personen-Wesen und wird als solches von Gott selbst respektiert. Darum kann er nicht einfach nur von außen her gerettet werden, wenn er nicht mittun will. Er wäre verloren und bliebe verloren, wenn der Gute Hirte sich nicht aufmachte, um ihn zu suchen an seinem Orte – aber er muß sich auch finden lassen wollen. »Suche Deinen Knecht.« Der Beitrag des Menschen zu seiner Rettung wird am Schluß dieses in der rechten Weise aktivistischen Psalms, der so kraftvoll an die Bewußtseins-Energien appelliert, in den letzten Worten zusammengefaßt: »denn ich vergesse Deine Gebote nicht«. Da wird der Mensch noch einmal aufgerufen, mit allem Ernste den Kampf zu beginnen gegen die Mächte, die ihn dahin bringen wollen, daß er seines der Ewigkeit entstammten und auf die Ewigkeit hingeordneten Wesens vergesse.

# WELTEN-SCHAU

## PSALM 148

Das Buch der Psalmen klingt in seinen Schluß-Hymnen in ein gewaltiges »Tedeum« aus. Im 150. Psalm ist es das Orchester der Musikinstrumente, das zum Lobe Gottes aufgerufen wird – »lobet Ihn mit Posaunen, lobet Ihn mit Psalter und Harfen...«. Im 148. Psalm ist das Orchester die Welt selber. Himmel und Erde klingen zur Verherrlichung Gottes zusammen.

Der Psalm hat – ebenso wie der 150. Psalm – seine besondere Klanggewalt durch das »Halleluja«. Nicht nur, daß es am Anfang und am Ende ertönt. Überall da, wo in Luthers Übersetzung »loben« steht, haben wir im Hebräischen das Wort »halal«, das in Halleluja enthalten ist (»halelu-Jah«, lobet Jahve). Der ganze Psalm ist davon durchklungen. Wir können das »halal« statt mit »loben« auch mit »hallen« (im Echo widerhallen) wiedergeben, womit wir dem Beispiel folgen, das Reinhard Wagner 1934 in seiner Übersetzung des 148. Psalms gegeben hat.[1] Dadurch können wir einen Eindruck vom Klang des Urtextes bekommen. Dann würde der *erste Teil* etwa so lauten:

> *Halleluja!*
> *Hallet wider dem Herrn von den Himmeln her!*
> *Hallet wider Ihm in den Höhen-Welten.*
> *Hallet wider Ihm alle seine Engel.*
> *Hallet wider Ihm all sein glänzendes Heer.*
> *Hallet wider Ihm Sonne und Mond.*

*Hallet wider Ihm alle Sterne des Lichtes.*
*Hallet wider Ihm Himmel der Himmel und Himmels-Gewässer.*
*Widerhallen sollen sie alle den Namen des Herrn.*
*Denn Er gebot – sie wurden geschaffen.*
*Er stellte sie ins Dasein – für äonenlange Dauer.*
*Er gab eine Ordnung – die überschreiten sie nicht.*

(V. 1–6)

*

Es beginnt mit dem Aufblick zu *Himmeln* und *Höhen* (beides im Urtext in der Mehrzahl). Für den Psalmdichter sind das nicht bloße Worte, sondern sie bewirken die Erhebung seiner Seele zu der konkreten Mannigfaltigkeit höherer Welten, die über uns sind.

Das erste, was der Dichter in diesen Höhen-Welten aufruft, ist nicht das sichtbare Himmlische – Sonne, Mond und Sterne –, sondern das, was für uns unsichtbar ist. Im Geistes-Aufschwung verblassen die augenfälligen Himmelserscheinungen, und vor dem sich öffnenden inneren Auge zeigen sich die geistigen Wesen, die in den oberen Sphären wohnen, »alle seine *Engel*«.

Die Engel ordnen sich zusammen zu einem gewaltigen Geister-Organismus, zur »*himmlischen Heerschar*«. Das ist nicht etwa eine naive Übertragung von militärischen Vorstellungen auf das himmlische Oben. Umgekehrt! In der strengen Geordnetheit einer irdischen Heerschar erblickte man den Abglanz kosmischer Ordnungen.

»Heerschar« heißt im Hebräischen »zaba«, in der Mehrzahl »zebaoth«, auch mit »sabaoth« wiedergegeben. (Der »Herr Zebaoth« ist also »der Herr der Heerscharen«.) Das zugrundeliegende Verbum bedeutet »glänzen«. Zaba ist die glänzende geordnete Schar der Himmlischen. Es wird damit im Alten Testament manchmal auch das »Heer der Sterne« bezeichnet. Aber

125

ursprünglich ist es ein Heer von Geistern, die sich in den Sternen nur offenbaren. Von innen gesehen sind es Engelwesen, nach außen hin sind es Sterne. Wenn es im Buche Hiob (38,7) heißt: »Da mich die Morgensterne miteinander lobten und jauchzten alle Kinder Gottes (wörtlich: bene elim, Göttersöhne!)«, so ist das nicht nur hochpoetisch, sondern zugleich wahr im Sinne uralter Schau.

Auch der große griechische Denker Aristoteles nannte noch die Sterne »das Sichtbare des Göttlichen«, »die göttlichsten aller Phänomene«. Er bekannte: »Es ist schön, sich sagen zu können, daß diese alten urväterlichen Lehren auf Wahrheit beruhen.«

Sinnvoll leitet so die »glänzende Heerschar« im 148. Psalm über zu den sichtbaren Himmelslichtern: »*Sonne und Mond.*« »*Alle Sterne des Lichtes.*« Durch den vorangegangenen Aufblick zu den Engeln haben sie ein geistiges Vorzeichen bekommen. Sie sind nicht Stoffmassen in mechanischer Bewegung, sondern durchscheinende Lichtleiblichkeit der Geister, die sich in ihnen »äußern«. Ihr Schein ist Er-Scheinung.

Aus der Beschauung der Sterne erwächst das folgende »*Himmel der Himmel*«. Das muß man ganz wörtlich nehmen. Höhere und immer höhere übersinnliche Bereiche erheben sich übereinander, ein Himmel über dem anderen. Wie denn Paulus ganz sachlich von einem »dritten Himmel« spricht (2. Kor. 12,2).

Was sind nun aber die »*Wasser über den Himmeln*«? Der moderne Mensch blickt geringschätzig auf die »primitiven« Vorstellungen der Alten herab, die sich, wie es scheint, den Himmel als riesigen Wasserbehälter dachten und das Firmament als dessen soliden Boden mit einer Ablasse-Vorrichtung für den Regen. So etwa versteht man den Bericht der Schöpfungsgeschichte von der Feste, welche die Gewässer oben von den Gewässern unten trennt.

Wir können es aber auch anders ansehen. Wenn das Wasser verdunstend emporsteigt, dann entmaterialisiert, ent-irdischt es sich sozusagen. »So fließt zuletzt, was unten leicht entstand, dem Vater oben still in Schoß und Hand« – sagt Goethe von den sich im Blau auflösenden Cirruswölkchen. Was sich so entmaterialisiert hat, das verbindet sich oben mit ätherischen Himmelskräften, die den Alten im Schau-Bilde des »himmlischen Ozeans« erschienen. Wenn es dann wieder abwärts geht und das Wasser zuletzt aus dunkler Wolke in schweren Tropfen zur Erde fällt, bringt es etwas wie einen Himmelssegen von oben mit herab. »Es regnet, Gott segnet.« Die »Feste« zwischen den Wassern ist in Wahrheit ein unsichtbares Kraftfeld, das die Scheidung zwischen himmlischer und irdischer Daseinsform bewirkt, wie Rudolf Steiner in seinen Vorträgen über die Schöpfungsgeschichte gezeigt hat. – Mit dem Abdämmern der alten Hellsehkräfte mögen sich dann die ursprünglichen Schauungen zu stofflich-derben Vorstellungen vergröbert haben.

Mit den »Himmelsgewässern« ist der Psalm nach dem entrückten Ausblick in die »Himmel der Himmel« schon wieder auf dem Weg erdenwärts, dem vom Himmel niederfallenden Regen folgend. So kommt denn auch hiermit die Aufrufung der verschiedenen Himmelswesenheiten zum Ende. Noch einmal werden sie alle zusammengefaßt: »Widerhallen sollen sie alle den Namen des Herrn.«

Der *Name Gottes* ist der Inbegriff dessen, was Gott von sich zu erkennen gibt, was von ihm gewußt werden kann. Aller Lobpreis ist feiernde Auseinanderfaltung des göttlichen Namens. Die Himmel mögen wohl den großen Namen im Echo widerhallen; »denn« aus Gott gingen sie hervor. Er *schuf* sie durch sein gebieterisches Wort, das willensgeladen und wirkenskräftig ist und doch als »Wort« auch wieder Äußerung, Selbst-Mitteilung bedeutet.

Zum Schaffen – es wird wie in der Schöpfungsgeschichte das feierliche Wort »bara« gebraucht – tritt hinzu das weitere Wunder des *Erhaltens*. Er »stellte sie hin« für die Dauer von Äonen. Die himmlische Welt ist nicht »hinfällig« und kurzlebig. In ihrer standfesten Dauer durch die Zeitenkreise ist sie ein Abbild der göttlichen Ewigkeit selber.

Ein Drittes ist das *Ordnen*. Ewige Gottesgedanken sind in der Himmels-Ordnung niedergelegt. Es ist ja eine tiefe Wahrheit, wenn Schiller von der Ordnung als der »segensreichen Himmelstochter« spricht. Und dort oben gibt es *kein* » *Übertreten*«. Dort ist die heilige Ordnung unwidersprochen in ihrem Element.

Ein Trinitarisches klingt hier am Ende des Himmels-Teiles an. Im schaffenden Wort lebt der Sohn, im Erhalten der Ewige Vater, in der Ordnung die lichte Gedankenwelt des Geistes.

\*

In eine ganz andere Welt führt uns der *zweite Teil*, der sich der Erde zuwendet:

> *Hallet wider dem Herrn von der Erde her!*
> *Drachen-Ungeheuer und Abgrundtiefen alle,*
> *Feuer und Hagel, Schnee und Nebeldampf,*
> *Windes-Geistes-Braus, seines Wortes Vollführer,*
> *Berge und Höhen insgesamt,*
> *Fruchtbäume und alle Zedern,*
> *Wild und Vieh, Gewürm und geflügelte Vögel,*
> *Könige auf Erden und alle Völker,*
> *Fürsten und alle Richter auf Erden,*
> *Jünglinge und Jungfrauen,*
> *Greise mitsamt den Knaben –*
> *Widerhallen sollen sie alle den Namen des Herrn.*
> *Denn sein Name ist erhaben allein.*
> *Sein Bekenntnis erglänzt über Erde und Himmel.*
> *Den Strahl der Denkkraft wird er aufwärts lenken seinem Volke.*

*Ein Lobgesang ist er all seinen Frommen,*
*den Söhnen des Gottesstreiters Israel,*
*der Gemeinde seines Nahe-Seins.*
*Halleluja.*

(V.7–14)

*

Es fällt auf den ersten Blick auf, wie das »Hallen«, das im Himmels-Teil fast in jeder Zeile erklang, hier nur ganz spärlich ertönt. Im Himmels-Teil war es jeder einzelnen Wesensgruppe besonders zugeteilt: »Hallet wider, Engel... hallet wider, Sonne und Mond... hallet wider, Sterne des Lichtes...« Hier in der Erden-Strophe steht es nur rahmenhaft am Anfang und Schluß (V.7 und 13). Zufall? Wohl kaum. Der Dichter empfindet, daß in den Himmels-Reichen der fromme reine Widerhall des Göttlichen so recht eigentlich zuhause ist. Mit der Erdenwelt hat es offenbar eine andere Bewandtnis. –

Die Himmels-Strophe endete mit dem Blick auf die heilige Ordnung – »da ist kein Überschreiten«. Das Motiv des »Überschreitens« leitet gewissermaßen über zur irdischen Welt. Oben im Himmel geschieht der Wille Gottes selbstverständlich. Unten auf Erden hat er zu kämpfen, um sich durchzusetzen. Er ließ es zu, könnten wir sagen, daß ihm auf Erden Hindernisse und Widerstände erwuchsen, damit er dereinst in ihrer endlichen Überwindung seine tiefste Kraft erweisen kann. So ist die Erde einerseits dunkel und problematisch. Andererseits liegt gerade darin ein weites, für unsere Begriffe vielleicht furchtbar weites Ausholen zu kommenden noch größeren göttlichen Herrlichkeiten, die nicht anders als aus dem dunklen Erdenschoß zum Licht geboren werden können.

Als erste Vertreter des Irdischen erscheinen – im vollen, krassen Gegensatz zur Himmelswelt – *Drachen* und *Abgründe*. Damit wird gleich zu Beginn für die Erde der Grundton des Unheim-

129

lich-Dunklen angeschlagen. Drachen-Ungeheuer sind gemeint, nicht »Walfische«, wie Luther übersetzt. Bei den »thanninim«. des hebräischen Textes muß man nicht an Zoologie denken, sondern an Mythologie. Die eigentlichen »zoologischen« Tiere kommen erst später im Psalm an die Reihe, wie wir sehen werden. Hier aber handelt es sich um ein Schreckbild mythischer Schau, um eine Alptraumvision des schauenden Menschengeistes.

Im Himmel, in der hellen Ideen-Welt schaffender Gott-Gedanken, hat die gottgewollte lichte Urgestalt des Menschen ihre Heimat. Sie möchte sich im Erdenstoff auch irdisch verwirklichen. Aber da muß sie sich erst mühsam zur Verkörperung im widerstrebenden »Rohstoff« durchringen. Widersacher-Mächte suchen diese Absicht zu durchkreuzen, und so wirft die Erdenentwicklung seltsam groteske, unheimlich anmutende Gebilde an die Oberfläche. Statt der zu verwirklichenden *Urgestalt* erscheint die zu überwindende *Ungestalt*. Die alten Saurier, soweit wir sie uns zu rekonstruieren vermögen, zeigen etwas davon auf dem Gebiet der Leibesentwicklung. In gewissem Sinne kann man sagen: »Die Saurier waren Drachen« – in ihrer monströsen, unheimlichen Ungestalt. Aber man dürfte nicht umgekehrt sagen: »Die Drachen waren also in Wirklichkeit die Saurier.« In den Sauriern hat das Drachenprinzip nur seinen Abglanz im Bereich der Zoologie. Aber die eigentliche Bedeutung der Drachen ist damit noch längst nicht umspannt. Der dämonisch durchkreuzende Gegenwille, der die Urgestalt in die Ungestalt verzerren möchte, ist ja auch auf dem eigentlich menschlichen Felde der Innerlichkeit, des Seelentums wirksam. Da erscheint der Drache als jene Ungestalt, zu der das Untermenschliche in der Seele hindrängt. Darum gehört der Drache vornehmlich in das Reich der seelenkündenden Wahrtraum-Bildschau, der Vision.

Den Drachen-Ungeheuern stellt der Psalm die »Abgrund-Tiefen« an die Seite – »thehomôth«. Das gleiche Wort, nur hier in der Mehrzahl, das wir aus der Schöpfungsgeschichte kennen:

»und Finsternis war über der Tiefe (thehôm)«. Gleichfalls ein Wort mythischen Klanges, mehr »Vision« als geographischer Tatbestand.

So wie die obere Welt in den »Himmeln der Himmel« ihre Unabsehbarkeit hat, ihren »Lichtabgrund«, mit Nietzsche zu reden, so ahnt man auch im Irdischen die sich in immer dunklere Tiefen hinab auftuenden Abgründigkeiten.

Nach diesem mythisch-visionären Vorklang, der aber das Motiv des Irdischen in grandioser Weise anschlägt, nähert sich der Psalm allmählich der mehr »naturalistisch« gesehenen Erdenwelt. Aber wir sind noch immer nicht ganz im Normal-Irdischen darin – der Psalm schaut zunächst auf die *Atmosphäre,* auf jene Rand- und Übergangszone, wo die Erde noch nicht ganz Erde ist, sondern den Einflüssen des Himmels noch offensteht. »Feuer (hier wohl das Blitzes-Feuer, dem Zusammenhang nach) und Hagel, Schnee und Nebeldampf.« In diese elementarischen Gewalten des Erdumkreises spielt das Himmlische noch herein. Das gilt ganz besonders vom Wind, dem »himmlischen Kind«. Was man hier im Psalmtext etwa als »Windes-Geistes-Braus« wiedergeben könnte, wird ausdrücklich zu dem göttlichen Wort in Beziehung gesetzt. In den alten Sprachen hatte man ja für »Wind« und »Geist« das gleiche Wort, aus uralt-hellsichtigem »geistig-physischen« Erleben heraus.

Erst nach dem Passieren der noch nach oben hin durchlässigen atmosphärisch-elementarischen Zone erreichen wir die *eigentliche Erde,* aber erst noch da, wo sie sich über sich selbst emporstreckt und noch dem Himmel nahe zu sein versucht. Von oben herabsteigend »landen« wir sozusagen erst einmal auf dem Berggipfel – *»Berge und Höhen«.* All die heiligen Berge der sich nach dem Himmel sehnenden Menschheit mögen uns hier in den Sinn kommen.

Weiter abwärts steigend gelangen wir in die Region des *Pflanzen*wachstums: »Fruchtbäume und alle Zedern.« Von da weiter zu den *Tieren*, die in der Polarität von wild und zahm, das heißt menschen-fremd und menschen-geneigt, sowie in der anderen Polarität des Kriechens und Fliegens erfaßt werden.

Der Psalm geht exakt den Stufenweg Stein – Pflanze – Tier und kommt so schließlich beim *Menschen* an, als dem entscheidend wichtigen Erdenwesen.

Im Menschenreich stehen die »Könige« voran, die im Sinne des alten Einweihungswesens als geist-erhöht noch ins Übermenschliche emporragten. Das gilt auch von den »Fürsten und Richtern«. Die Richter werden im Alten Testament ja sogar gelegentlich »Götter« (Elohim)« genannt. Man fühlte noch, daß eigentlich nicht ein Mensch über den anderen so ohne weiteres Richter sein kann. Das Kollegium der Richter hatte ein Werkzeug höherer Mächte zu sein.

Auch die den »Königen« beigeordneten »Völker« fallen noch nicht aus dem Rahmen des Über-Menschlichen heraus. Es ist dabei ja nicht an die Einzelmenschen gedacht, sondern an die den Einzelnen übergreifenden Blutzusammenhänge, die in alter Zeit noch wirklich die Träger heiliger göttlicher Gruppengeistigkeit waren. Es gab noch nicht »Massen«, sondern noch heiliges Volk, das als solches einem höheren Geist Behausung gab.

Schließlich tun wir den letzten Schritt ins Allgemein-Menschliche, wie es uns in der Polarität der Geschlechter und in der Polarität des Alt- und Jungseins vor Augen tritt: »Jünglinge und Jungfrauen, Greise mitsamt den Knaben.«

Mit den »*Knaben*« hört die Reihe der aufgerufenen Erdenwesen auf. In der Prophetie des Jesaja erscheint der »Knabe« als Verheißungsgestalt messianischer Heileszukunft, die sich göttlich verjüngend in die altgewordene Menschheit einleben wird. »Ein Kind ist uns geboren, ein Sohn ist uns gegeben.« Die wilden Tiere werden friedlich miteinander sein, »ein kleiner Knabe wird sie weiden«.

Der Erden-Teil des 148. Psalms, der mit den »Drachen« begann, endete mit den »Knaben«. Indem er so das Unheimlich-Abgründig-Gefährliche wie das Zukunfthaft-Verheißungsvolle umfaßt, gibt er in wenigen Strichen ein gültiges Gesamtbild des Erden-Seins – »vom Drachen bis zum Christkind«.

Wie gegen Ende der Himmels-Strophe folgt auch hier eine zusammenfassend allgemeine Aufforderung: »sie alle sollen widerhallen den Namen des Herrn« (V. 13). Auch die Ungeheuer der Tiefe müssen letzten Endes, in ihrem Überwundensein, zur höheren Offenbarung Gottes ihren Beitrag geben.

*

Hier im Erden-Teil des Psalms wird nun noch etwas Mehreres zum Motiv des »*Namens*« hinzugefügt. »Denn Sein Name ist erhaben allein« – er ragt gewissermaßen in das unerreichbar Unnahbare empor, wo er »mit sich allein« ist. Es ist noch ein Höchstes an diesem Gottesnamen verborgen, noch unoffenbar, wie ein Berggipfel, der noch von einer Wolke verhüllt ist. – Hier steht der Psalm nach der Christus-Erfüllung hin offen. Christus wird sprechen: »Ich habe deinen Namen geoffenbart und will ihn weiter offenbaren.«

Die Offenbarung dieses ins Unnahbare emporragenden Namens ergeht über »Erde und Himmel« (V. 13). Was Luther »Sein Lob« übersetzt, gibt die griechische Übersetzung mit »Bekenntnis« wieder und trifft damit den Urtext genauer. Man muß nicht nur an Sündenbekenntnisse oder Glaubensbekenntnisse denken, wenn man das Wort hört. Ein Bekenntnis liegt vor, wo ein Inneres sich nach außen offenbart. Im Namen Gottes, der sich offenbart, ist das göttliche Bekenntnis gegeben. Und dieses Bekenntnis erglänzt über »Erde und Himmel« (denn so ist die Folge im Urtext). *Die Erde hat hier den Vortritt.* Es heißt nicht wie sonst »Himmel und Erde«. Dahinter dämmert ganz fern eine Ahnung, daß der noch in die Unnahbarkeit des »Für-sich-allein-

Seins« emporragende Name gerade auch in Verbindung mit dem Irdischen sich wird einmal völlig mit-teilen können. Die alte Schöpfung geht in der Folge »Himmel und Erde«. Die neue, mit Golgatha anhebende Christus-Schöpfung beginnt im Irdischen und strahlt von da in die Himmelswelten zurück.

Erst von der Christus-Erfüllung aus angesehen tritt solch ein inspiriertes vorchristliches Dokument wie der 148. Psalm voll ins Licht. Dann wird auch hinter dem auserwählten Volke Israel, dem der letzte Blick des Psalms gilt, das wahre Gottesvolk, die *Gemeinde* des Christus Jesus, sichtbar. Das Christus-Ereignis möchte ja in einer erneuten, verwandelten Menschheit auf Erden weiterleben und weiterfruchten.

Der Psalm blickt an Stelle der »Kirche« noch auf das Volk Israel. »Er wird das Horn seines Volkes erhöhen.« Was bedeutet dieses merkwürdige Bild des »erhöhten Hornes«? Das hebräische Wort »keren« bedeutet ebensowohl »Horn« wie auch »Strahl«. Das Horn ist ein sichtbar gewordener Kraft-Strahl. Die »Hörner« des Moses sind ursprünglich die von seinem Haupte ausgehenden Strahlen, in denen sich seine inspirierte Gedanken-Kraft offenbart. So deutet die »Erhebung des Hornes« in unserem Psalm doch wohl darauf hin, daß der Denk-Kraft die Wendung nach oben gegeben werden soll. Die Kräfte der Intelligenz sollen sich nicht nur am Irdisch-Stofflichen betätigen, sondern sich auf das Übersinnliche richten.

Das ist gerade im Zusammenhang mit dem noch nicht ganz offenbar gewordenen, mit dem noch ins Unnahbare emporragenden Namen bedeutsam. Je mehr der Strahl der Denk-Kraft die Richtung nach oben erhält, desto mehr wird der Inhalt des großen Namens im menschlichen Bewußtsein aufleben können.

Dann wird wirklich das Volk Gottes auf Erden, wie wir sagen würden: die »Kirche Christi«, immer mehr »das Volk seiner Nähe«, wie es im letzten Vers des Psalms heißt (nicht wie bei Luther: »das Volk, das ihm dienet«). Durch Christus und sein

Werk, zu dem es auch gehört, daß der Kraft-Strahl des Denkens zum Göttlichen emporgehoben wird, wird der unnahbare Gott nahbar, wird der Unbekannte erkannt. Er will mit und in den Menschen wohnen. Aus dem unheimlichen Dunkel der Erden-welt hebt sich so am Schluß, in einer Art apokalyptischen Aus-blickes, eine neue Menschheit heraus, die durch die Gottesnähe charakterisiert ist – *die Gemeinde seines Nahe-Seins.* –

Der 148. Psalm, wenn man genauer auf ihn eingeht, ist also viel mehr als etwa eine bloße Aufzählung von diesem und jenem, das dem frommen Dichter eben gerade in den Sinn kommt. Es han-delt sich, so sahen wir, ganz und gar nicht um eine zufällige An-häufung von willkürlich herausgegriffenen Welt-Inhalten, wie es beim ersten oberflächlichen Lesen scheinen könnte, sondern um eine wahrhaft erleuchtete Aufreihung. In dieser Auswahl und Anordnung baut sich aus wenigen Worten eine »Welt im Klei-nen« auf, in der sich die »große Welt« wiederfindet, in der sich die grundlegenden Wahrheiten von Himmel und Erde in ihren wesentlichen Zügen spiegeln können.

# DIE SIEBEN DONNER

## PSALM 29

## I.

Über dem Meer zieht ein schweres Gewitter herauf. Das Auge des alttestamentlichen Frommen ruht auf dem dräuenden Gewölk in feierlich-banger Erwartung, wie es sich ziemt, eine große Offenbarung zu empfangen.

Da zuckt ein Blitz, hinflammend über den ganzen Himmel. Er zerreißt das Gewölk. Er zerreißt auch einen Vorhang vor dem schauenden Auge. Die Seele weiß sich dem Irdischen entrückt. Verschwunden sind Erde, Meer, Wetterwolke. In gewaltiger Vision erscheint der Kultus im Himmel, der Gottesdienst, wie er von den Bewohnern der höheren Welten gefeiert wird.

> *Traget herzu dem Herrn, ihr Söhne der Götter,*
> *traget herzu dem Herrn Offenbarung und Macht!*
> *Traget herzu dem Herrn den Widerschein seines Namens!*
> *Bringet ihm dar den Kultus in heiligem Lichtgewand!*
>
> (V. 1–2)

## II.

Die Vision des himmlischen Hochamtes verblaßt. Unter donnerndem Getöse schließt sich der Vorhang. Aus der Entrückung kehrt die Seele in den Erdenleib zurück, sieht wieder Erde, Meer, Wetterwolke, hört den Donner, der jetzt dem verkündigenden Blitz folgt. Aber die Seele vermag nun, geweiht durch die Schau,

136

dem Donner den rechten Namen zu geben: »die Stimme des Herrn« – (qôl Jahve). – Das war für den Hebräer eine Bezeichnung des Donners. Siebenmal erklingt dies dumpf rollende »qôl Jahve« im 29. Psalm. Wir können es etwa mit »Donner-Ton« wiedergeben.

> *Donner-Ton des Herrn über dem Meer.*
> *Der Gott der Glorie donnert,*
> *der Herr über großen Wassern.*
> *Donner-Ton des Herrn, voller Kraft.*
> *Donner-Ton des Herrn, voller Majestät.*
>
> (V. 3–4)

Langsam zieht das Gewitter über das Meer dahin. Die Stimme Jahves über den Wassern – Erinnerung steigt empor an Urbeginne der Schöpfung, wie einst der Gottesgeist über den Wassern schwebte, einer Wolke gleich, schwanger von schöpferischen Gedankenblitzen und kraftwirkenden Donnerworten, unter ihm erwartungsvoll das bildsame, gehorsam sich hingebende Element.

### III.

Das Gewitter zieht ans Land. Über das Küstengebirge hin nimmt es seinen Weg zur Wüste Kadesch.

> *Donner-Ton des Herrn – Zedern zerspellt er.*
> *Er zerspellt, der Herr, die Zedern des Libanon.*
> *Springen macht er sie wie Kälber,*
> *den Libanon und das Sirjongebirge,*
> *jungen Einhörnern gleich.*
> *Donner-Ton des Herrn sprüht feurige Lohe.*
> *Donner-Ton des Herrn erschüttert die Wüste.*
> *Er erschüttert, der Herr, die Wüste Kadesch.*

*Donner-Ton des Herrn erregt die Hirschkühe,*
*entblättert Wälder.*

(V. 5–9)

Vom Meer ans Land. – Das Festland ist der Daseinsbereich des Menschen. Im Irdischen ist verfestigt und verhärtet, was im Urbeginn noch bildsam wogendes Meer war. Die Welt des Gewordenen erzittert vor dem Schöpferwort des Höchsten. Was sich auf Erden gestaltet hat, fühlt sich in Frage gestellt, wenn der Ewige mit Vollmacht neue Worte spricht. Die Göttersöhne oben feiern das Hochamt, der Erdenmensch fühlt sich im Gericht.

»Das Sterbliche dröhnt in seinen Grundfesten« (Novalis) – das schaut der Psalm in mannigfachen Bildern. Uralte Zedern, hochragende Bäume sind vom Blitz getroffen, zerspellt. Wer kann das ansehen, ohne vom Ernst des Jüngsten Gerichtes ergriffen zu werden. Die Berge zittern, von einem Erdbeben geschüttelt – in urwüchsiger Bildhaftigkeit vergleicht sie der Psalm mit springendem Jungvieh. Zweige und Laub werden von den Bäumen gerissen durch den Orkan. Die Tiere des Waldes werden gepackt von der elementarischen Wucht des Ereignisses, es geht ihnen durch und durch.

In sieben gewaltigen Donnerschlägen, drei über dem Meer, vier über dem Land, ging das Gewitter vorüber. Man wird an die sieben Donner der Johannes-Apokalypse erinnert: »da redeten die sieben Donner ihre Stimmen« (Offenb. Joh. 10, 3).

## IV.

Auf Erden ist Erregung, Erschütterung, Zerschmetterung. »Das Sterbliche dröhnt in seinen Grundfesten.« – Der siebente Donner ist verklungen. Die Seele, die gebebt hatte in ihrem sterblichen Teil, wendet sich ab von dem Bilde der ächzenden, zerwühlten Wälder und erhebt sich zum Ewigen. »Aber das Unsterbliche fängt heller zu leuchten an und erkennt sich selbst.«

*Und in seinem Tempel – alles, was sein ist, ruft: Gloria!*
*Der Herr – über der Sintflut thront er.*
*Ja, thronen wird er, der Herr, ein König in Ewigkeit.*
*Der Herr – Kraft geben wird er seinem Volk.*
*Der Herr – segnen wird er sein Volk mit Frieden.*

(V. 9–11)

Der Psalm endet, wo er anfing: im himmlischen Heiligtum. Dort oben ertönt das »Gloria in excelsis« der himmlischen Heerscharen. Ruhevoll thront der Ewige über der Sintflut, mit deren Erwähnung noch einmal die irdische Gewitterkatastrophe aufscheint, die in Wolkenbrüchen und sintflutartigem Regen ausklingt.

In der Johannes-Apokalypse ist es besonders eindrucksvoll, wie inmitten der jagenden Unheilsvisionen immer wieder als ruhender Pol das Bild des himmlischen Thrones auftaucht, das uns die Gewißheit einer letzten sinnvollen Lenkung der Ereignisse gibt. So ist auch hier das ruhevolle Thronen des Ewigen über den Wettern in großartiger Kontrastierung dargestellt.

Das letzte Wort dieses Gewitterpsalms ist »Friede«. Dem Unwetter folgt der Regenbogen, das göttliche Heilszeichen des Bundes. Dieser Friede ist nichts Schwächliches und Feiges. Der Mensch, der durch das Ungewitter gegangen ist und seines Unsterblichen inne wurde, fühlt den Durchgang durch die Zone der Zerschmetterung als einen Zuwachs an innerer Kraft. So bewirkt auch der Durchgang durch die apokalyptischen Katastrophen einen Zuwachs an kraftvollem Geisteswillen. »Der Herr wird Kraft geben seinem Volk.« Auf dieses Wort von der Kraft folgt das Wort vom Frieden!

Dem »Gloria in excelsis« antwortet das »et in terra pax«, das »Friede auf Erden« (worauf Delitzsch in seinem Psalmenkommentar hingewiesen hat). Durch das Wetter hindurch weiß sich der Mensch dem in ewiger Majestät Thronenden verbunden.

Was oben thronende Gottesruhe ist, wird unten kraftvoller Friede im Menschenherzen.

ANHANG

*»Der himmlische Kultus«*

Die den himmlischen Opferdienst vollziehen, werden im Urtext »benē ēlîm genannt, also: »Söhne der Götter«, »Göttersöhne«, nicht nur »Gewaltige«, wie Luther übersetzt. So wie es im »Faust« heißt: »ihr echten Göttersöhne«. Die »Götter« der alten Religionen sind Wesen aus den Reihen der himmlischen Hierarchien, der neunstufig geordneten Engelreiche.

Von ihnen spricht auch der 89. Psalm: »Und preisen werden die Himmel Dein Wunderwesen, o Herr, und Deine Wahrheit in der Versammlung der Heiligen. Denn wer in den Wolken ist wie der Herr? Wer gleicht dem Herrn unter den Söhnen der Götter? Ein erhabener Gott ist er in der Gemeinschaft der Heiligen, groß und furchtbar über allen, die ihn umgeben. Herr, Du Gott der Heerscharen, wer ist wie Du?« (89, 6–9). So sah die Schau alter Zeiten den Gott, der das große Ich-Bin spricht, in der Mitte einer Fülle von hierarchischen Wesen; denn diese sind in Psalm 89 auch mit dem Wort »die Heiligen« gemeint. Das sind hier nicht die vollendeten Gerechten, sondern hohe Wesenheiten aus den Reihen der Engel, die in seiner unmittelbaren Nähe stehend teilhaben an seiner Heiligkeit, etwa die Seraphim, die Jesaja in seiner Tempel-Schau (Jes. 6) das große »Dreimal-Heilig« anstimmen hört.

Die Göttersöhne tragen Ihm herzu Offenbarungslicht (Glorie, kābôd) und Macht. Er hat sein Wesen gnadenvoll in die Weiten der Welt ergossen, und sie strahlen es ihm dankend zurück. Göttliche Gedanken und göttliche Willenskräfte spiegeln sich gleich-

140

sam in der Welt, und die Wesenheiten der Engelreiche vermitteln dieses göttliche Spiegelungs-Erlebnis.

Im 96. Psalm, der apokalyptisch das göttliche Kommen feiert, finden sich fast die gleichen Worte. Nur ist der Unterschied, daß die Menschen, und zwar in menschheitlicher Universalität, gewürdigt werden sollen, in diesen himmlischen Kultus mit einzutreten. Der 29. Psalm zieht diese Menschen-Möglichkeit noch nicht in Betracht. Er schaut den Kultus der Engel.

In beiden Psalmen ist die Rede vom Anbeten »im Lichtgewand der Heiligkeit«. In Licht gehüllt wird, wer sich betend und opfernd zum Höchsten hinwendet. Alte Weisheit sprach davon, daß der Anbeter einen Abglanz des Angebeteten empfange. Das Lichtgewand der Heiligkeit ist das himmlische Urbild der priesterlichen Gewandung.

# SOMMERLICHER LOBGESANG

## PSALM 65

Friedevolle Stimmung im Innern, entspannt und gelöst, von Freudigkeit durchatmet – und draußen das Reifen der voll entfalteten Natur: dies beides klingt im 65. Psalm harmonisch ineinander.

»Gott, man lobt Dich in der Stille.« Wörtlich: »Dir ist Stille Lobgesang.« Die Seele neigt dem Göttlichen ihr hingegebenes Schweigen entgegen.

»Dir bezahlt man Gelübde.« Die Tragweite dieses anschließenden Satzes ist dem modernen Leser vielleicht nicht ohne weiteres erkennbar. Welches religiöse Erleben steht dahinter? – Wir empfinden es peinlich, wenn jemand etwas verspricht und nicht hält. Dem kleinen Kinde billigen wir es zu, daß es noch nicht wirklich verbindliche Versprechungen geben kann. Anders beim Erwachsenen. Es gehört nun einmal zur Personhaftigkeit des Menschen, daß er nicht im wechselvollen Auf und Ab von Stimmungen und Launen aufgeht. Je mehr sich in einem Menschen das eigentliche Ich hervorarbeitet, desto mehr kann sich in allem zeitlichen Wandel ein Durchgehendes, Beständiges, Verläßliches offenbaren. Wäre der Mensch aus bloßer Zeitlichkeit und Vergänglichkeit gemacht, er brächte es nicht fertig, Erinnerung in Treue durchzutragen und Zukunftsziele in einem langen Willen festzuhalten. Wer imstande ist, ein vielleicht vor längerer Zeit gegebenes Versprechen wirklich einzulösen, der hat aus Ewigkeitskräften heraus eine Brücke über das wechselvoll wogende

Zeitliche geschlagen. Das religiöse Gelübde erzog dazu, dieser Ewigkeitskräfte inne zu werden. Wer ein Versprechen erfüllt, der hat in diesem Augenblick eine Begegnung mit sich selber als mit einem Ewigkeitswesen, über das Zeitlich-Vergängliche hinweg. Er fühlt sich im eigenen überzeitlichen Wesenskern bestätigt und bestärkt. Er fühlt, wie er mit dieser Erfüllung gleichsam bei Gott ankommt. – So empfindet der Psalmsänger, wie sein erfülltes Gelübde in die Ewigkeitswelt heimkehrt und den Erfüller dorthin mit sich zieht. »Dir löst man Gelübde ein.« Das hebräische Wort für »einlösen« ist dasselbe Stammwort, das auch den »Frieden« (schalôm) bedeutet.

Aus dem Erlebnis heraus, daß des Menschen Ewigkeits-Regungen zu Gott den Weg finden, ergibt sich dann auch die weitere Gewißheit, daß Gott »Gebete hört«. – Die wunderbare Möglichkeit der deutschen Sprache, einem Tätigkeitswort durch die Vorsilbe »er« einen tieferen Sinn zu geben, man denke etwa an »kennen« und »erkennen«, kann uns diesmal gerade im Wege sein. Zu rasch kommt uns, wenn es sich um das Gebet handelt, das Wort »er-hören« auf die Lippen. In diesem Fall ist es gut, es zunächst einmal beim »Hören« als solchem zu belassen und zu fühlen, was das besagen will, daß Gott unsere Gebete »hört«. Unsere Ewigkeitsregungen gehen nicht ins Leere. Sie werden aufgenommen. Ob ein Gebet dann auch »er-hört« wird, ist demgegenüber eine Frage zweiten Ranges. – »Du hörest Gebet.«

Der Psalm bleibt gerade hier nicht beim eigenen Ich stehen. Er wird sich dessen bewußt, wie jene Erfahrung des göttlichen Offen-Seins für unsere Gebete den Beter über die eigene Person ins Menschheitlich-Umfassende hinausführt, wie Gott »die Zuflucht ist für alles Fleisch«. Allen im Erdenleibe verkörperten und von den Beschränkungen des materiellen Daseins betroffenen Seelen ist das göttliche Ohr offen.

Der Gedanke an das »Fleisch«, an den Vergänglichkeits-Einschlag des Menschenwesens, ruft den anderen Gedanken der

143

Verfehlung und der Schuld herbei. »Unsere Verschuldungen wachsen uns über den Kopf« – aber vom Göttlichen her kommt eine Kraft, die es damit aufnehmen kann. Was hier geahnt wird, tritt dann in Christus erst voll zutage.

Aus solchem Vorgefühl der Schuld-Tilgung erblüht die Seligpreisung dessen, der von Gott »erwählt« ist. Ein solcher Ausdruck wie dieser – »den Du erwählest« – sollte nicht im Sinne einer abstrakten Vorherbestimmungs- (Prädestinations-) Theorie verstanden werden. Ebensowenig wie das Wort des Evangeliums, das über die »Berufenen« noch die »Erwählten« stellt. Alles höhere Erleben ist sozusagen zweiseitig. »Ich werde erkennen, gleichwie ich erkannt bin.« »Ich werde das Abendmahl mit ihm halten und er mit mir.« In der lebendigen Erfahrung wird für den Frommen die eine Seite der Wahrheit, »ich will Gott«, von der anderen hell überstrahlt: »Gott will mich.« So tritt auch die Tatsache, daß der Fromme sich innerlich für das Göttliche entschieden hat, vor dem überwältigenden Eindruck ganz zurück, daß Gott seinerseits ihn erwählt hat.

Mit diesem »Erwählt-Sein« ist wiederum die weitere Erfahrung der Gottes-Nähe verbunden. Gott ist ganz gewiß überall. Aber sein Nahe-Sein ist der Verstärkung, der Verdichtung fähig. Hier handelt es sich um eine Steigerung dieser Nähe-Erfahrung. Das wird dann immer mehr ein Sich-zuhause-Fühlen in den göttlichen Bereichen. Oder, wie es der Psalm ausdrückt: wer Gott nahe ist, der »wohnt in den Höfen des Tempels«.

Und wiederum bleibt die Frömmigkeit des Psalms nicht in einer Mystik befangen, die sich selbstisch in sich abschließt, sondern es wird in ein höheres soziales Element, in die Region der Gemeinschaft vorgestoßen. Gerade wo hier die erste Strophe des Psalms sich zu ihrer Höhe erhebt, zu der wesenhaften Vereinigung, zur Kommunion, da erscheint über den Einzelnen hinaus das große »Wir«.

Man könnte versuchen, die erste Strophe etwa mit folgenden Worten wiederzugeben:

> *Stille, Dir zugeschwiegen, wird Lobgesang,*
> *Du Gott von Zion.*
> *Erfülltes Gelübde – Dir friedet es sich ein.*
> *Du hörest Gebet.*
> *Zu Dir kommt alles Fleisch.*
> *Überwachsen uns unsere Verfehlungen,*
> *unsere Sünden – Du deckest sie zu.*
> *Selig ist, den Du erwählest,*
> *dem Deine Nähe Du gönnest.*
> *Wohnen wird er in Deinen Höfen.*
> *Ersättigen mögen wir uns*
> *am Gut Deines Hauses,*
> *am Heiltum Deines Tempels.*

(V. 2–5)

\*

Die zweite Strophe geht aus dem innerlichen Bereich des mystisch-sakralen Lebens heraus und blickt auf die Schicksale der Menschheit, auf die Weltgeschichte. Hier wird in dem sonst so friedvollen Psalm ein apokalyptischer Donner-Ton hörbar: »furchtbar« ist der Ernst der göttlichen Gerichte, mit denen die Taten und Untaten der Menschen von oben her »beantwortet« werden. Die ewige Gerechtigkeit kann nicht anders, sie muß reagieren. So erscheint hier die Gottheit in der Geschichte als leitende Macht des Völkerlebens über die ganze Erde hin. In den Zeichen der Zeit gibt sie ihre Winke.

Aber ähnlich wie in Beethovens Pastoralsymphonie das Gewitter nur vorübergehend den hellen Sommertag verschattet, so bricht sich auch in dieser zweiten Strophe, die auf das Weltgeschichtliche hinblickt, die Stimmung dankbarer Freude trotz allen Ernstes siegreich wieder Bahn.

145

*Mit furchtbarem Ernst antwortest Du uns in Gerechtigkeit,*
*Gott, unsere Hilfe.*
*Der die Berge hinstellt in seiner Stärke, mit Macht umgürtet.*
*Der da stillet das Brausen der Meere,*
*das Brausen der Wogen,*
*das Toben der Völker.*
*Ehrfürchtig scheuen sich vor Deinen Zeichen,*
*die an den Enden wohnen.*
*Jubeln machst Du, was seinen Ausgang nimmt*
*von Morgen und Abend.*

(V.6–9)

*

Die dritte Strophe wendet sich zur Natur und gibt uns eines
der schönsten Naturbilder der Bibel. – Sie schildert, wie Gott im
befruchtenden Regen die Erde heimsucht. Es war kein törichter
Aberglaube, wenn die Alten im Regen fromm die Befruchtung
des Irdischen durch das Himmlische erkannten. Luthers Übersetzung »Gottes Brünnlein hat Wassers die Fülle« ist wohl poe-
tisch schön, sie wird aber doch nicht dem gewaltigen mythischen
Klang des Urtextes gerecht; denn da ist nicht von einem Brünnlein, sondern von einem »Strom« die Rede, von dem »Strom
Gottes«.

Es gab eine Zeit, in der sich das Göttliche den Menschen noch
unverhüllt aus der Natur offenbarte. Da waren solche Ausdrücke
wie »Bäume Gottes« oder »Gottes Strom« noch ganz wörtlich
gemeint. Innerlichkeit und Außenwelt waren im Bewußtsein der
Menschen noch nicht auseinandergetreten. So schaute man im
wasser-reichen Strom noch unmittelbar den Lebens-Strom Gottes selber.

Aus solcher uralter Schau heraus wird auch das »Jahr« noch
als ein lebendiges, im Zeitlichen sich offenbarendes Geistwesen

146

angesprochen, das auf seiner Lebens-Höhe von Gott gekrönt wird. Es steht in geistig-seelischer Leibhaftigkeit vor uns und ist kein abstrakter Kalenderbegriff.

Was in der ersten Strophe innerlich, mystisch-sakral erlebt wird als die zur Kommunion sich darreichende Güte Gottes, das findet sich in der dritten Strophe nun mythisch-groß im Naturleben wieder, hier gleichsam von außen angeschaut. – Luther spricht in seiner Übersetzung von den »Fußstapfen« Gottes, die »von Fett triefen«. Es handelt sich aber – ganz wörtlich genommen – um »Wagengeleise«. Dahinter steht das mythische Schau-Bild vom Wagen Gottes, der Fruchtbarkeit spendend durchs Land fährt, auf dessen Spuren es überall wächst und blüht und fruchtet.

»Du segnest, was da wächst.« Wer wirklich segnen kann, der ist fähig, eine Kraft aus seiner eignen Seele loszulösen, die fortan bei dem Gesegneten bleibt. Ein Segen ist kein »bloßes Wort«, sondern wirkliche Mitteilung einer hergegebenen Innenkraft. So hat Gott gleichsam einen Teil seiner göttlichen Seele in das Pflanzenwesen hineingesprochen, so daß es kraft dieser Selbstausspendung Gottes wachsen kann.

Die Hügel und die Anger werden gleichfalls mit dem frommen Blick angeschaut, der sie als lebendig-wesenhaft sieht. »Die Anger bekleiden sich mit Schafen.« Zum grünen Pflanzenkleide kommt noch ein weiteres Gewand hinzu, durch die Tiere. Wenn man eine Schafherde weiden sieht, so ist das eine einhüllende Bekleidung, die sich da über den Erdboden hinzieht. Und wie durch die grüne Grasdecke das »Leben« als ein feines ätherisches Gewand sich über die sonst nackte Erde legt, so wird im Seelenleben der weidenden Herde noch eine Seelen-Hülle dazu gewoben. Schließlich ordnet sich noch im »Jauchzen und Singen« das dankbar frohe Menschengemüt in die Landschaft ein und bringt zu den Hüllen des ätherischen Lebens und der tierischen Seelenregungen noch das dem Geistigen und Göttlichen geöffnete Seelentum des Menschen hinzu. »Die Hügel umgürten sich mit Jubel.«

Dieser fromme Natur-Jubel schließt sich schön zusammen mit der innerlichen Tempelstille im Eingang des Psalms. So sind nun die drei Reiche göttlicher Offenbarung durchschritten: das Reich des Heiligen Geistes in der mystisch-sakralen Innerlichkeit, das Reich des Sohnes in der Dramatik der Weltgeschichte, das Reich des Vaters in der Natur; wie ja denn auch in jeder der drei Strophen einmal das Wort »Gott« erklingt. Es ist in diesem Psalm nicht der strenge Jahve-Name, sondern »Elohim«, der Name, der die ganze reiche Fülle der Gottes-Kräfte in sich trägt.

> *Heim suchst Du die Erde,*
> *tränkest sie, beschenkest sie reich.*
> *Der Gottes-Strom gehet voll Wassers.*
> *Du erfestigest das Getreide,*
> *ja, Du gibst ihm die Standkraft.*
> *Du tränkest die Furchen,*
> *machst eben die Schollen,*
> *erweichest mit Regen-Schauern.*
> *Du segnest, was da sprosset.*
> *Das Jahr krönest Du mit Deiner Güte.*
> *Deine Wagengeleise triefen von üppiger Fülle.*
> *Es träufen die Auen der Steppe.*
> *Mit Frohheit umgürten sich die Hügel.*
> *Die Anger bekleiden sich mit Schafherden.*
> *Dicht steht in den Tälern das Korn.*
> *Da ist Jauchzen und Singen.*

(V. 10–14)

# HERBSTLICHES LIED
## VON PILGERSCHAFT UND HEIMAT

Wenn der Sommer zu Ende ist, bringen sich Kälte und Dunkelheit langsam wieder in Erinnerung. Unmerklich erst, aber mit allmählich zunehmender Eindringlichkeit. Der Mensch fühlt stärker, daß er ein Zuhause braucht, das ihn im Winter bergen wird. »Weh dem, der keine Heimat hat« – so heißt es in Nietzsches Herbstgedicht »Vereinsamt«.

Je mehr der moderne Mensch in seiner äußeren Existenz das Entwurzelt-Sein und die Heimatlosigkeit zu spüren bekommt, desto mehr sollte er sich aufgerufen fühlen, sein wahres Zuhause in einer höheren Welt zu suchen. Gelingt es ihm, sich dort innerlich anzusiedeln, dann hilft ihm solche Beheimatung, mit neuem Mut das Schicksal seiner ungesicherten und ungewissen Erdenpilgerschaft auf sich zu nehmen.

Dieses beides, die Beheimatung im Ewigen und der Mut zu den Erdenwegen, hat einen wunderbaren Ausdruck gefunden im 84. Psalm.

Durch seine Vorbemerkung (V. 1) ist er als ein herbstliches Lied charakterisiert; denn wie bereits beim 8. Psalm ausgeführt wurde, bedeutet der hebräische Text nicht ein Lied »auf der Gitthit« (wie Luther übersetzt), sondern »über den Keltern«. Damit ist eine Herbststimmung gegeben, wieder in anderer Weise als im 8. Psalm.

*Ein Lied über den Keltern, von den Korah-Söhnen.*
*Wie sind sie Liebe-weckend, Deine Wohnungen,*

*Du Herr der glänzenden Scharen!*
*Meine Seele sehnt sich, ja sie verzehrt sich*
*nach den Vorhöfen des Herrn.*
*Mein Herz und mein Fleischesleib, sie frohlocken*
*in dem Gotte, der das Leben ist.*
*Der Vogel fand sein Zuhause, die Schwalbe ihr Nest,*
*ihre Jungen darin zu bergen:*
*Deine Altäre! Du Herr der glänzenden Scharen,*
*meines Ich-Wesens König und Gott!*
*Selig, die da wohnen in Deinem Hause.*
*Allzeit singen sie Dir den Lobpreis.*

*Sela*

(V. 1–5)

Diese Verse können uns auch heute noch ein gültiger Ausdruck kultischer Frömmigkeit sein. Wir können sie uns auch den Weihestätten des christlichen Sakramentalismus gegenüber zu eigen machen. Kennen wir doch auch das Gefühl, daß überall da, wo unsere Altäre stehen, für uns Heimat ist.

Gott ist ganz gewiß überall. Aber es ist eine Tatsache uralter Erfahrung, daß die irdische Umgebung des Menschen an jenen Stellen, wo sie der kultischen Anordnung unterliegt, ganz besonders durchlässig, gleichsam transparent werden kann für jene Gegenwart des Übersinnlichen. Das Irdisch-Räumliche steht dann wie in einem höheren Seelen- und Geistes-Raum darinnen. – Der Psalm-Sänger ist sich dessen bewußt, wie in diesem sinnlich-übersinnlichen Geschehen der ganze Mensch angesprochen wird: nicht nur die Seele, auch das Herz, als eigentlicher Ich-Mittelpunkt, und sogar auch das »Fleisch«. Auch der Erdenleib hat seinen Anteil an den spürbaren Lebens-Strömen, die von der Gottheit ausgehen (V. 3).

Es ist schon von manchen Auslegern bemerkt worden, wie schön in diesem Psalm das vertraute Sich-daheim-Fühlen beim

Göttlichen gegen die ehrfurchtsvolle Scheu ausgewogen ist. Auf das idyllisch-vertrauliche Bild von der Schwalbe, die eine Stätte für ihr Nest gefunden hat, folgt der Aufblick zur Erhabenheit und Majestät des Göttlichen: »mein König und mein Gott!« (V. 4). – Der »Herr Zebaoth« ist, wörtlich übersetzt, der Herr der »glänzenden Scharen«, wobei wir ebensogut an die sichtbaren Gestirnwelten wie an die zu ihnen gehörenden himmlischen Heerscharen der Engel-Reiche denken dürfen.

Die erste Strophe des Psalmes schließt mit dem Wort »Sela«. Man ist sich nicht ganz im klaren, was das bedeutet. Die griechische Übersetzung sagt dafür »Dia-psalma«, das würde dann ein musikalisches Zwischenspiel bedeuten, in welchem das Vorangegangene seinen Nachklang findet.

\*

Die erste Strophe schloß mit der Seligpreisung derer, die dauernd in der Gottes-Nähe wohnen. Zu Beginn der zweiten Strophe wird die Seligpreisung wieder aufgegriffen (im Griechischen steht da das Wort »makarios«, das wir aus den Seligpreisungen der Bergpredigt kennen). Aber nun gilt sie dem Menschen, der mutvoll auf seinen Pilgerwegen vorwärts schreitet. Hier klingt ein »michaelischer« Ton kraftvoll in den Psalm hinein.

*Selig der Mensch, der seine Stärke hat in Dir.*
*Höhen-Wege im Herzen, durchschreiten sie das Tal der Tränen.*
*Zum Quellen-Ort wandeln sie es um –*
*Der Segnungen voll ist, der den Weg weist.*
*Sie wandern von Kraft zu Kraft, zur Gottes-Schau in Zion.*
*Herr, Du Gottheit der glänzenden Scharen,*
*höre mein Gebet, neige Dein Ohr, Du Gott Jakobs.*

*Sela*

(V. 6–9)

151

Wer in seinem Herzen die »hinaufführenden Wege« gefunden hat (die griechische Übersetzung spricht von den »anabaseis«, die lateinische von den »ascensiones« im Herzen), der scheut nicht zurück vor dem schicksalsnotwendigen Wege durch das »Tal des Weinens«. Luther gebraucht hier das Wort »Jammertal«. In einer gewissen erdflüchtigen Religiosität hat dieses Wort vom »Jammertal« des Erdendaseins eine nicht immer heilvolle Auswirkung gehabt. Man muß das aber einmal sehen, wie hier im Zusammenhang des Psalmes in keiner Weise einer schwachmütigen Weltflucht das Wort geredet wird. Der Psalm sagt doch: Wer im Herzen die Möglichkeiten höheren Aufstieges hat, der wird das irdische Jammertal zu einer Stätte des Segens umgestalten. In der trostlosen Öde und Wüstenei kann er die Quellen des Ewigen eröffnen (V. 7). So wie Christus der Samariterin sagt, daß das Wasser, das Er geben wird, im Menschen zu einer Quelle werden soll, die in das ewige Leben hinein quillt.

Dadurch wird für den Pilger die leidvolle und gefährliche Erdenwallfahrt geradezu ein »Wandeln von Kraft zu Kraft« (V. 8). –

Der Text ist dann nicht ganz eindeutig. Es kann gemeint sein: »man läßt sich schauen vor Gott in Zion«, oder auch: »man schaut Gott in Zion«. Aber wie es auch zu verstehen sei, beides läuft ja letzten Endes auf eines hinaus, auf die alte mystische Erfahrungs-Wahrheit vom »Erkennen gleich wie ich erkannt bin«. Das Gott-Schauen ist zugleich auch ein Von-Gott-angeschaut-Werden. – So steht am Ende der Pilgerfahrt die Gottes-Schau von Angesicht zu Angesicht.

*

Von diesem Ausblick führt der Psalm dann wieder zum Heimatgefühl an geweihter Stätte zurück. Das Gebet »Gott, siehe doch!« (V. 10) besagt auch wiederum nicht, daß der Allgegenwärtige nicht ohnehin alles sähe. Aber es ist hier das Sehen wohl nicht so sehr von der Wahrnehmungs-Seite her empfunden. Man wußte noch, daß das sehende Auge nicht bloß passiver Empfänger von Eindrücken ist, sondern daß es auch, als ein Lichtätherzentrum, selber feine Lichtstrahlen aussendet. Das Auge sieht nicht nur, es strahlt auch. Hermann Beckh hat darauf hingewiesen, wie in dem hebräischen Wort für »sehen« (rāāh) gerade dieses Ausstrahlende des Lichtes lautlich ausgeprägt ist. Das Gebet »sieh doch« meint also das Offenbar-Werden des göttlichen Licht-Strahles. Dem folgt die weitere Bitte: »Mache hell das Angesicht Deines Gesalbten!« Der Sänger dieses Psalmes mag dabei damals an den König in Jerusalem gedacht haben, oder an den Hohenpriester. Aber diese waren schließlich nur die Platzhalter dessen, der im vollsten Sinne dann »der Gesalbte« heißt. Im Angesicht des Messias, des Christus, wird Gottes Angesicht für uns sichtbar. »Wer Mich siehet, der siehet den Vater.« Der schöpferische Lichtstrahl Gottes findet seine höchste Offenbarung im Angesicht des Heilbringers.

Noch einmal wird der Psalmsänger überwältigt von dem Bewußtsein, wie unendlich wertvoll jenes kultische Gott-Erleben ist: *ein* Tag in den Vorhöfen des Tempels wiegt tausend andere Tage auf (V.11). Noch einmal klingt der michaelische Ton der Herbstesfestzeit auf: in dem Motiv von »Sonne und Schild« (V.12). – Die im weiteren folgenden Worte »Gnade und Ehre« wollen nicht nur allgemein-erbaulich verstanden werden. Sie beziehen sich auf konkrete unterschiedliche Erfahrungen. Der Mensch, wie er bis jetzt auf der Erde herumgeht, ist noch nicht vollständig. »Es ist noch nicht erschienen, was wir sein werden« (1.Joh. 3,2). Es ist noch eine Wolke unerschöpfter zukünftiger höherer Möglichkeiten über den Häuptern. Es ist noch über uns, was einmal zu unserem persönlichen Wesen, zu unserem innersten Eigen werden soll. Wenn sich etwas aus dieser schöpferischen Wolke in den Menschen herabsenkt, dann ist das »Gna-

de«. – Die »Ehre« (hebräisch »kābôd«, griechisch »doxa«, lateinisch »gloria«) ist eine für höhere Organe wahrnehmbare Licht-
Erstrahlung. Im Alten Testament erscheint sie gelegentlich geradezu als eine Art »Wesensglied« des Menschen. »Wache auf,
meine Ehre!« (Psalm 57,9). Es ist so etwas wie ein übersinnlicher feiner Leuchte-Organismus, der im Menschen sich regt,
wenn er des Gnaden-Einstroms von oben her teilhaftig wird.

Mit einer dritten und letzten Seligpreisung endet dann der
Psalm. –

> *Du unser Schild, sende doch Deinen Lichtstrahl, o Gott!*
> *Erlichte das Antlitz Deines Gesalbten!*
> *Ein Tag in Deinen Vorhöfen ist mehr wert als tausend andere.*
> *Lieber an der Schwelle weilen im Hause meines Gottes,*
> *als wohnen in den Zelten der Gottes-Ferne.*
> *Ja, Sonne und Schild ist der Herr, der Gott.*
> *Gnade schenkt der Herr und Glorien-Licht.*
> *Nicht versagt er Gutes denen, die in Frommheit wandeln.*
> *Du Herr der glänzenden Scharen –*
> *Selig der Mensch, der sein Vertrauen gründet in Dir!*

(V. 10–13)

154

# DER GESANG DER DREI MÄNNER
## IM FEUEROFEN

Zu den einprägsamsten Bildern der Bibel gehört die Geschichte von den drei Männern im feurigen Ofen.[1] Sie verweigerten dem König Nebukadnezar die Anbetung eines Götzenbildes – es ist die Zeit der babylonischen Gefangenschaft, im sechsten vorchristlichen Jahrhundert –, der König hat sie ins Feuer werfen lassen, aber das Feuer tut ihnen nichts zuleide. Wunderbar beschützt wandeln sie frei einher in den lodernden Flammen und preisen Gott.

Eine krasse Ausgeburt wundersüchtiger »frommer Phantasie«? Aber – würde es dann unsere Seele so tief berühren? Wir spüren, daß es mit einer solchen Geschichte, die so »märchenhaft« anmutet, doch irgendwie seine tiefe Richtigkeit hat. Gerade wie im echten Märchen lebt in ihr etwas Urbildliches.[2]

Die Geschichte findet sich im Alten Testament, im 3. Kapitel des Daniel-Buches. Aber dort steht noch nicht alles. Wenn der Leser die Lutherbibel zur Hand nimmt, entdeckt er am Ende der sogenannten »Apokryphen« noch zwei Zusätze zu der Erzählung: »Das Gebet Asarjas« und den »Gesang der drei Männer im Feuerofen«. – Diese Texte sind »apokryph«, also nicht Bestandteile der vom offiziellen Judentum und von den protestantischen Kirchen anerkannten »kanonischen« Schriften. Sie gehören einer späteren Zeit an als das Daniel-Buch und liegen nur in griechischer Sprache vor, stammen also aus der Sphäre des weltoffenen alexandrinischen Judentums. Die gleichfalls im ptolemäischen[6] Alexandrien beheimatete griechische Übersetzung des Alten Testamentes, die »Septuaginta«, und ebenso die viel spätere lateinische Übersetzung des Kirchenvaters Hieronymus, die »Vulgata«, haben diese beiden Zusätze in den fortlaufenden Text des 3. Daniel-Kapitels eingefügt, so daß sie mit der Erzählung ein Ganzes bilden. Die Alte Kirche war von einem richtigen Gefühl geleitet, als sie die Einfügung anerkannte[7]; denn diese erweist sich bei näherem Zusehen durchaus als innerlich »dazugehörig«.

Da ist zunächst »das Gebet Asarjas«. Asarja, einer von den dreien, macht sich zu ihrem Sprecher. Er betet auch in ihrem Namen. Trotz des Lobpreises ist es in der Hauptsache ein »Bußgebet«. Man muß sich vergegenwärtigen, daß die Juden des babylonischen Exils eine furchtbare Katastrophe hinter sich hatten. Die Flammen des brennenden Jerusalem, die Flammen des brennenden Tempels hatten ihnen den Weg ins Elend der Verbannung beleuchtet. Um so ungewöhnlicher, daß Asarja in seinem Gebet nicht um Rache ruft, sondern die Katastrophe als von Gott verhängt in Demut des Herzens hinnimmt, ja, nicht nur hin-nimmt, sondern an-nimmt. »Du tatest uns recht, daß Du uns gestraft hast mit solcher Strafe, die Du über uns hast ergehen lassen und über Jerusalem, die heilige Stadt unserer Väter.« Die Babylonier waren nur Werkzeuge göttlichen Gerichtes. »Denn wir haben gesündigt.« Asarja erkennt in den Flammen des Brandes den Gott, der ein »verzehrendes Feuer« ist, wie das schon im 5. Mosesbuch geschrieben steht. Aber indem er das Schicksal ergeben aus Gottes Hand annimmt, befreundet sich Asarja mit dem Feuer-Element. Der »strafende« Brand wird zur läuternden Flamme. In dem Feuer, welches alles Widergöttliche reinigend ausbrennt, wird letzten Endes die Glut der göttlichen Liebe erahnt. So entzündet sich in Asarjas Innerem die Flamme des Opfers. Seitdem das Heiligtum in Asche liegt, muß der Tempelkult ruhen, aber dafür soll das Opfer im Menschen-Inneren aufleben.« Mit betrübtem Herzen und mit zerschlagenem Geist mögen wir von Dir angenommen werden, gleich als brächten wir Brandopfer. Also wolltest Du unser Opfer heute vor Dir gelten und angenehm sein lassen.«– Worte, die ihren Weg in das Offertorium der christlichen Altarhandlung nachmals gefunden haben.

Ist es deshalb, daß den dreien die Lohe des Ofens nichts anhaben kann, weil sie das wahre Feuer, das Opfer-Feuer in ihrem Herzen entzündet haben, das herausgeboren ist aus der läuternden Gluten-Pein echter Selbst-Erkenntnis?

Wie in der christlichen Altarhandlung auf die Opfer-Hingabe des Menschen die gottbewirkte Wandlung folgt, so tritt auch beim Erleben der drei Männer nach dem Buß- und Opfer-Gebet des Asarja ein Höheres in den Gang des Geschehens ein. Von außen angesehen, scheint es sich allerdings zum Schlimmeren wenden zu wollen. Herausgefordert durch die rätselhafte Unversehrtheit der drei, schüren die Henker den Ofen, der sowieso schon siebenmal so heiß brennt als sonst, noch weiter an, »mit Erdharz (Naphtha), Pech, Werg und dünnen Reisern«, so daß die Lohe siebenmal sieben Ellen hoch herausschlägt. Doch wie es bei Hölderlin heißt: »Wo aber Gefahr ist, wächst das Rettende auch«: Gleichzeitig mit der Steigerung der Glut gesellt sich den dreien der geheimnisvolle Vierte hinzu, der »Engel des Herrn«, den Nebukadnezar, der ihn auch sieht, einen Göttersohn nennt. Der hält ihnen die Vernichtung fern und läßt sie die rasende sengende Glut nur »wie einen milden Tauwind« fühlen. Man wird an das Märchen erinnert vom »junggeglühten Männlein«, das in dem Feuer »glüht wie ein Rosenstock« und die Glut empfand wie einen »kühlenden Tau«.

Und nun schließt sich unmittelbar[8] jener Hymnus an – »der Gesang der drei Männer im feurigen Ofen«. Jetzt ist nicht mehr Asarja allein der Sprecher. Es ist, als ob das Hinzutreten des geheimnisvollen Vierten den dreien die Fähigkeit verliehen hätte, sich nunmehr zu einer wahren Drei-Einigkeit zusammenzuschließen, im harmonischen Zusammenklingen der verschiedenen Seelenkräfte. Im Urtext heißt es, daß die drei zu singen begannen »wie aus *einem* Munde«.

Der Lobgesang weist eine wunderbare Folge-Richtigkeit auf. Er beginnt mit dem Aufblick zur *Gottheit* selber, die den dreien, um es mit Fausts Worten zu sagen, »ihr Angesicht im Feuer zugewendet« hat.

> *Gebenedeiet bist Du, o Herr, Gott unserer Väter, gepriesen und*
> *hocherhoben in die Äonen.*
> *Gebenedeiet Dein heiliger Name, Deiner strahlenden Wesens-*
> *Offenbarung Inbegriff,*
> *hochgepriesen und hocherhoben in alle Äonen.*
> *Gebenedeiet bist Du in dem Tempel, da Deine heilige Wesens-*
> *Offenbarung erstrahlt,*
> *in hohen Hymnen hehr, in hoher Gloria, in die Äonen.*[9]

(Daniel 3 V.52–54)

Zu dem Vater-Gott tritt der »Name« wie etwas Eigenwesenhaftes hinzu – wie eine Ahnung vom Geheimnis des in Ewigkeit geborenen Sohnes, in welchem der Vater sein Wesen erschließt. Als drittes dann der gleichsam aus Offenbarungs-Licht bestehende Tempel der Gloria – man möchte hier an den Bereich des Heiligen Geistes denken.

In den drei folgenden Doppel-Versen steigt es allmählich herab, vom innersten Gott-Bezirk zum *Welthaften* hin: »Der Du sitzest über den Cherubim und schauest in Abgrundtiefen« (V.55). Es folgt das Bild des »Thrones«, und schließlich: das »Firmament«.

Bis dahin wird die Gottheit unmittelbar angesprochen – »Du« – »gebenedeiet bist Du…« Nachdem mit dem Firmament so etwas wie eine untere Grenze der höchsten eigentlichen Gottes-Region erreicht ist, wendet sich der Hymnus, ebenfalls in unmittelbar persönlicher Anrede, an die »Werke des Herrn«.

*Benedeiet den Herrn, alle Werke des Herrn,*
*singt Ihm den Hymnus und erhebet Ihn hoch.*

(V. 58)

Diese Vers-Struktur, mit der Dreiheit von »benedeien – singen – erheben«, wird von jetzt an unveränderlich beibehalten. Sie wiederholt sich nunmehr unermüdlich durch nicht weniger als 32 Doppel-Verse hindurch, im grandios-monotonen Gleichklang meerhaften Wellenschlages.

Obwohl sich mit dem »Firmament« der allerheiligste Bezirk nach unten hin abgegrenzt hat, werden die oberen Regionen des nun angeschauten Welten-Seins doch noch so empfunden, daß sie, als unmittelbar »benachbart«, dem Göttlichen nahestehen. So werden denn im Aufschauen zu den oberen *Himmels-Welten* nacheinander aufgerufen: »die Himmel« – »die Engel« – »die überhimmlischen Wasser« (der flutende Weltenäther) – »die bewegenden Mächte« (das griechische »dynamis« ist zugleich der Name einer besonderen Engel-Ordnung, welche »Dynamik« ins Dasein bringt) – daran anschließend »Sonne und Mond« – »die Sterne des Himmels«. Diese leuchtenden Erscheinungen werden also so empfunden, daß sie nur das Unterste von unsichtbaren, viel umfassenderen Geisteswelten sind, die in den Gestirnen nur gleichsam in die Sichtbarkeit herunterhängen.

Von den »oberen Himmelswelten« senkt sich der Hymnus hernieder zu dem, was im eingeschränkten Sinne noch »Himmel« heißen kann, was als *»Atmosphäre«* den Übergang vom Himmlischen zum Irdischen vermittelt. In diesem Bereich verweilt der Hymnus sogar mit besonders liebevoller Ausführlichkeit: »Regen und Tau« – »alle Winde« – »Feuer und Hitze« – »Frost und Glutwind« – »Tautropfen und wirbelndes Flockengestöber« – »Nächte und Tage« – »Licht und Finsternis« – »Eis und Kälte« – »Reif und Schnee« – »Blitze und Wolken«.

Jetzt erst, nach langem Verweilen bei den Wundern der elementarischen atmosphärischen Vorgänge, »landet« der Hym-

nus im Erd-Bereich. So wird nun »*die Erde*« als solche aufgerufen,
als mannigfach gegliederter besonderer Daseins-Bezirk. Da sich
der Hymnus von oben nach unten bewegt, wird die Erde zuerst
betreten auf ihren emporragenden Gipfeln, die noch dem Himmlischen benachbart sind. »Berge und Hügel.« Erst die kahlen
Schroffen. Dann beginnt die Vegetation. »Alles, was da wächst
auf der Erde«. Das pflanzliche Leben leitet über zur Anschauung
des Wassers auf der Erde. »Die Quellen« – »Meere und Flüsse«.

Vom Pflanzenreich wird der Schritt getan zur beseelten Tierwelt. Im Wasser hat sie ja ihren Anfang genommen. Die Schöpfungsgeschichte des Moses schildert es, wie sich zuerst im Wasser
tierisches Dasein wimmelnd regt, wie dann die Luft erobert wird
und wie sich das Tier schließlich auch auf dem Festland heimisch
macht. In derselben Folge nennt der Hymnus »Meeresunge-
heuer und alles, was sich regt in den Gewässern« – »alle Vögel
des Himmels« – »Wild und Vieh«.

So werden die Reiche der Schöpfung durchmessen. Die Welt-
Erscheinungen werden angeschaut aus jener heiligen Ergriffen-
heit heraus, die sich von dem Feuer-Erlebnis herschreibt. Man
darf es eine Art »Einweihung« nennen. Rudolf Steiner schildert
in seinem Buch »Das Christentum als mystische Tatsache und
die Mysterien des Altertums«[10] die Erfahrungen, durch die ein
Einzuweihender schreitet. »Er vollzieht die Hadesfahrt. Wohl
ihm, wenn er nun nicht versinkt. Wenn sich vor ihm eine neue
Welt auftut. Er schwindet entweder dahin; oder er steht als Verwandelter neu vor sich. In letzterem Falle steht eine neue Sonne,
eine neue Erde vor ihm. Aus dem geistigen Feuer ist ihm die
ganze Welt wiedergeboren.« – Eine Welt, aus dem geistigen
Feuer wiedergeboren, eine neue Sonne, eine neue Erde – das ist
doch auch der Inhalt jener Kosmos-Schau im Lobgesang der
drei im feurigen Ofen.

Warum konnte ihnen aus dem Geistfeuer heraus die Welt neu
erstehen? Weil der Mensch in sich selber die Wiedergeburt ge-

funden hat. So endet die große Welt-Anschauung schließlich beim *Menschen*. Sieben verschiedene Aufrufungen zum Gotteslobpreis ergehen an das Menschen-Reich. Es beginnt mit den »Söhnen der Menschen«. »Menschen-Sohn« weist über das bisherig Menschliche hinaus in künftige Entwicklungen hinein. Im weiteren: »Israel«, Urbild des heiligen Volkes, von der Christenheit mit Recht als Urbild der »Kirche« verstanden. – Dann »Priester des Herrn« – »Diener des Herrn«. Als priesterlicher Mittler zwischen oben und unten erfüllt der Mensch seine Aufgabe, die ihm durch seine Stellung zwischen Engel und Tier zugewiesen ist. So wird er wahrhaft ein Diener Gottes. – An fünfter Stelle erscheint die bedeutsame Formulierung »*Geister und Seelen* der Gerechten«. Der Mensch ist nicht nur Leib und Seele, sondern als das Ebenbild des Dreieinigen Gottes ist er gleichfalls eine Dreiheit: Leib, Seele und Geist. Wer im höheren Sinne »ein Gerechter« ist, der sich gottes- und weltgerecht in die große Harmonie richtig einordnet, der muß auch in der lichtvollen allumfassenden Geist-Welt als Geist unter Geistern leben können. An die »Geister und Seelen der Gerechten« schließen sich an »die Frommen und Herzens-Demütigen«. – An siebenter, letzter Stelle schließlich erscheinen die drei Sänger des Hymnus selbst. Und zwar nicht mit den babylonischen Fremdnamen, die ihnen im Exil aufgenötigt worden sind und mit denen sie sonst in den Daniel-Geschichten auftreten, sondern mit ihren ureigenen hebräischen Namen:

*Benedeiet, Hananja Asarja Misael, den Herrn,*
*singet Ihm den Hymnus und erhebet Ihn hoch, in alle Äonen!*

(V. 88)

Damit ist der Hymnus bei denen angelangt, denen er entströmt. Die drei Träger des großen Feuer-Erlebnisses werden ihrer selbst auf einer höheren Stufe inne und ergreifen mit ihrem Bewußtsein die Verwandlung, die sich mit ihnen vollzogen hat.

Sie haben die Welt angeschaut, wie sie aus dem Geistesfeuer wiedergeboren ist. Nun erfassen sie sich selbst als aus dem Geistesfeuer neu geborene Menschen. Es folgen die Worte: »Denn Er hat uns erlöst aus der Unterwelt (dem ›Hades‹) und aus der Hand des Todes.« Es ist wie eine alttestamentliche Vor-Ahnung des großen Geheimnisses, das erst in Christus als volle Wirklichkeit in die Menschen-Welt eintritt: des Geheimnisses von Tod und Auferstehung.

# DER WEG DES LEBENS

# DIE WELT DER SÜNDE
# UND DIE WELT DER GNADE

## PSALM 36

In Vers 6–10 enthält dieser Psalm einen Hymnus, der in seiner mythischen Größe und mystischen Innigkeit zu den Höhepunkten des Alten Testamentes gezählt werden darf. In einer seltsamen »Kontrapunktik« ist dieser Gottes-Hymnus eingerahmt von einer Darstellung, wie das Böse im Menschen von Stufe zu Stufe wirksam wird.

### I.

Die ersten Verse geben geradezu eine Psychologie des Sündenfalles.

> *Es raunt die Sünde dem Bösen ein im Innern seines Herzens.*
> *Es ist keine Scheu vor dem Göttlichen in seinen Augen.*
>
> (V.2)

(Luthers Übersetzung entspricht dem Urtext nicht.)

Das Wort »Raunen« wird sonst in den Büchern der Propheten gebraucht für das Einsprechen der Gottes-Stimme. Hier ist ein unheimliches Gegenstück zu solch göttlicher Inspiration. Auch die Widersacher-Mächte verstehen sich darauf, dem Menschen etwas zu inspirieren. So spricht die Schlange zu Eva. So legt es der Teufel dem Judas »in das Herz«, den Herrn zu verraten (Joh. 13, 2). Der Psalm weiß: In den bösen Regungen des Menschen ist eine objektive, außerhalb des Menschen befindliche Geisterwelt im Spiel.

Dem Herzen folgt das Auge. Im Herzen hat die Raunung des Bösen eingesetzt, nun werden die Augen »frech«. Sie verlieren die ehrfurchtsvolle Scheu vor dem Göttlichen. Der Blick sieht dann nicht mehr im Sinnenschein die Er-Scheinung des Göttlichen. Er verfängt sich im leeren »eitlen« Schein des Vordergrundes und wird bei aller Klugheit blind für den himmlischen Goldgrund hinter den Dingen.

Der nächste Vers ist schwer zu übersetzen. Vielleicht heißt er: *»Die Sünde schmeichelt ihm in seinen Augen, daß er findet Schuld und Haß.«* Im Schmeicheln liegt der so wirkungsvolle Appell an die Eitelkeit. Und dann »findet« der Mensch Schuld und Haß, er gerät in ihren Bereich, er weiß selbst nicht wie.

Vers 4 spricht nun, den inneren Kreis des Gesinnungsmäßigen nach außen hin überschreitend, von den »Worten«. *»Die Worte seines Mundes sind Verderben, Frevel und Trug. Aufgehört hat er, weise und gut zu sein.«* Das Wort verliert seine Heiligkeit, es fällt den Mächten der Lüge zum Opfer. Weisheit und Güte verlieren sich aus dem Wort. An ihre Stelle treten kalte Klugheit, die bei all ihrer Berechnung letzten Endes doch »Torheit vor Gott« ist (denn trotz aller brillanten Intellektualität gilt die volkstümliche Wendung »dumm wie die Sünde«), und Lieblosigkeit, ja Haß.

Bezeichnend ist der Ausdruck, daß der auf Abwege geratende Mensch »aufhört, weise und gütig zu sein«. Das Böse ist nichts Ursprüngliches, es ist nicht von Anfang an dem Menschen eigen, sondern es handelt sich um eine »Infektion«, wie wir das ja auch mit dem Wort »Sündenkrankheit« ausdrücken. Der Mensch hat eine Infektion erlitten mit einer ihm von Haus aus »fremden« Geistigkeit. Das Böse ist »un-menschlich«. Es ist ihm angekommen als eine Krankheit. Nun ist er in Gefahr, seinen Urstand, sein angeborenes »göttliches Sein« gänzlich zu verlieren. Darum: »er hat aufgehört«, er ist davon abgekommen, wahrhaft weise und gütig zu sein. *»Frevelhaftes sinnt er auf seinem Lager.«* Der

166

Mensch im Umgang mit seinen schlaflosen Stunden – das ist ein häufig in den Psalmen sich findendes Motiv. Nicht erst in unseren »nervösen« Zeiten, in denen das zu einer Krankheit geworden ist, sondern auch früher schon hat es das gegeben, daß der Mensch Stunden der Nacht schlaflos verbringt, umgetrieben von zehrender Sorge, oder erfüllt von starken Gemütsbewegungen, die ihn wach halten. Der Umgang mit den schlaflosen Stunden ist ein wichtiges Kapitel der Selbsterziehung. Aus den Psalmen schaut uns geradezu eine »Kultur der schlaflosen Nachtstunden« an: »Der Gerechte sinnt über das Gesetz Tag und Nacht« (1,2). »Des Nachts singe ich Ihm« (42,9). »Des Morgens Deine Gnade und des Nachts Deine Wahrheit verkündigen« (92,3). Besonders bemerkenswert ist auch das Wort aus dem Hiob-Buch: »Man schreit, daß viel Gewalt geschieht, und rufet über den Arm der Großen, aber man fragt nicht: wo ist Gott, mein Schöpfer, der Lobgesänge gibt in der Nacht?« (Hiob 35,9.10)

Aus der Vergiftung dieser stillen Stunden, in denen der Mensch »auf seinem Lager« mit sich selbst allein ist, geht in logischer Folge die böse Tat am hellen Tage hervor: *» Er betritt den Weg, der nicht gut ist«* (V.5). Damit geht das Böse, das mit der Inspiration im Herzen begann, das dann auf die Sphäre des Wortes übergriff, nunmehr in das Handeln ein. Es ist das Betreten eines »Weges«. Mit der ersten bösen Tat ist ein Weg beschritten, auf dem es weitergeht. Alles ist in Entwicklung, in Bewegung. Der Mensch kann aus seiner Freiheitsmöglichkeit heraus seiner Entwicklung diese oder jene Richtung geben. Der 1. Psalm stellt bedeutungsvoll »die zwei Wege« hin.

»Böses verschmäht er nicht« – die natürliche Befremdung geht dem Menschen verloren, die er zunächst dem Bösen gegenüber empfindet. Eine gesunde Natur »verschmäht« eine ihr nicht zuträgliche Speise aus dem guten Instinkt heraus. So sind wir auch von Haus aus mit einem Gefühl ausgerüstet für das, was nicht zu uns paßt, was uns nicht gemäß, was unserem Wesen fremd und »ungehörig« ist. Aber auch auf dem Gebiet des moralischen Handelns kann die schlechte Gewöhnung allmählich den gesunden Abwehr-Instinkt abstumpfen. »Böses verschmäht er nicht« – er verliert die Fähigkeit, von sich abzuweisen, was nicht seines Wesens ist.

## II.

Hier setzt nun, scheinbar ganz unvermittelt, der wunderbare Gottes-Hymnus ein. Der Blick ruhte bisher auf dem beklemmenden Schauspiel, wie das Böse den Menschen ergreift und mit unerbittlicher Logik von der Gesinnung in das Wort und vom Wort in die Tat hinein sich auswirkt. Das ist mit tief eindringender Beobachtung und Menschenkenntnis geschildert. Es könnte einem angst werden bei dieser Betrachtung. Wie läßt sich denn diesem unheimlichen Prozeß entgegenwirken?

Der Psalm gibt eine großartige Antwort. Ohne um die Aufeinanderfolge seiner Sätze im Sinne äußerer Logik bekümmert zu sein, bricht er unvermittelt ab und spricht von etwas ganz anderem. Als ob er sagen wollte: da hilft nur die entschlossene Blickwendung zum Positiv-Göttlichen! Die nun folgenden Verse sind um so eindrucksvoller durch diese Kontrastwirkung:

*Herr, in den Himmeln – Deine Gnade.*
*Deine Wahrheit – bis zu den Wolken.*
*Deine Gerechtigkeit – wie Berge Gottes.*
*Deine Gerichte – eine große Tiefe.*
*Mensch und Tier bist Du ein Heiland.*
*O Herr, wie kostbar ist Deine Gnade.*
*Göttliche Wesenheiten und Menschen-Söhne*
*bergen sich im Schatten Deiner Flügel.*
*Sie ersättigen sich an der Fülle Deines Hauses.*
*Du tränkest sie mit dem Strom Deiner Wonne;*

*denn bei Dir ist der Quellort des Lebens.*
*In Deinem Lichte sehn wir das Licht.*

(V. 6–10)

Zu Beginn dieses Hymnus nennt der Psalmsänger den Gottesnamen, der das Geheimnis des »Ich-Bin« in sich trägt. Und es ist, als ob das Nennen dieses geheiligten Namens seine Seele in mächtiger Himmelfahrt emporführte.

»Herr, in den Himmeln – Deine Gnade.« Gerade auf dem Hintergrund des Bösen ist die Inbrunst, die sich in das Göttliche versenkt, um so gewaltiger. Es ist wie das plötzliche Aufreißen eines Vorhanges. Aus dem Gottes-Namen heraus entwickelt sich die Schau seiner Himmel. Die Erledigung des religiösen »Himmels« durch Physik und Flugzeug ist doch nur scheinbar. Das ist nichts anderes, als wenn man eines Tages »dahinterkäme«, daß die »Sixtina« nur eine bemalte Fläche und nichts Körperliches weiter daran und dahinter wäre. Das nimmt ihrer Bedeutung nichts weg, denn sie ist ein Bild. Ein Bild, das aber auf eine Wirklichkeit höherer Art hindeutet. So auch ist der äußere Himmel in seiner Wölbung, in seiner Bläue, im Wandeln seiner Licht-Erscheinungen ein Bild, das uns als solches gegeben ist und das durch physikalische und astronomische Aufklärungen von seinem ihm eigenen Ausdruckswert nichts einbüßt. Ein Schein, der nur den trügt, der ihn nicht als Erscheinung verstehen kann. – Dem Anblick des Himmels sich hingeben, das schließt innerlich die ganz gewiß nicht »räumlichen« Gnadenwelten Gottes auf.

Die Himmel sind für den Psalm die Sphäre, in der die Gottheit ganz und gar »zu Hause«, »bei sich selber«, in ihrem ureigenen Element ist, in der sie gleichsam ungestört ihrem innersten Wesen leben kann. Dieses ihr innerstes Wesen aber wird erkannt als »Gnade«.

»Deine Wahrheit – bis zu den Wolken.« Auch die Wolken gehören noch zum »Himmel«. Wieviel erdentrückte Erhebung haben schon Menschen empfunden im hingegebenen Anschauen

169

des »hohen Wolkenraumes«. Aber doch sind wir schon mit dieser zweiten Zeile gegenüber der ersten (»in den Himmeln – Deine Gnade«) um eine Stufe herabgestiegen und der Erde nähergekommen. Die Wolken sind, im Vergleich zum gestirnten Himmel und zur reinen Bläue, doch schon ein Übergang und Grenzgebiet, in dem sich der Himmel näher zum Erdendasein herabläßt.

Wieso ist nun die Wolke gerade mit dem Erleben der Wahrheit verbunden? Für uns ist doch die Wolke so oft gerade das Verhüllende, das Aussicht-Verdeckende und Klarheit-Trübende. Aber den Alten war es noch lebendige Erfahrung, daß die Wolke nicht nur verhüllt, sondern auch offenbart. Sich mit der Seele dem Bilden der geheimnisvoll-unsichtbaren Gotteshände hinzugeben, die in den Verwandlungen des Wolkenbildes am Werke sind, kann verborgene Kräfte des Schauens in der Seele auslösen. Die Wahrheit Gottes als des ewig Schaltenden, gestaltend Umgestaltenden, sie reicht von den oberen Himmeln bis hinab ins Wolkenreich. Die Wolken tragen das Offenbarungswirken des lebendigen Gottes anschaubar zu uns herab. Bis zu den Wolken reicht sozusagen noch seine »Direktheit«.

Gnade und Wahrheit – wir kennen dieses bedeutungsvolle Wortpaar aus dem Johannes-Prolog. Von dem Fleischgewordenen wird es ausgesagt: »voller Gnade und Wahrheit«.

Für Johannes ist da erstmalig in irdischer Gestalt erschienen, was für unseren Psalm noch kosmischen Weiten angehört. »Die Gnade und die Wahrheit ist durch Jesus Christus geworden.« – Für Johannes ist damit erst so recht eigentlich in den Strom des geschichtlichen Menschen-Werdens eingegangen, was der Psalm noch im erdentrückten »Oben« erschaut.

Die nächste Zeile, die dritte, ist wieder ein Abstieg: von den Wolken zu den Bergen. Damit fassen wir Fuß auf der festen Erde. In Goethes »Faust« ist dieser Übergang von den Wolken zu den Bergen wunderbar dargestellt: »Der Einsamkeiten tiefste schauend unter meinem Fuß, / Betret ich wohlbedächtig dieser Gipfel

170

Saum, / Entlassend meiner Wolke Tragewerk, die mich sanft, / An klaren Tagen über Land und Meer geführt« (Faust II, 4. Akt).

Von oben her betrachtet, ist der Bergesgipfel schon »Erde«. Aber für den Erdenmenschen unten ist der Berg etwas, das noch zum Himmel gehört. Die Alten fühlten sich auf Bergeshöhen in größerer Nähe zur himmlischen Gottheit. Wer von unten her den heiligen Berg ragen sah, der fühlte sich in der Niederung seines Alltags an das Ewige gemahnt. Die frommen Erlebnisse versunkener Jahrtausende, vergessener »Väter, die auf dem Berge angebetet haben«, umwittern einen solchen altertümlichen Ausdruck, wie er hier im Psalm steht: »Berge Gottes«.

»Deine Gerechtigkeit – wie Berge Gottes.« Zum ersten Male erscheint ein vergleichendes »Wie«. Bisher waren wir noch in einer Sphäre der göttlichen »Direktheit«.

Die Gerechtigkeit ist für den Psalm eine Auswirkung des Göttlichen, die mit dem Irdischen schon mehr zu tun hat als die Himmelswesen Gnade und Wahrheit. Von den Gottesbergen schaut der Ernst einer ewigen Gerechtigkeit auf das wechselvolle Getriebe nieder.

Noch ein weiterer, letzter Abstieg wird vollzogen: »Deine Gerichte – eine große Tiefe.« Große Tiefe – im Urtext: thehôm rabbā. Thehôm ist die Ur-Flut, mit dem Beigeschmack des Unheimlichen, Dunkel-Chaotischen, in grause Finsternisse sich Verlierenden (griechisch: »abyssos«). Es findet sich im Eingang der Genesis: »und Finsternis war über der Tiefe«. Thehôm ist der Inbegriff aller nächtigen Chaosgewalten, die in der Gestalt des Drachen »Levjathan« von Jahve im Urweltkampf niedergeworfen werden mußten (vgl. Jesaja 51, 9), damit es zu einer geordneten Schöpfung kommen konnte.

Thehôm rabbā, die große Tiefe, das steht bezeichnenderweise auch in der Sintfluterzählung. Wo der Mensch sich an Maß und Ordnung vergeht, da straft ihn der Gott dadurch, daß er die uralten Chaosmächte wieder ihr Haupt erheben läßt; denn sie sind zwar vorerst besiegt, aber nicht vernichtet. Dann wird der Mensch den Gewalten preisgegeben, deren Fesseln er selber durch seine Vergehen freventlich gelockert hat. »Da brachen auf alle Brunnen der großen Tiefe...« (1. Mos. 7,11).

Diese Sintflut, dieser Untergang der frevelnden atlantischen Magier und »hochmütigen Riesen« (Weish. Sal. 14,6) ist das klassische Beispiel göttlichen Richtens, das Urbild der Gerichte. In den Gerichtskatastrophen wirkt sich jene von heiligen Bergen ernst herniederschauende Gerechtigkeit auf Erden aus.

Gnade und Wahrheit – der Gott im Himmel.

Gerechtigkeit und Gericht – der Gott auf Erden.

Anders gesagt: der Gott, wie er »bei sich«, in seiner ureigenen Welt, sein wahres Wesen darleben kann – und der Gott, wie er ewigem Gesetz zufolge sich zeigen muß auf der vom gefallenen Menschen bewohnten Erde. Gleichsam der Gott einmal in seiner lichten Freiheit, das andere Mal in seiner dunklen Notwendigkeit. Erst durch Christus wird der Himmel von Gnade und Wahrheit in die dunkle, unter dem Zorn stehende Welt hinabgetragen.

Himmel – Wolken – Berge – Meerestiefe. Gnade – Wahrheit – Gerechtigkeit – Gericht. Gewaltig, von mythischer Größe ist dieser Stufengang von der Freiheit Gottes bis zu seinen abgründigen Notwendigkeiten.

In den Nachklang des unheimlichen Sintflutwortes »thehôm rabbā« mischt sich tröstlich, an die Arche des Noah gemahnend, ein helleres Motiv hinein: »Mensch und Tier bist Du ein Heiland.« Auch dem Tier – das darf man nicht überhören – wird hier die Gotteshilfe zugesprochen. Der Mensch hat es in die verhängnisvollen Folgen seines Sündenfalles mit hineingezogen. Daher darf er sich von den Mächten der Erlösung nicht nur sein eigenes Seelenheil wünschen, er muß auch das Schicksal der Kreatur sich am Herzen liegen lassen.

172

Dieser Gedanke an den helfenden Gott ist zugleich Übergang in den mystischen Innenbezirk des 36. Psalms. Da wird die Erfahrung der göttlichen Gnade verkündet wie in einem ahnenden Vorausnehmen dessen, was erst durch den Christus im vollen Sinn den Menschen erschlossen werden wird.

»Herr, wie kostbar ist Deine Gnade. Gottwesen und Menschensöhne bergen sich im Schatten Deiner Flügel.«

Wahrscheinlich muß man im Urtext (vgl. R. Kittel) das Wort »Elohim« zur nächsten Zeile ziehen, so daß sich der von uns verwendete Text ergibt: Elohim, also göttliche Wesenheiten der höheren Hierarchien, und Menschensöhne bergen sich im Schatten Deiner Flügel.

Eine weitere Gnaden-Erfahrung über die Geborgenheit hinaus ist das heilige Mahl, durch welches Kommunion, Mitteilung göttlichen Lebens empfangen wird: »Sie ersättigen sich an der Fülle Deines Hauses. Du tränkest sie mit dem Strom Deiner Wonne. Denn bei Dir ist die Quelle des Lebens.«

Das »Haus« Gottes ist die Stätte seiner Gegenwart. Der Mensch des Sündenfalles hat wie der verlorene Sohn im Gleichnis fern vom Vaterhaus sein Erbe verzehrt, seine »Substanz« zugrunde gerichtet. Er ist in bittere Not geraten. Die göttliche Gnade will den Menschen wieder an den Tisch ihrer Fülle rufen, wo er in Gemeinschaft mit höheren Wesen (Elohim) das »Brot der Engel« (Ps. 78, 25) ißt. Wie es im »Faust« heißt: »Denn das ist der Geister Nahrung, die im freisten Äther waltet: Ewigen Liebens Offenbarung, die zur Seligkeit entfaltet.«

Der »Strom der Wonne« ist der gleiche, von dem die Genesis als von dem Paradiesesstrome spricht. »Wonne« heißt im Urtext »Eden«. Hier im Psalm wird es sehr deutlich, daß man angesichts der Paradieses-Schilderung nicht in erster Linie nach einem geographisch faßbaren »Wo« fragen sollte. Der Quellort des Eden-Stromes, der als fließendes Leben geschaut wird, ist »bei Dir«.

Das Leben ist als solches irdischen Augen nicht sichtbar. Diese sehen nur Belebtes, nicht das Leben selber. Es ist wie ein feines Fluidum in höheren Welten. Im fließenden Wasser hat es sein Gleichnis. Und alles natürliche Leben, so heilig und geheimnisvoll es schon an sich ist, ist nur wiederum der Abglanz eines noch höheren, wahrhaft übernatürlichen Lebens. Der Ausgang des Lebens aus Gott ist das ewige Quellwunder.

Es ist johanneische Luft, die wir in diesem Psalm atmen. War es eingangs das Wortpaar »Gnade und Wahrheit«, das uns an den Johannesprolog denken ließ, so sehen wir jetzt, wie zu dem »Leben« das »Licht« hinzugefügt wird.

»In Deinem Lichte sehn wir das Licht.« So einfach diese Worte klingen – es liegt doch in ihnen eine ganze Erkenntnistheorie verborgen. Wirkliche Erkenntnis wäre nicht möglich, wenn dem Menschen die Welt als etwas ihm ganz und gar Fremdes gegenüberstünde. Das Licht der Welt draußen könnte noch so hell und klar uns anstrahlen – an unserem Fremd-Sein müßte es einfach äußerlich abfließen, ohne den Weg in unser Inneres zu finden. Nun aber hat der Mensch innerlich selbst wesenhaften Anteil am Licht. Er kann das Licht der Welt erblicken, weil er ihm sein inneres Menschen-Licht entgegenträgt, Licht mit Licht vereinigend. Selbst am Licht Anteil habend, im Licht-Wesen darinstehend, sehen wir das Licht.

Dieses im erkennenden Menschen wirkende Licht ist aber wiederum nicht sein eigenes, nur subjektives Licht, sondern er hat, obwohl vereinzeltes Individuum, damit Anteil an dem göttlichen Licht selber. Dadurch kann das im erkennenden Menschen aufgehende Licht objektiv weltgültig sein. »In Deinem Lichte sehn wir das Licht.«

Ähnlich sagt der 18. Psalm: »Du erleuchtest meine ›Leuchte‹.« Aber Gott muß sie ihm hellmachen, indem er die Leuchte des Menschen mit seinem eigenen göttlichen Lichtwesen speist. – Auf eine noch frühere Zeit verweist eine Stelle aus Hiob: Da wird das dem Menschen anvertraute Licht noch gar nicht als eigenes in Anspruch genommen, sondern noch unmittelbar als der Gottheit gehörig empfunden. Hiob wünscht sich in die Zeit zurück, »da mich Gott behütete, da seine Leuchte über meinem Haupte schien« (Hiob 29,3).

Wir haben teil an einem Lichte der Schau und der Erkenntnis, weil die uns tragende Gottheit selber in diesem Licht-Element der Schau und der Erkenntnis lebt. So sagt Psalm 94,9: »Der das Auge geschaffen hat, sollte der nicht sehn?«

## III.

Diesem mythisch-mystischen Herzstück des 36. Psalms folgt ein Schlußgebet, das mit einem apokalyptischen Ausblick auf das Schicksal des Bösen endet:

> *Erhalte Deine Gnade denen, die Dich erkennen,*
> *und Deine Gerechtigkeit denen, die aufrichtigen Herzens sind.*
> *Nicht möge ich niedergetreten werden vom Fuß des Stolzen,*
> *und die Hand der Gottlosen reiße mich nicht zu Boden.*
>
> (V. 11–12)

Die persönlichen Feinde und Widersacher des Psalmisten werden transparent für die auf den Menschen eindringenden Mächte des Bösen, denen gegenüber er sich in der göttlichen Gnade birgt.

> *Da – sie sind schon gefallen, die Täter des Frevels,*
> *sie sind gestürzt, stehn nicht wieder auf.*
>
> (V. 13)

Es hat den Charakter einer Vision, einer apokalyptischen Schau. »Da – gefallen sind sie!« Es ist das apokalyptische Perfektum: in der Geistes-Schau wird etwas bereits als geschehen vorausgenommen. So sagt der Christus in den Abschiedsreden – al-

175

so noch vor Gethsemane und Golgatha –: »Der Fürst dieser Welt ist schon gerichtet.« Und: »Ich habe die Welt überwunden.« So ist es auch in der Offenbarung des Johannes, wo im Kapitel 11, noch ehe der Antichrist auf Erden den Höhepunkt seiner Machtentfaltung erreicht, schon die Siegeslieder im Himmel erklingen. Woher kommt dieses Vorausnehmen? Die Geistesschau entrückt in eine Region, in welcher die Entscheidung tatsächlich schon gefallen ist. Nur daß es noch eine Weile braucht, bis das prinzipiell Entschiedene allmählich unten auf Erden »ankommt«.

So schaut auch der Psalmsänger in blitzartiger Vision die Widersacher als bereits gefallen. Das Böse ist prinzipiell schon »erledigt«, es ist gerichtet und zu Tode getroffen. Mag es noch so große Triumphe feiern – die Wahrheit der apokalyptischen Schau wird dadurch nicht beeinträchtigt.

# DIE GROSSE BEICHTE

## PSALM 51

## I.

»Der Übel größtes aber ist die Schuld.« – Ein Unglück, das uns schicksalsmäßig von außen trifft, ist bei allem Leid und Schmerz leichter zu ertragen als der Blick auf eigene Schuld und ihre Auswirkungen. Was im Innern eines Menschen vorgeht, der schuldig geworden ist und trotzdem sehnsuchtsvoll nach dem Göttlich-Guten hinstrebt, das ist der Inhalt des berühmten »Bußpsalms« 51, von dem überliefert wird, David habe ihn gebetet nach der Sünde mit Bathseba.

> *Erbarme Dich mein, o Gott, nach Deiner Gnade!*
> *In der Fülle Deiner Barmherzigkeit tilge meine Sünden!*
> *Wasche mich ganz und gar von meiner Schuld,*
> *und von meiner Verfehlung reinige mich.*

> (V. 3–4)

Die Dreiheit »Sünde – Schuld – Verfehlung« findet sich auch zu Beginn des 32. Psalms: »Selig der Mensch, dessen Sünde vergeben, dessen Verfehlung zugedeckt ist, dem der Herr die Schuld nicht anrechnet.« Das Wort, das wir mit »Sünde« wiedergeben, ist das ernsteste dieser drei. Es bezeichnet das mit Überlegtheit begangene Verbrechen, während »Verfehlung« mehr die Leidenschaftlichkeits- und Schwachheits-Sünde meint.

»Tilge« meine Sünden. – »Tilgen« ist im Urtext ein Wort, das man wohl auch für das Auslöschen einer Schrift gebrauchen kann. Die Sünde möge ausgelöscht werden wie eine Schrift in einem Buche. Das ist mehr als ein sinniges Bild. Mit allem, was er tut, fühlt und denkt, macht der Mensch so etwas wie »Eintragungen« in eine unendlich feine Weltensubstanz. Es löst sich etwas von uns ab und bleibt nun außerhalb unserer Reichweite in der Welt stehen und hat seine Folgen. Über diese in die Welt hinausgegangenen Auswirkungen unseres Tuns haben wir keine Macht mehr. Erst durch Christus kann das Gebet des Psalms wirklich erfüllt werden. Er allein hat die Macht, kraft seines Opfers, die objektiven Welten-Folgen unserer Sünden zu tilgen, wenn wir uns mit ihm verbinden, als mit dem Lamm, das die Welt-gewordene Sünde auf sich nimmt.

»Wasche« mich von meiner Schuld! – »Waschen«, im Urtext ein Wort, wie es gebräuchlich ist für das Waschen eines Kleides. Durch die Sünde hat der Mensch das Leuchten seiner feineren Hüllen-Natur verdunkelt. Er hat das Kleid seiner Seele befleckt und ermangelt des »hochzeitlichen Gewandes«.

»Reinige« mich! – Das meint nicht das Waschen eines Kleides, sondern die unmittelbare Reinigung des Körpers. Da handelt es sich, im Bilde des Körpers, um »uns selber«.

Mit dem Unrecht, das wir begehen, fügen wir uns selber etwas zu. Aber es bleibt nicht unsere private Angelegenheit. Schon indem es aus dem privaten Innenbezirk unseres persönlichen Wesenszentrums in die uns umgebenden feineren Hüllen übergreift und ihren angeborenen Lichtglanz »schwärzt«, bekommt die Sünde eine Auswirkung in das Welthafte; denn unsere leiblich-ätherisch-seelische Hüllen-Natur ist schon ein Stück »Welt«, das uns im besonderen anvertraut ist. Das Reinigen des Körpers und das Waschen der Kleider betrifft die Sündenfolgen für uns selbst und für die zu unserem Wesen gehörigen Hüllen, die für uns so etwas wie ein Mittelding sind zwischen dem Inneren und der Welt draußen. – Und nun gibt es eben noch über uns selbst und das uns anvertraute Stück Welt hinaus Auswirkungen, die der Welt draußen angehören. Das sind nicht nur die Veränderungen, die wir physisch durch unser Tun in der Welt hervorgebracht haben. Was wir da etwa im Sichtbaren »angerichtet« haben, das ist bei all seiner oft so furchtbaren Realität doch erst nur ein Gleichnis für das, was wir an der verborgenen geistigen Weltensubstanz »ver-brochen« haben und was nun als Schrift im Welten-Buche steht und uns anklagend anschaut.

> *Denn meine Sünden – ich erkenne sie,*
> *und meine Verfehlung steht mir vor Augen, allezeit.*
> *An Dir, an Dir allein habe ich mich vergangen,*
> *und was böse ist in Deinen Augen, das habe ich getan,*
> *damit Du recht behaltest mit Deinem Spruch*
> *und rein dastehst mit Deinem Urteil.*
>
> (V. 5–6)

Das getane Unrecht ist dem Psalmsänger voll zu Bewußtsein gekommen. Es steht ihm quälend vor Augen. »An Dir allein habe ich mich vergangen« – hierin liegt die eigentliche Tiefe dieses Bekenntnisses. Die Sünde vergeht sich in erster Linie an der Gottheit selber, erst in zweiter Linie ist sie gegen den oder jenen Menschen gerichtet, den sie trifft. Wir werden schuldig gegenüber dem Menschen, dem wir Unrecht tun, aber vor allem gegenüber der Gottheit. So spricht auch die Weihehandlung davon, daß unsere Abirrungen, unsere Verleugnungen des göttlichen Wesens, unsere Schwächen ihren Weg finden bis in die Tiefen des Weltengrundes. Rudolf Steiner sprach einmal von dem Schmerz, den wir höheren Wesen durch unsere Verfehlungen zufügen. Ein solcher Hinweis kann uns dieses großartige religiös-intuitive Psalmwort wieder konkret machen: An Dir allein habe ich gesündigt.

> *Siehe, in Schuldverstrickung bin ich geboren,*
> *im Sündenbereich empfing mich meine Mutter.*
> *Siehe, Du liebst Wahrheit in den verborgenen Dingen,*
> *geheime Weisheit lässest Du mich erkennen.*
>
> (V. 7–8)

Wenn der Psalm mit diesen Worten von der »Erbsünde« spricht, so ist das nicht etwa ein »Plädieren um mildernde Umstände«, sondern im Sinne der darauffolgenden Verse ein Erkennen verborgener Zusammenhänge. Der Mensch, durch das Schuld-Erlebnis aus der Naivität seines bisherigen selbstverständlichen Daseins herausgeworfen, ist empfindlich geworden für die Tatsache, daß er mit seinem ganzen umfänglichen irdischen Menschenwesen von vornherein eine Unangemessenheit zur göttlichen Welt darstellt. Er sieht sich in einem übergreifenden weiten Zusammenhang darin, in einem Zusammenhang jahrtausendealter Schuldverkettung und Heil-Losigkeit, aus dem er ohne göttliche Hilfe nicht frei werden kann. Nicht nur einzelner benennbarer und aufzählbarer Delikte weiß der Mensch sich schuldig, sondern seinen gesamten »Habitus« erkennt und erlebt er als mit der göttlichen Welt nicht vereinbar. Für eine oberflächliche Betrachtung besteht die Sünde nur in einzelnen Akten, durch deren Unterlassen der Mensch weiterhin »in Ordnung« verblieben wäre. Daß der ganze Zustand des Menschen von vornherein von der Sündenkrankheit infiziert ist, das kann erst von einer tieferen Weisheit erkannt werden, die in das Verborgene dringt.

Geradeso wie dieses »Von-vorne-herein« etwas Übergreifendes, über den Einzelnen hinausgehendes Menschheitliches ist, so kann auch nur eine göttliche Einwirkung übergreifender Art aus dieser Verkettung erlösen. Das geschieht durch den Christus. In der Richtung auf das herannahende Christusmysterium betet der alttestamentliche Fromme, wenn er zu Beginn des Psalms die göttliche »Gnade« anruft. Diese Gnade, die erst in Christus konkret in die Erdenwelt eintritt, bedeutet nicht, daß Gott sozusagen die Mathematik der Gerechtigkeit umwirft und sie durch Willkür ersetzt. Das nicht. Aber er führt eine neue Größe in die Rechnung ein. Die eherne Gesetzmäßigkeit von Ursache und Folge wird nicht aufgehoben, aber das Ergebnis wird ein anderes, durch das Hinzutreten eines ganz neuen Faktors. Dieser neu hinzukommende Faktor, der dem Ganzen ein neues Gesicht gibt, ist die »Gnade«, ist der Christus. Die Gnade läßt dem Menschen eine »zusätzliche Kraft« zufließen, wodurch die Folgen des Bösen zum Guten hin ausgetragen und verwandelt werden können.

Die Gnade überhebt nicht der eigenen Bemühung. Aber es gilt klar zu sehen, daß ohne ihr Hinzutreten die menschheitliche Unheilsverstrickung, die über unsere eigenen Bewältigungsmöglichkeiten weit hinausgeht, nicht gelöst werden kann.

Der 51. Psalm wird erst im Rahmen des Neuen Bundes voll wahr und konkret. In Christus erscheint die Gnade, die es mit dem Sündenfall und seinen dem Menschen längst über den Kopf gewachsenen Folgen aufnehmen kann. Erst im Anblick des Gottes-Leidens am Kreuz wird dem Menschen voll bewußt, was im Psalm wie ahnend und träumend gesprochen ist: »An Dir, an Dir allein habe ich gesündigt.«

## II.

*Entsündige mich mit Ysop, daß ich rein werde,*
*wasche mich, daß ich weißer werde als Schnee.*

(V.9)

Damit beginnt das eigentliche Gebet um die Umwandlung. Die Bild-Sprache versteht sich im Hinblick auf Reinigungsriten des Alten Bundes. Besprengung mittels eines Ysopzweiges (der sozusagen als Weihwedel diente) war geboten im Falle von Aussatz und Leichenberührung. Wir müssen uns die ganze Schrecklichkeit der orientalischen Aussatz-Erkrankung vorstellen, bei der dem Menschen der eigne Leib Stück um Stück verfault. Der bei lebendigem Leibe verwesende Aussätzige – der Leichnam, der der Verwesung anheimfällt: in beiden Fällen handelt es sich um Zerstörung der menschlichen Erdenleiblichkeit, und man erlebte dieses Zerstörungs-Grauen als mit der Sündenkrankheit in Zusammenhang stehend. Bei der Bannung dieses Grauens durch kultisch-sakrale Besprengung spielte der Ysop-Zweig eine Rolle. – Den Mächten des Aussatzes und der Verwesung fühlt sich der seiner Sündhaftigkeit bewußt Gewordene preisgegeben. Er »schmeckt« in sich den Tod. So betet er um die Reinigung.

Man darf die Waschungs- und Reinigungsriten der alten Zeiten nicht so rasch als Äußerlichkeiten abtun. Innen und Außen gingen damals für das Bewußtsein noch mehr ineinander über. Die körperliche Reinigung blieb nicht ohne Weiterwirkung auf das Innere. Man konnte sie nicht erleben, ohne daß sich der Vorgang mehr oder weniger nach Innen fortsetzte. Auch heute noch dürfen wir dieses Hinüberwirken nicht unterschätzen. Gewiß, äußere Sauberkeit ist noch nicht innere Sauberkeit, aber sie hat doch einen fördernden Einfluß auf diese.

»Weißer als Schnee« – der Schnee gibt das Erlebnis allerhöchster unirdisch leuchtender Reinheit. Weiß »wie Schnee« ist das Gewand des österlichen Engels (Matth. 28,3). – Im 7. Kapitel der Apokalypse stellt Johannes die Schau der vollendeten Heiligen dar. Sie tragen leuchtendweiße Gewänder, die sie »gewaschen haben im Blute des Lammes«. Ein paradoxes Bild, in dem die Wahrheit lebt, daß durch die Aufnahme dessen, was wesenhaft von Golgatha ausgeht, die Hüllen-Natur des Menschen gereinigt und aufgelichtet wird. Erst das »Blut des Lammes« wird wahr machen, was der vorchristliche Psalm hier erfleht: wasche mich, daß ich schneeweiß werde. – Aus der Welt des Lichtes geht der Psalm zur Welt des Klanges über:

*Laß mich hören Jubel und Freude.*

Wo der Mensch wieder strahlt wie frischer Schnee, da wird die jubelnde Musik des Himmels dem inneren Gehör vernehmbar. So ertönt im Gleichnis vom verlorenen Sohn das Singen und

Tanzen des großen Freudenfestes. Es ist der Jubel der Himmlischen, der sich erhebt, wenn der Mensch den Sphären seines Ursprungs gereinigt und verwandelt zurückgegeben wird. Durch das ganze 15. Lukaskapitel, das in drei Gleichnissen die Wiederbringung des Verlorenen verkündet, geht das Thema der Freude hindurch. »Freuet euch mit mir.« »So wird Freude sein bei den Engeln Gottes.« – Das Schuldbewußtsein macht freudlos. Die Ahnung der Gnaden-Mächte läßt Freude erwachen. Das setzt sich fort in die Tiefen des Menschen-Wesens und »geht bis in die Knochen«:

> *Es frohlocken die Gebeine, die Du geschlagen hast.*
> *Verbirg Dein Angesicht vor meinen Verfehlungen,*
> *und alle meine Schuld mögest Du tilgen.*
>
> (V. 10–11)

Wird hier noch einmal das Negative der Vergebung ausgesprochen: das Abwenden des göttlichen Antlitzes von unserer Schuld und damit das Aufhören des peinigenden Vorwurfes, der in solchem Verweilen des göttlichen Auges auf unseren Fehlern gelegen ist, so gehen nun die folgenden Verse ganz in das Positive über: nicht nur Tilgung der Sünden soll geschehen, sondern eine völlige Wiedergeburt durch einen neuen Schöpfungsakt der Gottheit:

> *Ein reines Herz schaffe in mir, Gott,*
> *und einen Geist der Festigkeit erneuere in meinem Innern.*
> *Verwirf mich nicht von Deinem Angesicht,*
> *und den Geist Deiner Heiligkeit nimm nicht von mir.*
> *Laß mich wieder Deiner Hilfe froh werden,*
> *und mit einem Geist der Freiwilligkeit rüste mich aus!*
>
> (V. 12–14)

»Schaffe ein reines Herz in mir« – hier steht für schaffen das Wort bārā. Ein selten gebrauchtes Wort, das gerade siebenmal in der Schöpfungsgeschichte der Genesis erklingt. Wenn es hier ge-braucht wird, so will das besagen: Die Umwandlung des gefalle-nen Menschen ist der Welt-Schöpfung an die Seite zu stellen. Im innersten Kern des Menschen-Wesens, im Herzen, setzt die Neu-schöpfung ein. – Und wie zur Schöpfung das Wirken des Geistes gehört, so gehört es auch in unserem Zusammenhang zur Neu-schaffung des Menschen. Im 104. Psalm heißt es: »Du sendest aus Deinen Odem, Deinen Geistes-Hauch, und Du erneuest das Angesicht der Erde.« Hier soll diese Erneuerungs-Kraft des gött-lichen Geistes im Menschen-Innern sich erweisen.

Es ist bemerkenswert, wie im 51. Psalm in dreifacher Weise vom Geist gesprochen wird. Zuerst ist es der Geist der Festigkeit, im Zusammenhang mit der Schaffung des reinen Herzens, der Geist, der uns allem schwankenden Hin und Her enthebt und uns gründen läßt auf dem Granit der Ewigkeit. Der Geist der Festigkeit – man könnte sagen, das sei der »Vater-Aspekt« der vorliegenden Dreiheit.

Dann: der »Heilige« Geist, verbunden mit dem Erleben des göttlichen Angesichtes. Durch den Geist der Heiligkeit vermag der Mensch »von Angesicht zu Angesicht« vor Gott zu stehen, vermag er das Göttliche von Geistwesen zu Geistwesen zu er-kennen. Ohne den Geist der Heiligkeit müßte er vor diesem An-gesicht vergehen, könnte er sich nicht aufrechthalten gegenüber der sich ihm zuwendenden persönlichen Bewußtheit Gottes. – »Nimm ihn nicht von mir« – die Gabe des Heiligen Geistes kann auch verloren werden. Schuldhafte Verdunkelung unseres Wesens kann uns von Seinem Angesicht weg verbannen. Der Mensch fühlt die unendliche Kostbarkeit, den Wert dieses Hei-ligen Geistes, und zittert davor, seiner wieder verlustig zu ge-hen. Gerade weil Heiligkeit im vollen Sinne erst in der letzten Vollendung dem Menschen ganz zu eigen sein wird, ist der An-fang unserer Heiligung etwas so Zartes, Bedrohtes und Verlier-bares.

Schließlich: der Geist der »Freiwilligkeit« im Zusammenhang mit der Freude an der göttlichen Hilfe. Das Wort, das hier im Urtext dem Geist beigegeben ist, heißt auch soviel wie »edel«, »vornehm«. Die Grundbedeutung ist etwa: das Gute aus Freiwilligkeit vollziehend. Daher dann auch die Bedeutung »freigebig« und »vornehm, edel«. Im Unterschied zum Geist der »Festigkeit« und der »Heiligkeit« ist es hier der Geist aus dem Bereich des Sohnes. Der Sohn bringt uns die Gotteshilfe (»Gotteshilfe« ist die Bedeutung des Jesus-Namens). Er hilft dem Menschen, als Erdenpersönlichkeit recht zu leben, und er entsiegelt die Kraft, die das Gute nicht aus Gesetzeszwang, sondern freiwillig, frei-gebig, aus dem Herzen heraus als Ausdruck des eignen Wesens vollbringt. Darin liegt ja die wahre Vornehmheit und der Seelenadel des Menschen gegenüber dem unfreien knechtischen Handeln.

Der Geist der Festigkeit – der Geist der Heiligkeit – der Geist der Freiwilligkeit. Es ist eine der Stellen, wo sich im Alten Testament das Geheimnis des Trinitarischen deutlich ankündigt.

## III.

Ist die Neuschöpfung des Menschen aus dem Geist heraus vollzogen, dann kann er auch für andere eine Bedeutung gewinnen – jetzt im Guten! Dann kann er als Wiedergeborener und Verwandelter auch seinen Mitmenschen die Richtung auf das Göttlich-Gute geben.

> *Ich will die Sünder Deine Wege lehren,*
> *so daß zu Dir umkehren, die fehl gingen.*
>
> (V. 15)

Gerade weil er selbst die Schuld kennengelernt hat und von ihr aus einen um so tieferen Blick tun durfte in die Heilungs- und

Verwandlungskräfte der Gottheit, kann er nun den andern helfen, mit ihrem Leben zurechtzukommen. Das muß nicht ein anspruchsvolles »Lehren« sein, es braucht gar nicht durch Worte zu geschehen. Das, was von seinem Wesen ausgeht, tut dann schon seine Wirkung.

*Errette mich aus der Blutschuld, Gott,*
*der Du der Gott meines Ich und meine Hilfe bist,*
*und rühmen wird meine Zunge Deine Gerechtigkeit.*
*Herr, tue meine Lippen auf, daß mein Mund Deinen Lobpreis verkünde.*

(V. 16–17)

Durch die Wiedergeburt kann der Mensch seinen Mitmenschen, denen er durch seine Sünde Schaden brachte, nunmehr helfen – durch die Wiedergeburt darf er nun auch für die göttliche Welt etwas Positives bedeuten. Als Sünder war er ein gottverhüllendes, ein die Gottes-Offenbarung schmälerndes Wesen. Wo etwas Böses geschieht, da wird ja das Göttliche zugedeckt, und an Stelle Gottes offenbart sich der Widersacher. – Der Psalm betet darum, daß der Mensch wieder ein gott-offenbarendes Wesen werden möge. Auf die Dauer wird es auf Erden keinen anderen gültigen Gottesbeweis geben als den aus dem Geist wiedergeborenen Menschen. »Ihr seid das Licht der Welt«, sagt Christus zu den Jüngern. Die Menschen dürfen sich nicht über die Dunkelheit und Ungöttlichkeit der Erdenwelt beklagen; denn es liegt an ihnen selber, daß es finster ist: weil sie nicht leuchten. Der Mensch ist das Eingangstor Gottes in die Erdenwelt.

Unter dem Loben und Preisen stellt man sich gemeinhin etwas viel zu Allgemeines, Verwaschenes, Unverbindliches vor. Das ist die Folge einer bedauerlichen Inflation, die die großen Worte des religiösen Lebens entwertet hat. Gott loben – das heißt: ihn zur Erscheinung, zur Offenbarung bringen, seine göttliche Gegenwart so »verdichten«, daß sie auf Erden wieder spürbar wird.

Der 51. Psalm deutet darauf hin, daß der Lobpreis Gottes nicht eine so billige Angelegenheit ist. Sonst würde nicht das Gebet dastehen, Gott selber möge unsere Lippen zu seinem Lob öffnen. Mit unserem Mund-Auftun zu erbaulichen Worten ist es nicht getan. Wenn unsere Wesens-Äußerungen, von denen ja die Worte nur ein Teil sind, Gott preisen sollen, dann muß uns die höhere Welt selber dazu erwürdigen und uns ihren Segen dazu geben.

Wir verstehen jetzt, warum in diesem Zusammenhang noch einmal auf die »Blutschuld« zurückgegriffen wird. Im Urtext steht der Plural von Blut – »errette mich aus den schuldvollen Bluts-Zusammenhängen!« Man muß das nicht nur auf eine direkte Blutschuld, etwa auf den Mord des Uria durch David, einengen. Der Mensch fühlt sich in einem großen verhängnisvollen Zusammenhang schuldvoller Blutskräfte darin. Er fühlt die Erbsünde im Blut der ganzen Menschheit darin. »Enthebe mich den schuldvollen Blutesmächten.« Diesen in der deutschen Sprache unmöglichen Plural von Blut finden wir auch im Griechischen des Neuen Testamentes, wo im Johannesprolog von denen gesprochen wird, die »nicht aus dem Geblüt (haimata), nicht aus dem Willen des Fleisches, nicht aus dem Willen eines Mannes, sondern aus Gott geboren sind«. An die Stelle der sündigen Bluts-Gewalten tritt dann das Mysterium des Kelches, das Blut Christi. Erst wenn das Blut Christi in ihm eine Macht sein wird, wird der Mensch im vollen Umfange in den gottoffenbarenden Lobpreis der Engelreiche einstimmen können.

*Denn Du hast nicht Gefallen am Schlacht-Opfer,*
*ich wollte es Dir sonst wohl darbringen.*
*Auch das Brand-Opfer ist nicht das, was Du willst.*
*Die wahren Gottes-Opfer sind ein hingegebener Geist,*
*ein hingegebenes demütiges Herz wirst Du, Gott, nicht verschmähen.*

(V. 18–19)

187

Der blutige Opferkult des Tempels wird verinnerlicht. Der Psalm steht an der Schwelle einer Zeit, wo das Tieropfer nicht mehr kraft eines uralten magischen Weltzusammenhang-Gefühles innerlich miterlebt wurde. Die Innerlichkeit beginnt sich abzusondern. In alter Zeit konnte man sein äußerliches »Vermögen«, etwa ein Tier der Herde, nicht hinopfern, ohne daß zugleich das »entsprechende« Seelen-Vermögen, die in diesem Tier objektivierte Seelenkraft, zur Gottheit hinströmte. Dieses intime Verhältnis zum äußeren Besitz ging allmählich verloren, das Opfer mußte immer mehr verinnerlicht werden. Nun gilt es, die Seelen-»Vermögen« des Denkens, Fühlens und Wollens dem Göttlichen zur Verfügung zu stellen.

Der Psalm, der den alttestamentlichen Zeiten vorausgreifend die Innerlichkeit erlebt, ist der Periode der früher einmal vollberechtigten Tieropfer bereits entwachsen. An ihre Stelle tritt für ihn der »zerbrochene« Geist und das »zerbrochene, zerschlagene« Herz, wie es wörtlich heißt. »Zerbrochen« und »zerschlagen« sind Geist und Herz insofern, als die egoistisch-selbstische Verkrustung und Verschalung im Schmerz des Sünden-Erlebnisses und in der Inbrunst der Hingabe an das Göttliche gesprengt werden. Die vom Sündenfall geprägte Selbstheit will sich immer im eigenen engen Umkreis abschließen. Diese Abschließung muß immer wieder »aufgebrochen« werden, damit wir uns nicht im niederen Selbst abkapseln und das uns zugedachte wahre höhere Ich damit ausschließen.

*Erweise Deinen Güte-Willen an Zion! Baue die Mauern Jerusalems!*
*Dann wirst Du Wohlgefallen haben an gerechten Opfern,*
*an Brand- und Ganz-Opfern.*
*Dann wird man Farren darbringen auf Deinen Altären.*

(V. 20–21)

Nach der vorhin ausgesprochenen Verinnerlichung des Opfer-Gedankens wirkt dieser Schluß befremdlich. Man hat darin

eine spätere Hinzufügung gesehen, die man dem Psalm beigegeben habe aus Besorgnis, er könne dem offiziellen Tempeldienst
gegenüber ketzerisch wirken; man habe die allzu kühne Innerlichkeit eines individualistischen religiösen Genius durch diese
orthodox-tempelfrommen Schlußsätze unschädlich machen
wollen. Das ist nicht ausgeschlossen. Mögen diese Schluß-Verse
sich auf welche Weise immer dazugefunden haben – sie sind
trotz des gewissen Widerspruches zum Vorangegangenen keine
Entstellung des Ganzen. Sie fügen, mögen sie nun vom Verfasser oder von fremder Hand herrühren, doch eine wichtige, sinnvolle Ergänzung hinzu. Diese Schluß-Verse bringen die Wahrheit zur Geltung, daß es sich bei den erschütternden Erlebnissen von Sünde und Gnade eben nicht nur um »Gott und die
Seele« handelt. Es liegt nach diesen innerlichen Vorgängen etwas wohltätig Ausgleichendes darin, daß am Schluß der Blick
auf die großen Welten-Ziele gelenkt wird. Die Stadt Jerusalem
ist in der Apokalypse des Johannes schon ganz Symbol geworden. Das »himmlische Jerusalem« ist die neue durchchristete
Erdenwelt. Schon im Alten Testament beginnt das, daß Jerusalem mehr ist als ein geographischer Name. Zion, Jerusalem –
das wird bereits in den Prophetenbüchern ein »Begriff«, es wird
der heilsgeschichtliche Inbegriff einer kommenden Welt der Erlösung und Vollendung. Das überschwebt auch die letzten Worte des großen Bußpsalms. Jede Sünde ist ein Beitrag zum Bau
»Babylons«, der Stadt des Abgrundes, die ohne das Göttliche
errichtet wird. Die Verwandlung des Sünders ist ein Beitrag
zum Bau der »heiligen Stadt«. – Das Einmünden des Bußpsalms in die Bitte, die heilige Stadt zu bauen, ist etwas Ähnliches wie der Übergang von der berechtigt subjektiven und individuellen Sphäre der Beichte in die objektive, über den Einzelnen und seine Probleme weit hinausgreifende überpersönliche
Sphäre der Altar-Handlung.

Und die im Schlußvers erwähnten Tempel-Opfer? Die Brand-

Opfer und Ganz-Opfer? Sie bringen die Wahrheit zu ihrem Rechte, daß das gottgefällige innerliche Offertorium des zerschlagenen Geistes und Herzens allein nicht ausreicht. Auch die frömmsten Regungen der besten Menschen könnten das Menschengeschlecht nicht aus der übergreifenden Verstrickung der Erbsünde lösen. Das konnte nur durch ein unvergleichliches Gottes-Opfer bewirkt werden, durch die Tat von Golgatha. Der Tempeldienst mit seinen blutigen Opfern war der Platzhalter für dieses einmalige Opfer, das dann auf den Altären der Christenheit weiterlebt. In der christlichen Altarhandlung kommt dann auch das verinnerlichte Opfer, die Hingabe des Geistes und des Herzens, zu seinem Recht. Aber dieses innerliche Opfer des Menschen ist nur die Vorbereitung dafür, daß in der Wandlung das Golgatha-Opfer, das gesamte Mysterium der Christus-Tat, aufleben kann. Da ist beides organisch miteinander verbunden, was im 51. Psalm scheinbar widerspruchslos nebeneinandersteht: die verinnerlichte Hingabe von Geist und Herz, das opfernde Zur-Verfügung-Stellen des inneren »Vermögens« – und das über alles Menschen-Mögliche hinausgehende große objektive Gottes-Opfer, die Erfüllung der alten »Brand- und Ganz-Opfer«.

# IM ANGESICHT DER EWIGKEIT

## PSALM 90

### I.

Der 90. Psalm, der den Namen des Moses trägt, hat eine besondere Wucht und Monumentalität.

*Ein Gebet des Moses, des Gottesmannes:*
*Herr, eine Zuflucht bist Du uns gewesen von Geschlecht zu Geschlecht.*
*Ehe denn die Berge geboren wurden und Erde und Welt gekreißt wurden,*
*und von Ewigkeit zu Ewigkeit BIST DU Gott.*

(V. 1–2)

So wie in der Genesis Moses der rückschauende Seher ist, so
blickt auch hier der Psalm in die Vergangenheit. Der Blick geht
an der Reihe der Geschlechter, der Generationen entlang. Lukas
führt in seinem Geschlechtsregister die Reihe der Väter bis zu
Adam zurück, »der war Gottes«. Auch hier wird das Göttliche
erreicht im Rück-Wandern durch die Zeiten.

Die hohen Berge sind die Repräsentanten der Ewigkeit auf Erden. Sie ragen hinaus über das zeitgebundene Werden und Vergehen, im Sommer und Winter sind sie von ewigem Schnee be-
deckt. Unverändert blicken sie herab auf die wandlungsreichen
Menschen-Schicksale, die sich in den Tälern abspielen.

Auch die Berge sind dem Vergehen unterworfen, aber dieses
Vergehen vollzieht sich so langsam und unmerklich, daß es uns
nicht sichtbar und erlebbar wird. So sind sie immerhin etwas
»relativ Ewiges« auf Erden. – Der Psalm weiß: auch diese ural-

191

ten Berge waren einmal jung, sie wurden einmal »geboren«. In Urzeiten war die Erde noch nicht so erstorben und verhärtet wie heute, wo das Leben nur noch in den einzelnen Lebewesen zu finden ist. Die Erde war einmal die lebendige Mutter all dieser Organismen. Alles Stoffliche war da noch viel feiner, es war unmittelbar von Lebendigkeit durchzogen. Ja, die Erde selber, die die Berge »geboren« hat, wurde ihrerseits geboren (»gekreißt«), sie löste sich einmal los aus dem Schoße schaffender Geisteswelten.

Die Zeitenspanne, die nach Generationen gemessen wird von Geschlecht zu Geschlecht, reicht nicht aus für solche Urwelt-Zeiten. Hier erscheint das Wort ôlām, entsprechend dem griechischen aion, dem lateinischen aevum, dem altdeutschen ewe. Ewe, das jetzt in dem etwas abstrakt gewordenen Wort »Ewigkeit« weiterlebt, ist ein Zeitenkreis. Gott lebt von ôlām zu ôlām, von Ewe zu Ewe, von Zeitenkreis zu Zeitenkreis. Ganz wörtlich sagt der Psalm: »und von ôlām zu ôlām – DU Gott«. Das heißt soviel wie: Bist Du. Nicht etwa »warest Du«. So wie der Christus nicht sagt: »Ehe denn Abraham wurde, war ich«, sondern »Bin Ich«. Ehe denn Abraham in das Werden eintrat – Ich Bin. Das ist zeitlos. Es ist allem zeitlichen Nacheinander, auch dem Früher-Sein, auch dem Vorher-Sein, enthoben. Es ist etwas grundsätzlich Überzeitliches. So ist es auch hier im Psalm gemeint: von Zeitenkreis zu Zeitenkreis – Du Bist.

Aus dieser Zeitlosigkeit kommen die Schicksalssprüche, die die Menschen sterben lassen.

> *Du lässest den Sterblichen zurückkehren zum Staub.*
> *Du sprichst: Kehret zurück, Söhne Adams.*
> *Denn tausend Jahre sind in Deinen Augen wie ein Tag,*
> *wie das Gestern, das vorüberging, und wie eine Nachtwache.*
>
> (V.3–4)

192

Der Psalm weiß, daß in den höheren Welten die Zeit etwas
anderes ist als auf Erden. Da gibt es kein »Verjähren«, da liegen
die Jahrtausende wie ein aufgeschlagenes Buch vor den Augen
Gottes. Der göttlichen Zeitlosigkeit gegenüber steht die Vergänglichkeit des menschlichen Erdendaseins, dargestellt in drei
Bildern. Sie gleicht dem Strom, der vorüberfließt, sie ist wie ver-
rinnendes Wasser nicht festzuhalten. Sie gleicht dem Schlaf;
denn es ist ja das menschliche Erdenbewußtsein im Vergleich
zum übersinnlichen Bewußtsein eine Umnachtung, ein Schlafen.
Sie gleicht der bald wieder verwelkenden Blume.

> *Du lässest sie dahinfahren wie einen Strom. Ein Schlaf sind sie.*
> *Wie ein Gras, das bald welk wird.*
> *Am Morgen voll Frische, wird es bald welk. Am Abend geschnitten,*
>     *verdorrt es.*

(V. 5–6)

Tiefe Resignation vor dem unausweichlichen Todesverhäng-
nis spricht aus diesen Versen.


## II.

Aber der Psalm gibt sich nicht nur der großen Traurigkeit hin. Er
stellt die Frage nach dem Warum dieses Verhängnisses, und er
getraut sich, darauf eine klare Antwort zu geben. So führt die
Betrachtung unserer Vergänglichkeit nicht zu einem ästhetisch
veredelten »Weltschmerz«, sondern wir werden vor eine den
Menschen zutiefst angehende Tatsache gestellt.

> *Denn Dein Zorn ist es, daß wir so dahin müssen,*
> *und Dein Grimm, daß wir so zunichte werden,*
> *Du stellst unsere Vergehungen vor Dich hin,*
> *unsere verborgene Sünde in das Licht Deines Angesichtes.*

(V. 7–8)

193

Wäre im Menschen nicht mehr enthalten als alles, das im Vergänglichen ein kurzes Dasein hat und dann wieder im All aufgeht
– dann würde er sich darüber keine Gedanken machen. Er würde
in der allgemeinen Vergänglichkeit selbstverständlich mitverge-
hen, fraglos und »ohne Rest«. Er spürt aber eben, daß er im
Grunde seines Wesens aus anderem Stoff gemacht ist als aus bloßer Vergänglichkeit. Er empfindet die Nichtigkeit seines Daseins
als etwas Un-Normales. Er fühlt sich aus seinem Eigenen heraus-
gesetzt und in eine ihm eigentlich fremde Daseinsweise verschla-
gen. Der Psalm beklagt nicht nur ein unbegreifliches Verhängnis
in dieser Tatsache, sondern er bekennt sich zu einer Deutung, die
den Menschen in die Verantwortlichkeit mit einbezieht: Es ist
eine Folge menschlicher Sünde. Wir sind der Vergänglichkeit
preisgegeben, weil wir uns vergangen haben. Unsere Missetaten
stehen »im Lichte des göttlichen Angesichtes«. In einer solchen
Wendung klingen alte Schau-Erlebnisse nach. Wir können von
dem heute noch erlebbaren Beispiel ausgehen, daß wir uns vor
dem uns anschauenden Antlitz eines verehrten Menschen unserer Fehler schämen. Das ist ein Vorgefühl von Erlebnissen, wie
sie uns nach dem Tode erwarten. Rudolf Steiner beschrieb gelegentlich den Unterschied des irdischen und des übersinnlichen
Bewußtseins in der Weise, daß er sagte: Auf Erden fühlen wir uns
immer als Anschauende. Wir gehen durch das Dasein und nehmen unsere Umgebung in Augenschein. Umgekehrt erleben wir
uns drüben vor allem als solche, die angeschaut werden. Wir
erleben, wie höhere Wesen auf uns reagieren. – Es liegt dem modernen Menschen nahe, daß er solch ein Wort wie »Angesicht
Gottes« schnell mit dem Gedanken abtut, das sei doch nur »Anthropomorphismus«, wo man in kindlich-naiver Weise menschliche Eigentümlichkeiten in das Göttliche projiziert. Man dichte
dem Gott ein Antlitz an, weil man den Menschen ein Antlitz
haben sieht. Das Umgekehrte ist richtig. Der Mensch ist ja seinerseits ein Bild Gottes. Was wir als sein Geistigstes erleben, sein

194

Angesicht, ist nur der Abglanz eines Ur-Erlebnisses in der höheren Welt. Was in Wahrheit ein »Angesicht« ist, wird am Göttlichen erfahren. Der Mensch ist erst auf dem Wege, ein »Angesicht« zu haben. Es wird also nicht etwas Menschliches in unzulässiger oder eben doch in ungenügender kindlich-unkritischer Art auf Gott übertragen, sondern das am Menschen Beobachtete ist seinerseits ein Abglanz, dessen Wirklichkeit den höheren Welten angehört. – »Das Licht Deines Angesichtes.« – Der Psalm weiß von der Lichtkraft und darum auch von der Richt-Gewalt des göttlichen Antlitzes. Als Inbegriff des Lichtes ist es zugleich Inbegriff des Gerichtes, ist es die Sonne, die »es an den Tag bringt«. Weil der Psalm dieses Angesicht kennt, kennt er auch die Sünde. Sünde ist ein religiöser Begriff. Ohne vom Göttlichen eine Ahnung zu haben, kann man nicht wissen, was Sünde ist.

In den Schauungen des Moses, in der Genesis, sind der Sündenfall und die Vertreibung aus dem Paradies in eine Sphäre des Vergänglich-Nichtigen mit enthalten. Warum mußte die Gottheit dem sündig gewordenen Menschen das Leibes-Dasein vergänglich machen? Der Erdenleib in seiner stofflichen Dichte ist so etwas wie eine Isolierzelle. Er befördert die Heranbildung eines selbständigen Ich-Bewußtseins. Dieses Ich-Bewußtsein, wie es zuerst auftritt, hat durch Luzifer den selbstisch-egoistischen Charakter erhalten. Der materielle Erdenleib ist die feste Burg dieses egoistischen Selbstes. Wäre nun diesem isolierenden, die Selbständigkeit fördernden Erdenleib nicht die Vergänglichkeit eingeimpft worden, dann hätte die Gefahr bestanden, daß der Mensch in seiner gottentfremdeten Selbstheit verewigt worden wäre.

Er wäre als Sündenfalls-Mensch ewig geworden und damit dem Göttlichen verlorengegangen. So war es eine weisheitsvolle Maßnahme der Vorsehung, daß der Mensch immer nur eine Zeitlang im Erdenleibe an der Eigenprägung seiner Persönlich-

195

keit tätig sein konnte und dann immer wieder durch den Tod für längere Dauer in die geistige Welt heimgeholt wurde, so daß er sich nicht völlig aus der Welt seines Ursprunges herauslebte. So wechseln für den Menschen irdische Existenzen, wo er zwischen Geburt und Tod seine Persönlichkeit aufbaut, wenn auch mit dem Einschlage des Sündenfalles – und Aufenthalte in der Welt seines Ursprunges. Durch den Christus soll in Zukunft dieser Einschlag des Sündenfalls überwunden, die auf Erden errungene Selbstheit geheiligt und zum wahren Ich hin erlöst werden, das seine freie Persönlichkeit in den Dienst des Göttlichen stellt. Dann werden sich irdisches und himmlisches Dasein des Menschen wieder verbinden können zu einheitlicher Seins-Weise. Aber damit sind wir schon im Bereich christlicher Apokalyptik. Im 90. Psalm kann das noch nicht mit dieser Deutlichkeit gesehen werden. Da steht im Vordergrund die Tatsache, daß unser Erdendasein vergänglich ist und dem Tode zueilt. Es wird erkannt, daß das mit dem Sündenfall zusammenhängt. Daß es eine Reaktion, eine Antwort-Maßnahme der Gottheit auf den Sündenfall ist. Für das alttestamentliche Erleben erfließt diese Antwort-Maßnahme aus dem »Zorn« Gottes. »Das ist Dein Zorn, daß wir so dahin müssen.«

Die Beimischung des luziferischen Elementes ist die Ursache dafür, daß der Mensch, so wie er auf Erden geworden ist, disharmonisch mit der göttlichen Welt zusammenstößt. Wenn sie ihn nach einem Erdenleben wieder heimholt, führt diese Heimholung zu schweren Krisen im nachtodlichen Leben. Der Verstorbene muß sein Heim-Kommen mit schmerzlichen Läuterungen bezahlen. Wenn er hinübergeht, merkt er, daß er mit seinen irdischen Errungenschaften nicht so ohne weiteres mehr »in den Himmel hineinpaßt«, daß er dort störend wirkt. Der schuldig gewordene Erdenmensch erlebt sich in seiner Unangemessenheit gegenüber der Welt seines Ursprunges. Er erlebt – den Zorn Gottes.

Vom Christentum aus dürfen wir heute sagen: gerade in dieser göttlichen Zornes-Reaktion, die den Menschen vergänglich macht, offenbart sich im Grunde die göttliche Liebe, die eben auf diese Weise den Menschen davor rettet, sich in seiner sündigen Entstelltheit zu verewigen; die ihn durch Katastrophen, durch Gerichte, Untergänge und Läuterungen hindurch immer wieder heimholt. Der Zorn ist die Form, welche die göttliche Liebe annehmen muß, wenn sie auf den sündigen Menschen auftrifft.

Der 90. Psalm sieht das Menschentum unter dem Zorn stehen. Damit ist aber zugleich eine Geschichte, eine Entwicklung erkannt. Denn der Zorn ist nicht ein Ursprüngliches. Er ist seinem Wesen nach ein Zweites. Er weist zurück auf eine Veränderung, die den vorangegangenen ursprünglichen ersten Zustand betroffen haben muß. Der Zorn kann ja nicht am Anfang gestanden haben. Am Anfang war die Liebe. Gott schuf den Menschen, und er segnete ihn. Der Sündenfall hat diesem Urstand ein Ende gemacht. Bleibt dieses Zweite das Endgültige und Letzte?

Doch kehren wir zu dem Text des Psalms zurück, der zunächst das Motiv der Vergänglichkeit weiterführt.

*Darum gehen alle unsere Tage dahin durch Deinen Zorn.*
*Wir bringen unsere Jahre hin wie einen Seufzer.*
*Unsere Lebensdauer ist siebzig Jahre, und wenn es hoch kommt, achtzig*
    *Jahre,*
*und ihr Stolz war Mühe und Nichtigkeit.*
*Denn es eilt rasch dahin, wir fliegen davon.*

(V. 9–10)

Luthers Übersetzung »und wenn es köstlich gewesen ist, so ist es Mühe und Arbeit gewesen« ist ebenso schön, wie sie philologisch unrichtig ist. Der Psalm meint: der ganze Stolz dieser wenigen Jahre, seine Erreichnisse, auf die sich der Mensch etwas zugute tut, es ist doch nichtig. Nur Plackerei und Unseligkeit.

*Wer erkennt die Gewalt Deines Zornes?*
*Und wer empfindet Scheu vor Deinem Grimm?*

(V. 11)

Der Psalmsänger fühlt sich mit seinen Einsichten und Erlebnissen einsam. Er ist sich bewußt, mit dieser Betrachtung über den im Hintergrund unserer Vergänglichkeit stehenden Zorn etwas ausgesprochen zu haben, was außerhalb des allgemeinen Horizontes liegt. Mancher mag eine Vorstellung vom »Zorn« haben, dogmatisch, abstrakt angelernt und übernommen. Der Psalmist aber spricht aus unmittelbarem erschütternden Erleben heraus. »Wer erkennt die Urgewalt dieses Deines Zornes?« – In Rudolf Steiners Buch »Ein Weg zur Selbst-Erkenntnis des Menschen«[11] findet sich eine Stelle, die uns dieses Zornes-Erlebnis konkret machen kann. Dort wird von den Erfahrungen an der Schwelle der geistigen Welt gesprochen: »... so wie die Seele nunmehr ist, so liegt vor ihr eine Aufgabe, die sie nicht bewältigen kann, weil sie so, wie sie ist, von der übersinnlichen Außenwelt nicht aufgenommen wird, weil diese sie nicht in sich haben will. So kommt die Seele dazu, sich im Gegensatze zur übersinnlichen Welt zu fühlen, sie muß sich sagen, du bist nicht so, wie du mit dieser Welt zusammenfließen kannst... Ein solches Erlebnis hat etwas Vernichtendes für das eigene Selbst.« Hier ist auf moderne Weise, ohne Seitenblick auf alte Texte das Erlebnis dargestellt, das im 90. Psalm »der Zorn Gottes« genannt wird.

*Unsere Tage zählen, das lehre uns,*
*damit ein weises Herz wir gewinnen.*

(V. 12)

Unsere Tage »zählen«, das heißt, nicht nur an den Tod denken, sondern überhaupt den dumpfen Traum unseres Daseins mit Bewußtsein durchsetzen, Rückschau und Erinnerung pflegen, sich klarmachen, an welcher Station man hält. Die Tage

198

zählen, das würde im Sinne der Anthroposophie auch bedeuten: die innere Qualität der verschiedenen Alters-Abschnitte zu empfinden und in den Dienst der Entwicklung zu stellen. Jeder Abschnitt, namentlich handelt es sich da um die Siebenjahr-Perioden, in dieser 70jährigen Lebensbahn hat seine besonderen geistigen Möglichkeiten. Nicht nur die Jugend hat ihre Einmaligkeiten und Unwiederbringlichkeiten. Jeder Lebensabschnitt hat, auch wenn es nicht so am Tage liegt, seine »Unmittelbarkeit zu Gott«. – »Damit wir ein weises Herz gewinnen.« Aus solchem verantwortungsvollen Umgehen mit den Jahren unseres Lebens soll Herzens-Weisheit heranreifen.

## III.

Anschließend an dieses Wort von der Weisheit des Herzens richtet sich nun der Blick des Psalms auf das kommende Heil.

> *Bewirke die Wende, o Herr. Wie lange noch?*
> *Und erbarme Dich über die, welche Dir dienen.*
> *Sättige uns am Morgen mit Deiner Gnade,*
> *und wir wollen frohlocken und uns freuen alle unsere Tage.*
> *Mache uns froh, nachdem Du uns so lange beugtest,*
> *nachdem wir so viele Jahre Böses sahen.*
>
> (V. 13–15)

Der Zorn kann nicht das letzte sein. Er ist ein Zweites, er ist die Metamorphose der Liebe in die Erscheinungsform hinein, die sie dem sündig gewordenen Menschen gegenüber annehmen muß. Nun geht die Erwartung auf ein Drittes: auf die Wiederherstellung der Harmonie zwischen Gott und Mensch, auf die Wiederherstellung der Liebe in ihrer Erscheinungsform als Liebe. Vom Menschen aus kann dieses Dritte nicht bewirkt werden. So schaut die hoffende Seele erwartungsvoll auf die Gottheit, daß sie durch etwas ganz Neues die Situation verändern möge. Indem sich der dritte Teil des Psalms dieser Heiles-Erwartung zukehrt, wird er »messianisch«, auch wenn nicht ausdrücklich vom Messias die Rede ist.

Der Bitte um die große Wende folgt der Seufzer »Wie lange noch?« Aber wie der ganze Psalm eine ruhevolle Getragenheit und männliche Gefaßtheit zeigt, so ist auch dieses »Wie lange noch?«, wo einmal das persönliche Gefühl an die Oberfläche tritt, kein wilder Aufschrei; es ist in gefaßter Geduld und in reifer Gelassenheit gesprochen. Dieses »Wie lange noch?« hat eine Parallele in dem Psalm »De Profundis« (130): »Meine Seele harret auf den Herrn, mehr als Wächter auf den Morgen.«

»Sättige uns am Morgen mit Deiner Gnade!« Immer wieder begegnet uns in den heiligen Schriften das Geheimnis der Morgenfrühe. Der Morgen ist die Stunde göttlicher Gnaden-Nähe. Wir empfinden es heute noch, wie der ganze Tag verdrießlich werden kann, wenn man ihn mit einem verschlafenen dumpfen Morgen eingeleitet hat. – In der Frühe, noch im Bereich des nächtlichen Geheimnisses, aber in den heraufleuchtenden Tag hinein vollzieht sich das Ereignis der Auferstehung Christi. Ostern ist ein Morgen-Geschehen. Nicht ohne göttliche Fügung kam es zustande, daß die grundlegende christliche Feier vom Abend auf die Morgenstunde überging. Dieser Morgen-Charakter des Christentums ist bedeutsam. Mit der Auferstehung beginnt ein neuer Welten-Tag. Ein neuer Aufgang ist gesetzt. Ostern ist, mit Novalis zu sprechen, »ein Weltverjüngungsfest«.

Wie der Mohammedaner beim Gebet die Richtung nach Mekka einnimmt, so nehmen die Gebete der Psalmen gewissermaßen die innere Richtung ein auf den bevorstehenden Aufgang der Christus-Sonne. – Im besonderen sei noch das Beispiel Psalm 5,4 herangezogen: »In der Frühe will ich es Dir zurichten und nach Dir spähen.« Das »Zurichten« bezieht sich auf das Herrichten des Opfers, ist aber zugleich der Ausdruck für eine innere Zubereitung, die den Frommen instand setzt, kraft der

Opferliturgie schauend zu werden. »In der Frühe will ich es Dir zubereiten und will ausspähen nach Dir.«

Diese Worte sind gerade innerhalb des Moses-Psalms so eindrucksvoll und ergreifend. Der Psalmsänger ist der alte Mann, der Gereifte und weise Gewordene. Die Verse 1–12 sind Altersweisheit. Aber in den letzten Versen wird an das Geheimnis der Verjüngung, der wendungbringenden Morgen-Gnade gerührt. Aus dem Reich der Wahrheit geht es hinüber zu einem Ahnen der Gnade. Lag bisher über dem Psalm die Schwere einer gefaßten, ernsten Trauer, so erblüht nun gerade aus diesem Ernst ein Vorgefühl echter Freude. Die Altersweisheit ist kristallisierter Schmerz. Das Vorgefühl der Erlösungsgnade ist Freude. »Frohlocken und freuen wollen wir uns alle unsere Tage.« Diese Freude soll so etwas wie eine Entschädigung sein für die vorangegangenen Leiden.

*Geschaut werden möge von Deinen Dienern Deine Tat.*
*Und Dein Offenbarungsglanz möge sichtbar werden ihren Söhnen.*

(V. 16)

Das ist im Grunde die Bitte um die Tat des Christus. Auch nachdem diese Tat nun der Geschichte angehört, hat die Psalm-Bitte ihre Gültigkeit deswegen nicht verloren; denn jetzt kommt es darauf an, daß dieses Werk immer klarer vor das verstehende Schauen der Menschen hintrete. Das Sichtbar-Werden des Hoheits-Glanzes vor »ihren Söhnen« weist in noch fernere Zukunft, auf das Schauen des Kommens Christi in der Glorie des Ätherlichtes.

*Und es walte die Huld des Herrn, unseres Gottes, über uns,*
*und bestätigen wolle er das Werk unserer Hände.*
*Ja, das Werk unserer Hände wolle er bestätigen.*

(V. 17)

Zum Schluß spricht der 90. Psalm vom Werk unserer Hände. Ist das nicht widerspruchsvoll nach der vorangegangenen Betrachtung unserer Vergänglichkeit? Wenn denn schon alles Irdische den Keim des Unterganges in sich trägt, ist dann nicht alle Regsamkeit, alles Wirken und Schaffen, alle Arbeits-Liebesmühe von Anfang an vertan? Hieß es vorhin nicht: »wie die Blume am Morgen blüht, am Abend verwelkt...«? Die merkwürdige Wandlung der Stimmung zum Positiven ist nur zu verstehen, wenn man die »große Wende« ernst nimmt. Zwar wird um ihr Eintreten erst noch gebetet. Aber es ist, als ob sich etwas von ihrem Wesen dem frommen Beter jetzt schon vorausnehmend mitgeteilt hätte. Über dem Schluß dieses Moses-Psalmes strahlt es wie österliches Morgen-Licht.

Durch die Auferstehung des Christus wird das Erdenwirken wieder sinnvoll. Die Morgen-Gnade ermächtigt den Menschen, Ewiges hineinzutragen in das Vergängliche. Mag das Äußerliche des Sinnenscheins dann auch dahinschwinden. Aber in der Welt des wahren Seins bleibt solches Erden-Tun bestehen. Das Materielle ist bei unserem Tun auf Erden nur eine Art »Vorwand«. Ein ganz einfaches Beispiel: Jemand reinigt einen Fußboden. Wie bald wird dieser Boden wieder schmutzig sein. Ist aber damit das Tun als sinnlos widerlegt? Keineswegs. Der äußere Effekt mag mehr oder weniger kurzlebig sein. Aber das Moralische daran bleibt als Wirklichkeit stehen und wird als positiver Beitrag der unsichtbaren Erde eingefügt: der Wille zur Sauberkeit; die Bereitschaft, zu dienen; die soziale Gesinnung, die sich nicht für zu gut hält, solche Arbeit zu tun – das bleibt.

Großartig ist die Unterstreichung dieser lebenbejahenden, alle guten Kräfte aufrufenden Wahrheit am Schluß des Psalms: »Ja, das Werk unserer Hände wolle er bestätigen.« Das hebräische Wort besagt nicht eigentlich »fördern« (Luther), es meint festmachen, bestätigen, gültig machen. Das würde in unserem

Fall eben heißen, daß die Erdentaten der Menschen im Lichte der Auferstehung ihre Ewigkeitsbedeutung erlangen, ihre Bestätigung durch göttliches »Ja und Amen«.

In diesem Zusammenhang kommt nun auch der Satz der Luther-Übersetzung zu seinem guten Recht, der zwar, wie wir sahen, an der betreffenden Stelle (V. 10) nicht richtig den Urtext wiedergibt: »und wenn es köstlich gewesen ist, so ist es Mühe und Arbeit gewesen«. Im Lichte des Psalm-Schlusses sind diese Worte richtig. –

Der 90. Psalm weiß um die Ewigkeit des Göttlichen und um das Verhängnis des Menschen. Aber er schaut prophetisch in die Welt eines kommenden Heiles hinein, das schon seine Strahlen voraussendet und das die Arbeit auf Erden sinnvoll macht.

# »MEINE ZEIT STEHT IN DEINEN HÄNDEN«

## PSALM 31

In dem 31. Psalm, dem das Sterbegebet des Christus: »In Deine Hände befehle ich meinen Geist«, entnommen ist, findet sich das Wort »Meine Zeit steht in Deinen Händen« (V. 16). Es kann besonders zur Seele sprechen, wann immer sich im Zeit-Erleben ein Einschnitt fühlbar macht.

Als Kind konnte man einen solchen Gedanken wie »meine Zeit« noch nicht in seiner Bedeutung erfassen. Das Kind sagt sich wohl an seinem Geburtstag: »Nun bin ich vier Jahre alt«, aber was es heißt, in der Zeitlichkeit darinstehen, das ist ihm noch nicht aufgegangen. Erst mit dem allmählichen Erwachen der Persönlichkeit wird das Rätsel empfunden, das darin liegt: Unsere Erinnerung wird nach der Kindheit zu immer dämmeriger und traumhafter. Sie verliert sich schließlich in völlige Schlafes-Finsternis hinein. Und was war vorher? Was war ein Jahr vor meiner Geburt? Wie fühlt sich eine Jahreszahl an, die vor meinem Erden-Anfang liegt?

Aus einem Minimum von Stofflichkeit hat sich unser Erdenleib entwickelt in sein heutiges räumliches Dasein hinein. Aber das, was man »Inkarnation«, Fleischwerdung, nennt, war nicht nur der Eintritt ins Räumliche, sondern auch in die Zeitlichkeit, aus einer anderen Welt herkommend, die als »Ewigkeit« oberhalb alles Zeitlichen liegt und als solche einer ganz anderen Seins-Ebene angehört. Geheimnisvolle Schöpfermächte haben aus einer über alle Begriffe gehenden Weisheit heraus das Wunderwerk eines Menschenleibes entstehen lassen und unserem langsam zu sich kommenden Ich zur Verfügung gestellt; ebenso haben sie uns unsere Zeitlichkeit gegeben. Der 139. Psalm bringt in klassischer Weise das fromme Erstaunen über die Leibes-Schöpfung zum Ausdruck: »Ich danke Dir dafür, daß ich wunderbarlich gemacht bin« – wörtlich: daß ich »auf eine furchtbar erschütternde Weise« als ein Werdens-Wunder entstanden bin (139,14). »Meine Seele erkennt das gar sehr.« Unmittelbar an das Hinschauen auf den Eintritt ins Räumliche schließt sich an der Blick auf den Eingang in eine uns von den höchsten Mächten zugewiesene Zeitlichkeit. Es wird das geheimnisvolle Werden in der Verborgenheit des Mutterleibes mit den Worten ausgesprochen: »Deine Augen sahen mein noch Ungestaltetes« – im Hebräischen: »meinen Golem«. Darauf folgt im gleichen Vers der ahnende Blick auf die dem Menschen zugedachte, den ins Räumliche sich hineinbildenden »Golem« nah überschwebende Zeitlichkeits-Zumessung: »und waren alle Tage in Dein Buch geschrieben, die nah gebildet werden sollten, als noch keiner von ihnen da war« (139,16). Diese mitgegebene Zeit ist gleichsam ein Wesen für sich, sie erscheint im Bilde eines Zeit-Buches, enthaltend alle die Tage, die einmal die »unsrigen« sein werden. Je nachdem ist solch ein Lebensbuch schmaler oder umfangreicher, es ist auf eine bestimmte Seitenzahl hin angelegt, aus einer Weisheit heraus, die alles Menschendenken übersteigt. Der Apokalyptiker Johannes sieht in der Schau des Jüngsten Gerichtes, wie dereinst alle diese einzelnen individuellen »Bücher« zu einer abschließenden Beurteilung aufgeschlagen werden.

Ein Mensch, dem ein ausgesprochenes Gefühl für diese aus göttlicher Weisheit uns zugemessene Zeitspanne eignete, war beispielsweise der große Abraham Lincoln. Kurz vor seiner Ermordung hatte er einen diesbezüglichen prophetischen Wahrtraum[12], der ihm auch als ein solcher bewußt war. Mit tiefem Ernst richtete er sich innerlich auf ein baldiges Lebens-Ende ein, mit der Einstellung, daß Gott den Traum auswirken werde »in His own good time«. Diese präzise Formulierung will sich gar nicht so recht übersetzen lassen – Gott wird den Tod eintreten lassen zu Seiner, dem Gott ureigenen, von Ihm als gut und richtig erkannten Zeit. »In His own good time«. Dieses fromme Annehmen des Schicksals ist eine eindrucksvolle Illustration des alten Psalmwortes: »Meine Zeit steht in Deinen Händen.«

*

Die Bild-Schau des »Buches, in dem schon alle Tage geschrieben stehen«, ehe noch ein einziger von ihnen sich verwirklicht hat, dieses Gewahrwerden eines göttlich bemessenen Zeit-Organismus, der bereits den embryonalen »Golem« des Ungeborenen ahnungsvoll überschwebt – soll das eine »fatalistische« Einstellung zur Folge haben? Der »Fatalismus« ist davon durchdrungen, daß alles bis ins letzte vorbestimmt ist und daß unsererseits nichts anderes als nur Ergebung in das Schicksal in Frage kommen kann. Da stellt man sich gewissermaßen jenes Buch so vor, daß alle seine Seiten von oben bis unten dicht beschrieben sind und da kein weiterer Platz gelassen ist. –

Rainer Maria Rilke hat ein ganz bestimmtes religiöses Erlebnis, das man an der Natur haben kann, in seinem »Stundenbuch« einmal so ausgesprochen: »Es ist ein großes Wunder in der Welt: ich fühle: *alles Leben wird gelebt.*« Die Frage erhebt sich: »Wer lebt es denn?« Und es wird deutlich, daß weder die »Dinge«, weder Winde noch Gewässer, weder Pflanzen noch Tiere die Antwort auf diese Frage sein können. Der Dichter steigt von den unbelebten Dingen bis zu den beseelten Tieren auf – »sind das die warmen Tiere, welche gehn, / sind das die Vögel, die sich fremd erheben?« Bei allen diesen Wesen spürt er, daß sie von woandersher »gelebt werden« und nicht in eigener Regie ihr Dasein führen, sondern auf höhere Ebenen verweisen, wo das eigentliche »Subjekt«, der bewußte Träger ihrer Existenz wohnt.

206

Noch einmal wird nach dem Aufstieg bis zu den Tieren die Frage laut: »Wer lebt es denn?« Und in Frageform dämmert die Ahnung auf: »Lebst du es, Gott – das Leben?« Das ist gewiß eine tiefe Wahrheit im Blick auf die Natur. Aber wird nicht etwas Nächstliegendes hierbei übersehen, steht nicht zwischen Tier und Gott – der *Mensch?* Einerseits gehört er sicherlich auch der Natur an. Was sich da geheimnisreich-weisheitsvoll in den Vorgängen seiner Leiblichkeit tut, davon hat der Mensch in dem Oberstübchen seines Bewußtseins nicht die leiseste Ahnung. Das tut sich ohne ihn. Das könnte sich aber so nicht tun, wenn nicht höhere Geistesmächte von ihren Geistes-Orten, von ihren höheren Ebenen aus göttlich bewußt in diesen Vorgängen lebten. Weiterhin sind da Gegebenheiten des Schicksals, in die sich der Mensch hineingestellt findet, die Führungen und Fügungen, die uns ohne unser Zutun zuteil werden. – Aber das ist doch nicht das Ganze. Neben all dem, was uns auf diese Weise zukommt und zufällt, gibt es auch den Bereich unseres eigenen bewußten personhaften Handelns. Da arbeitet sich der innerste Ich-Kern allmählich an die Oberfläche und erlebt Freiheit und Verantwortung. Wir wissen es zutiefst, daß wir gemachte Fehler nicht einfach auf unsere ererbten naturhaften Gegebenheiten abschieben können. Mögen diese eine noch so große Rolle spielen – schließlich »sind wir selber auch noch da«. Wir könnten das nicht gelten lassen, daß wir, wie alles andere in der Natur, nur »gelebt werden«. Gerade auch das, was wir falsch machen, verwehrt uns den Gedanken, daß all unser Menschen-Sein »von Gott gelebt« wird. Gott hat uns offenbar einen Bereich zugebilligt, wo wir im Guten wie im Fehlerhaften verantwortlich ein Unsriges tun dürfen.

Noch einmal die Frage, wie jenes »Buch«, das unsere künftigen Tage enthält, vorzustellen sei. Jede Seite von oben bis unten bereits dicht vor-geschrieben? Das wäre mit der Tatsache unserer Freiheit nicht vereinbar. Oder ist es vielleicht ein Blanko-Buch, mit ganz weißen, völlig unbeschriebenen Seiten, allein nur unserer Eintragungen gewärtig? Auch dieses wohl nicht. Zu stark verspüren wir das Vorgegebene in unserem Schicksal, die geheime Figur in den uns betreffenden Fügungen, das noch so anfänglich Unvollkommene unseres Freiheits-Strebens. Jenes Buch also ist weder von vornherein eng vollgeschrieben, noch ist es gänzlich weiß gelassen. Es ist sozusagen nur zu einem Teil göttlich vor-geschrieben, aber es ist immer auch der Platz für unsere Eintragung freigelassen. Gott hat uns die Möglichkeit eingeräumt, seine »Mitarbeiter« zu werden.

Das Psalm-Wort »Meine Zeit steht in Deinen Händen« gewinnt dann noch einen anderen Klang. Für alles das, was im Buch der kommenden Tage göttlich vor-eingeschrieben ist, bleibt das fromme Erlebnis der Ergebung bestehen. Aber obwohl diese Zeit in Gottes Händen ist, darf sie »meine« Zeit genannt werden. Im hebräischen Urtext heißt es »meine Zeiten«. Das ist noch nicht so abstrakt gedanklich empfunden, wie wenn der intellektuelle Mensch über den Begriff der Zeit philosophiert. Die »Zeit« ist in ihrer konkreten Lebendigkeit gegliedert. In der Biographie des Menschen verdichtet sich das Zeit-Erleben immer wieder zu besonderen Höhepunkten, spitzt sich zu schicksalentscheidenden besonderen Stunden und Augenblicken zu. Das hat der Psalm im Auge. – Die mir zugewiesene Lebensspanne mit ihren besonderen Momenten ist »meine« Zeit, mir zur Verwaltung anvertraut, jeder Tag, jede Stunde unsäglich kostbar. Das Psalmwort darf dann auch umgekehrt werden: »*Deine* Zeit steht in meinen Händen.« Solches Empfinden, das uns mit heißem Erschrecken unsere Verantwortlichkeit im Umgang mit dem großen Geschenk bewußt macht, ist nicht weniger demütig-fromm als die Ergebenheit, die das göttlich Vorgeschriebene annimmt.

\*

»Deine Zeit in meinen Händen« – je mehr wir damit Ernst machen, wird uns klar, wie jegliches »Zeit-Totschlagen«, wie jegliche Zeit-Ausfüllung mit Ungutem ein Mißachten der Gottheit ist, die uns unsere Zeit zur Verfügung übereignet und in einer Art von Opferhandlung von sich selbst losgelöst hat. Umgekehrt wird deutlich, daß wir durch rechten Gebrauch, durch rechte Erfüllung dieses göttliche Opfer verstehen, ja es beantworten können. Allerdings ist unser Alltagsmensch dazu nicht imstande. Aber es ist der Christus zu uns gekommen, der Gott in Sohnesgestalt, den wir in Freiheit in das eigene Ich aufnehmen dürfen und der dadurch uns zu einer wahren »Zeit-Erfüllung« verhilft. In dem Maße wie solches geschieht, wird unser in Freiheit gelebtes Menschenleben den höheren Mächten »annehmbar«. Statt die uns übereignete Zeit totzuschlagen oder zu mißbrauchen, können wir sie den Mächten unseres Ursprungs als Opfergabe darbringen. Wie denn alles Opfern des Menschen im Grunde darin besteht, daß der Gottheit ihr entfremdet gewesenes Eigentum auf neue Weise zurückgebracht wird. Eine Menschen-Lebens-Zeit, die von Christus erfüllt ist, kann von den höheren Mächten als eine Bereicherung den Himmelswelten einverwoben werden, so wie die Apokalypse nicht nur auf eine »neue Erde«, sondern sogar auch auf einen »neuen Himmel« vorausschaut.

So kehren wir auf dem Wege durch das Erlebnis »Deine Zeit in meinen Händen« auf neue Weise noch einmal zu der ursprünglichen Formulierung zurück: »Meine Zeit in Deinen Händen«, nunmehr im Sinne der Darbringung, der Heimbringung recht erfüllter Zeit an die ewigen Ursprungsmächte.

Diese Rückkehr zum Ausgangspunkt – »meine Zeit in Deinen Händen« – läßt nun auch wiederum jene erste Erlebnis-Stufe, die Ergebung in den höheren Willen, in einem neuen Licht erscheinen. Der alttestamentliche Fromme in vorchristlicher Weltenzeit fühlte sich bei solcher Ergebung getragen durch das Gotteswort: »Meine Gedanken sind nicht eure Gedanken, und eure Wege sind nicht meine Wege... soviel der Himmel höher ist als die Erde, so sind auch meine Wege höher als eure Wege und meine Gedanken als eure Gedanken« (Jesaja 55,8.9). Im Erscheinen des Christus auf Erden haben sich göttliche und menschliche Wege zusammengefunden, wurde die Distanz zwischen Himmel und Erde überbrückt. Dadurch haben sich neue Horizonte für menschliche Zukunftsmöglichkeiten aufgetan. »Ich sage hinfort nicht, daß ihr Knechte seid; denn ein Knecht weiß nicht, was sein Herr tut. Euch aber habe ich gesagt, daß ihr Freunde seid; denn alles, was ich von meinem Vater gehört habe, das habe ich euch zu erkennen gegeben« (Joh. 15,15). So spricht Christus in den vom Johannes-Evangelium festgehaltenen Abschiedsreden, in denen er auch den »Tröster«, den Heiligen Geist, als Bewußtseinserweiterer verheißt, der »in alle Wahrheit geleiten wird«. Das besagt doch, daß in der christlichen Zukunft mehr und mehr »Meine Gedanken« in »euren Gedanken« aufleuchten werden. Das Grunderlebnis der frommen Ergebung bleibt bestehen, aber die Ergebung hellt sich auf, durchlichtet sich mit innerstem ehrfürchtigen Verstehen-Dürfen. Durch den Christus wird im Menschen ein höheres Ich allmählich aufgeweckt, das sich daran erinnert, wie es vor Antritt des Erdenweges im Verein mit den weisheitsvollen Schicksalsmächten selbst mit an den Gegebenheiten des bevorstehenden Erdendaseins gewoben hat. Es wird dann während dieses Erdendaseins in den Schicksalsfügungen und Schicksalsschlägen nicht etwas völlig »Fremdes« empfinden, das uns »von außen« trifft, sondern etwas uns wahrhaft Zu-Kommendes und im Grunde tief Zugehöriges. Aus der Ergebung mit geschlossenen Augen darf dann allmählich eine nicht weniger fromme sehende Ergebung werden. Wir entdecken dann, daß unser höheres Ich bei jenem Vor-Schreiben in das Buch der kommenden Tage mit dabei war. Und andererseits ist an den Einträgen, die wir selbst auf den weiß gelassenen Stellen des Buches von uns aus machen, die Gottheit mitbeteiligt in Gestalt des uns innewohnenden Christus, den wir in unsere Freiheit hinein aufgenommen haben.

# IM EXIL

Die beiden Psalmen 42 und 43 gehören zusammen. Sie bilden miteinander ein Ganzes, wie sich auch aus dem Kehr-Vers 42, 6. 12 sowie 43, 5 ergibt. Historisch betrachtet ist es der Psalm eines Priesters, der anscheinend aus Jerusalem verbannt ist und in der Gegend der Jordanquellen im Exil lebt. Er gibt seiner Sehnsucht nach dem Tempelkult in Jerusalem Ausdruck. Aber der Psalm spricht Wahrheiten aus, die weit über diese besondere Situation eines längst vergangenen Schicksals hinaus gültig sind.

Die erste Strophe

*Wie der Hirsch lechzt nach frischem Wasser,*
*so lechzt meine Seele, Gott, nach Dir.*
*Es dürstet meine Seele nach Gott, nach dem lebendigen Gott.*
*Wann werde ich dahin kommen, daß ich Gottes Angesicht schaue?*
*Meine Tränen sind mein Brot Tag und Nacht,*
*weil man täglich zu mir sagt: Wo ist nun Dein Gott?*
*Daran will ich mich erinnern und will meine Seele hineingießen in diese*
    *Erinnerung,*
*wie ich einherwallte in der Schar der Edlen zu Gottes Hause,*
*unter dem lauten Festesjubel der feiernden Menge.*
*Warum bist du so gebeugt, meine Seele, und bist unruhig in mir?*
*Harre auf Gott; denn noch werde ich ihm danken, daß er die Hilfe meines*
    *Angesichtes und mein Gott ist.*

(V. 42, 2–6)

Die Eingangsworte sind berühmt. Nur daß man genau genommen nicht vom »Schreien« sprechen kann, sondern vom »Lechzen«. Es ist das Bild des Hirsches, der in dörrender Sonnenglut in dem ausgetrockneten Bach vergeblich nach Wasser sucht. Die elementare, urwüchsige Kraft dieses Bildes hat man oft empfunden.

Beim Tier stellen sich uns die seelischen Erlebnisse der Begehrungen, Freuden und Schmerzen in ungebrochener Kraft dar. Das Tier geht völlig auf in seinen seelischen Regungen, kostet sie aus bis an den Rand. Beim Menschen hat die Entwicklung des Intellektes die Blässe des Gedankens über die urwüchsig kraftvollen Farben dieser Gefühle gebreitet und sie abgelähmt. Der Schrei eines Tieres kann uns »durch und durch gehen«. Da erlebt man erst, was ein Affekt sein kann. Menschliche Seelenregungen wirken solchen elementaren Ausbrüchen gegenüber zahm und unbedeutend.

In vergangenen Zeiten war das noch anders. Wenn die Ilias den furchtbaren Zorn des Achilles im Bilde einer um sich greifenden Waldbrand-Katastrophe schildert, so ahnen wir etwas von der Kraft menschlicher Seelenregungen in der Vorzeit. – Der Mensch ist nicht dazu verurteilt, auf die Dauer seine Bewußtseinshelle mit Seelen-Verkümmerung zu bezahlen. Das ist nur ein Durchgang. Der Abweg tut sich auf, durch Dämonisierung und Animalisierung dem Seelenleben wieder zu saftvoller Farbigkeit aufhelfen zu wollen. Dem steht die heilvolle Zukunftsmöglichkeit gegenüber, daß dem Menschen, in dem Maße wie er den geistigen Welten erkennend und erlebend zurückgegeben werden wird, neue machtvolle Gefühlswelten zuwachsen. Nur leben diese dann nicht mehr in der leibgefesselten Dumpfheit des Tieres, sondern im Einklang mit dem schauenden Bewußtsein, im Mitschwingen der Seele mit dem, was der Geist erkennt. Nur in der Form des Intellektes ist der Geist »der Widersacher der Seele«. – Die Apokalypse schildert uns tiergestaltige Cherubim, die vor dem göttlichen Thron den großen Lobpreis darbringen. In dem bildlichen Anklang an das, was wir auf Erden als »Tier« kennen, offenbart sich dem Apokalyptiker die Mächtigkeit des Gefühles, nur hier nicht unter-menschlich, sondern übermenschlich. Diese himmlischen »Tier«-Gestalten sind mit Augen besät, über und über. Da es Himmelswesen sind, ist das wohl eine Imagination von Sternen-Augen. Da ist nicht die dumpfe Blindheit des ausweglos sich verrennenden und verfangenden Triebes, sondern höchste Augenhaftigkeit. Da ist die elementare Gewalt der Leidenschaft vergeistigt, das heißt aber nicht abgeschwächt, sondern: in all ihrer Kraft dem Geiste dienstbar geworden.

Der Schrei des Tieres ist dem Menschen einerseits Erinnerung an verlorene Seelenmächtigkeit; andererseits Weissagung, daß die Menschen-Seele wieder einmal die Schwingen großer, dem Geiste gehörender Gefühle regen wird.

So erkennt der religiöse Mensch in dem Lechzen des Hirsches sein eignes Sehnen wieder. Der »Durst« ist ja einer der gewaltigsten Affekte. In klassischer Weise dient er als Gleichnis menschlichen Begehrens überhaupt in der Bildsprache des Buddhismus. Buddha sah im »Durst« die in unterbewußten Wesenstiefen brennende Sehnsucht nach Leben und Dasein, die uns immer wieder in die körperliche Existenz und damit immer wieder – in das Leiden führt. Um diesem Leiden ein Ende zu machen, sah er keinen anderen Weg, als meditativ in jene unterbewußten Seelenschichten vorzudringen und hier den Drang zum Dasein an seiner Wurzel zu vernichten. – Erst seit Christus ist es erkennbar, daß das irdische Dasein trotz des Leidens nicht nur als negativ angesehen werden darf. Wir dürfen seitdem in dem Wege zur Erdengeburt keinen Irrweg mehr sehen. Der in den Wesenstiefen brennende Durst, der zum Erdendasein führt, hat recht – nur muß er sich im Menschen selber richtig verstehen. Der Mensch muß erkennen, worauf dieser »Durst«, diese Daseins-Sehnsucht letzten Endes hinaus will; er darf sich nicht mit vorläufigen und oberflächlichen Stillungen zufriedengeben. Dieser Daseins-Durst, der uns mit der Weisheit eines tiefen Instinktes in unser Erdenleben führt, ist letztlich Sehnsucht des Menschen nach seiner Selbstverwirklichung, Sehnsucht, seine Bestimmung zu ergreifen und Träger des Ich-Bin zu werden. Damit ist diese Sehnsucht zugleich das Sehnen nach dem Gott des Ich-Bin, der uns zu unserer Selbstverwirklichung erfüllen wird, als in uns schaffendes Urbild wahrer Ichheit. Der »Durst« sucht letzten Endes den Christus. Der »Durst« führt uns ins Erden-Sein, weil wir nur auf Erden den Christus in seinem Todes- und Auferstehungs-Mysterium wirklich finden können, ohne ihn wäre das Erdendasein und damit auch der Durst nach ihm sinnlos.

Hermann Beckh, der tiefe Kenner des Buddhismus, hat darauf hingewiesen, daß im Johannes-Evangelium das Motiv des »Durstes« wieder erscheint, nunmehr im christlichen Verständnis. Diese johanneischen Worte vom Durst nehmen über die Jahrhunderte hin Buddhas Erleben wieder auf und führen es nun weiter. Der Gekreuzigte nimmt mit dem Wort »mich dürstet« gleichsam die ganze Schmerzens-Summe menschlichen Sehnens in seine göttliche Seele hinein, um sich ganz mit der Menschheit zu identifizieren. Dadurch aber kann er dem Menschen die Verheißung geben: »Wer an mich glaubt, den wird nimmermehr dürsten« (Joh. 6, 35; auch Joh. 4, 14 und 7, 37).

Wir kehren zu unserem Psalm zurück, von dem wir uns scheinbar recht weit weg verloren haben. Aber um ihn wirklich zu »sehen«, muß man ihn einmal in diese großen Zusammenhänge hineinstellen.

»Meine Seele dürstet nach Gott, nach dem lebendigen Gott.« Hier ist dem Ur-Affekt des Durstes sein wahres Begehren zu Bewußtsein gekommen. – Der »lebendige Gott« ist leider sehr weitgehend zu einer billigen erbaulichen Redewendung geworden. Der »lebendige« Gott ist der unmittelbar spontan handelnde

Gott, nicht nur der im Gesetz, in der unpersönlichen Notwendigkeit seiner Ordnungen wirksame. – Nach der Vollendung der
Schöpfung breitete sich die Ruhe des großen Sabbat aus: Gott
hatte aufgehört zu schaffen. Die Schöpfung geht nun gewissermaßen in ihren Gleisen weiter. Wo aber ist hinter der Welt, die
allmählich mehr Vorhang als Offenbarung wurde, der spontan
wirkende Gott, der einmal sprach »es werde Licht!«?

Der Christus endigt den großen Sabbat. In Ihm vollzieht sich
der Wiederaufbruch der ursprünglichen Schöpfungsgewalten.
Die Welt hat sich vom Schöpfer bis zu einem gewissen Grade
gelöst und ist »Werk« geworden. Das ursprünglich wesenhafte
Göttliche erscheint im »Ich Bin« des Christus. Der das »Ich
Bin« spricht, ist der »lebendige Gott«.

»Wann werde ich dazu kommen, Gottes Angesicht zu schau-
en?« Zu diesem Schauen führt ein langer Entwicklungsweg. Einmal sollen wir der Gottheit gegenüberstehen von Ich zu Ich, von
Geistpersönlichkeit zu Geistpersönlichkeit. Wie Paulus sagt:
»Dann aber von Angesicht zu Angesicht.«

Einstweilen muß der Strebende den Hohn ertragen, indem die
Widersacher ihn fragen: »Wo ist nun dein Gott?« – Die Gottes-
beziehung des zur Freiheit berufenen Menschen soll einmal der
Belastungsprobe ausgesetzt werden, daß sie ohne äußere Bekräf-
tigungen und Bestätigungen rein innerlich durchgetragen wird.
Der Hohn der Widersacher, die nur die äußere Welt vor Augen
haben und durch deren Betrachtung zu dem Schlusse kommen,
daß kein Gott sei – das ist etwas, das in der Geschichte notwendigerweise auftreten muß. Es ist eine Station auf dem Kreuzweg
des um unserer Freiheit willen ohnmächtigen Gottes. Der Athe-
ismus ist keine zufällige Entgleisung des menschlichen Geistes,
kein Produkt besonderer Bosheit, sondern etwas, das einmal
kommen mußte, das eine Zeitlang in der Menschheit zugelasse-
nerweise wirksam sein muß. Das Leiden des Psalmisten ist nicht
nur sein zufälliges persönliches Unglück, sondern ein Teil der

großen göttlich-menschlichen Passion. Eben der Durchgang durch die Bitternisse, die mit dem Kreuzes-Mysterium des »ohnmächtigen Gottes« zusammenhängen, ist nötig, damit wir »einmal dahin kommen, Gottes Angesicht zu schauen«.

In diesem Zustand der Verlassenheit tauchen Erinnerungen auf – »ich besaß es doch einmal«. Der Psalmsänger spricht da von seinen Erinnerungen an den Tempeldienst zu Jerusalem, an feierliche Begehungen im Heiligtum, die ihm damals ein Bewußtsein der Gottheit vermittelten. Das kann uns ein Symbol werden für etwas Weitergreifendes, Allgemeingültiges. Die Religion überhaupt lebt in der Menschheit bisher von solchem Erinnern an eine vergangene Gottes-Nähe. »Daß man doch zu seiner Qual nimmer es vergißt« – mit dem Vergessen hat der Mensch eine Qual weniger, aber auch einen Reichtum weniger. »So habt wenigstens Sehnsucht nach einer Sehnsucht« – damit wollte der Mystiker diese schon fast verklingende Erinnerung an Verlorenes wieder zum Leben rufen, damit der Mensch nicht völlig seines Ursprungs vergesse. – So kann uns das Erinnern des Psalmisten der Ausdruck werden für das Erinnern an ein verlorenes Paradies überhaupt. In der Apokalypse heißt es: »Erinnere dich, aus welchen Höhen du gefallen bist. Stärke das, was noch übrig ist, was schon im Sterben liegt.« – Der Dichter unseres Psalms »gießt seine Seele aus« in die Erinnerung. Er versammelt all seine Seelen-Energien in diesem Erinnern und macht es dadurch zu einer wirksamen Meditation.

Wir müssen uns erst wieder eine richtige »Technik der Erinnerung« aneignen. Wir alle werden im Laufe unseres Lebens sehr viel mehr Eindrücke von einer höheren Wirklichkeit gehabt haben, als es uns heute vielleicht scheinen möchte. Wir gehen mit unseren Erlebnissen zumeist wie gedankenlose Verschwender um. Wir könnten mehr davon haben, daß uns dies oder jenes doch einmal widerfahren ist. »Daran will ich gedenken und meine Seele hineingießen in die Erinnerung.« –

Die erste Strophe des Psalms endet mit dem Vers, der dann nach der zweiten und dritten Strophe wiederkehren wird: »Was bist du so gebeugt, meine Seele, und bist unruhig in mir?« – Wenn man ein geistig-religiöses Leben pflegt, dann geht man nicht mehr so ganz selbstverständlich in seinen Leiden und Schmerzen auf. Man teilt sich sozusagen in einen Menschen, der leidet, und in einen anderen, der daneben steht. Dieser andere, der außerhalb steht, ist wohl oft noch sehr kraftlos; manchmal steht er vielleicht, wenn man so sagen darf, »händeringend« der eigenen Seele gegenüber, wenn sie sich seinem Zusprechen entzieht. Aber der Versuch, »außerhalb seiner selbst« Posten zu fassen und von diesem Standpunkt einer objektiven Betrachtung aus die eigene Seele zur Ordnung zu rufen, muß doch immer von neuem aufgenommen werden.

So stellt sich auch der Psalmsänger seiner eignen Seele gegenüber, die ganz in Trauer versunken ist und zur inneren Ruhe und Gelassenheit nicht hinfindet. Er spricht ihr den Trost zu: »Harre auf Gott!« Es zeugt für eine realistische Beobachtung des inneren Lebens, wenn der Psalm merken läßt, daß es mit dem einmaligen Vor-Augen-Stellen des Trostes nicht getan ist. Dreimal wiederholt sich der Zuspruch nach jeder Strophe. So rasch ist die Seele nicht aus ihrer Unruhe und Traurigkeit befreit; denn zu Beginn der zweiten Strophe wird eben dieses Wort vom »Gebeugt-Sein« der Seele wieder aufgegriffen: »gebeugt ist meine Seele«. Als ob der Zuspruch nicht gewesen wäre. Aber die Wiederholung ist das Geheimnis des inneren Lebens, so stellt sich der Psalm immer neu den Geistestrost vor Augen, bis er in die Seele wirklich eingreift.

## Die zweite Strophe

*Gebeugt ist meine Seele in mir. So gedenke ich Dein*
*vom Lande des Jordan, des Hermon und des Berges Misar.*

*Urflut ruft der Urflut im Brausen Deiner Gießbäche.*
*Alle Deine Wogen und Wellen – über mich gehn sie dahin.*
*Des Tages hat der Herr seine Gnade entboten,*
*und des Nachts ist Sein Lied in meinem Innern,*
*ein Gebet zu dem lebendigen Gott.*

(V. 42, 7–9)

Der Psalmsänger, aus Jerusalem verbannt, hat sein Exil am jungen Jordan, der in rauschenden Wasserfällen von den Bergen braust, nahe am schneebedeckten Hermon. In dieser von elementaren Naturkräften umwitterten Gegend lag ein Pan-Heiligtum, bei Paneas, dem späteren Caesarea Philippi, wo dereinst Petrus sein Bekenntnis ablegen wird: »Du bist der Christus, der Sohn des lebendigen Gottes« (Matth. 16, 16).

Der Psalmist sieht sich dem Brausen der Wasserfälle preisgegeben, als ob in diesem elementarischen Tosen die alte Chaos-Drachen-Macht wieder aufstünde, »Thehôm«, die noch nicht vom Ich-Gott gebändigte Urflut, »abyssos« in der griechischen Übersetzung. Sie hat geheime Beziehung zu dem, was als innere Unruhe in seiner Seele friedlos wogt und braust, zu den chaotischen Gewalten in seinem Innern, denen er nicht mit einem Male zu gebieten vermag. Als ob alle diese Wellen über seinem Haupte zusammenschlügen und über seine mühsamen Versuche, sich zu fassen, hinweggingen.

Der Schmerz der Verbannung, des »Exils«, hat ihn mit aller Gewalt gepackt. – Das Exil – millionenfach wurde es in unseren Tagen erlebt und erlitten: dieses Herausgesetzt-Sein aus der eigentlichen Umgebung, aus der gewohnten Welt, dem Hause, dem Ort, der Heimat, aus den liebgewordenen Zusammenhängen, aus dem Beruf, dieses Ver-setzt- und Ent-setzt-Sein in das feindlich-kalte Fremde, in das »Elend«, womit ja die deutsche Sprache ursprünglich das »Außer-Landes-Sein« bezeichnet.

Aber diese Exil-Erlebnisse sind bei all ihrer Härte und eindringlichen Erdenwirklichkeit doch wieder auch nur ein

»Gleichnis«. Vielleicht ist es manchem so gegangen, wenn er des Morgens seine Augen in fremder Umgebung aufschlug und das »Elend«, das Ent-setzt-Sein aus dem Eigenen sich wie ein Alp auf die Seele legte – wollte es ihm nicht mitunter scheinen, als sei ihm dieses Gefühl schon von irgendwoher bekannt und vertraut? Als habe er diesen Alp des im Exil erwachenden Bewußtseins schon einmal in anderer Art erlebt? Aufwachen im Elend des Exils – das ist das Ur-Erlebnis der Inkarnation, der Verkörperung auf Erden. Damals wurde unsere Seele aus ihrer ureigenen Umgebung ent-setzt und in eine ihr nicht gemäße Umgebung, in die Welt materieller Dinglichkeiten, verbannt. Diese Versetzung aus der himmlischen Heimat in die materielle Welt ist das Ur-Erlebnis des »Exils«, das in den Tiefen jeder Seele noch nachzittert. – Religiöse Regungen sind erwachendes Heimweh, dunkle Erinnerung an ein »Vorher«. Erst durch das Aufnehmen des Christus-Einschlages verliert die Religion diesen Charakter des nur Rückwärtsgewandt-Seins, weil durch den Christus die Himmelsheimat in die Erden-Fremde verwandelnd hineingetragen werden kann.

Der nächtliche Lobpreis, das Gebet, von denen der folgende Vers spricht, sind die Versuche, den Chaosmächten der Trauer und Unruhe zu begegnen und wieder Standfläche für das Ich und seine Ordnungen zu gewinnen. Es wäre nicht richtig, wenn der Deprimierte sagen wollte: Ich bin nicht in Stimmung, zu beten; es ist mir heute nicht danach zumute. Über dieses subjektive Auf und Ab muß er hinauskommen. Nicht das Gebet kommt aus der Stimmung, sondern die wahre Stimmung kommt aus dem Gebet. Hier hilft uns die rhythmische Wiederkehr im religiösen Leben. So ist das Schreiten durch den Jahreslauf mit seinen Festen etwas, das ganz unabhängig ist von den Stimmungen, die aus den wechselnden Schicksalen der Einzelnen sich ergeben. Es ist etwas Übergreifendes, das den Menschen tröstend in ein größeres, weiter gespanntes Leben hineinnimmt. Die Begna-

dung liegt bei Gott, es kann das Bemühen des Menschen zeitwei-
se scheinbar ohne Frucht sein. Aber schon in dem Bemühen um
die Einhaltung des regelmäßigen Gebetes in seiner Geordnetheit
liegt etwas Heilendes.

So singt der Psalmist seinen nächtlichen Hymnus. Er läßt es
nicht zu, daß der Schmerz alle Seelen-Energien aufzehrt, so daß
die Seele ganz und gar »tonlos« wird. Es muß immer noch etwas
übrigbleiben, das der Erhebung fähig ist. Dazu verhilft ein Darinstehen in den Gezeiten und Rhythmen eines geordneten religiösen Lebens.

Vor die Gottheit trägt der Psalm seine Bekümmernisse:

*Ich will sprechen zu Gott meinem Fels: Warum hast Du mein vergessen?*
*Warum muß ich in Trauer einhergehn, indes mein Feind mich höhnt?*
*Es ist wie ein Mord in meinen Gebeinen, daß mich meine Bedränger*
   *schmähen,*
*indem sie zu mir sprechen alle Tage: wo ist nun dein Gott?*

(V. 42, 10–11)

Mein »Fels« – das Gegenbild zu den Chaosfluten der »Thehôm«. Der Fels, die Ich-Grundlage, der feste Boden unter den
Füßen, der uns stehen und bestehen läßt. Diese Kraft geht aus
von dem Gott des »Ich-Bin«.

»Warum hast Du mein vergessen?« Der Mensch ist von den
höheren Mächten freigegeben. Sie verzichten darauf, ihn von
Schritt zu Schritt am Gängelband zu führen. Er soll in eigener
Verantwortung seinen Weg suchen. Dieses Erlebnis der »Gott-
Verlassenheit« kann uns nicht erspart werden, es macht uns reif
dafür, in dem Christus in Freiheit unseren Schicksalshelfer und
Führer zu finden.

Wieder quält in dieser Verlassenheit die Frage: »Wo ist nun
dein Gott?« War das in der ersten Strophe die Ursache der Tränen, so ist hier eine Steigerung: Es ist »wie ein Mord in meinen

Gebeinen«. Der Schmerz darüber, daß das Göttliche in diesem
Umfang auf Erden »in Frage gestellt« werden kann, geht »durch
Mark und Bein«.

So wird nun zum zweitenmal auf den Geistes-Trost zurückge-
kommen:

*Warum bist du so gebeugt, meine Seele, und bist unruhig in mir?*
*Harre auf Gott; denn noch werde ich ihm danken, daß er die Hilfe meines*
*Angesichtes und mein Trost ist.*

(V. 42,12)

Zum »Harren« müssen wir uns aufrufen in dem Bewußtsein,
daß wir in weitgespannten Entwicklungen, in großen, für uns
zunächst noch gar nicht übersehbaren »Planungen« der Vorsehung darinstehen. Wir benötigen ein Bewußtsein davon, daß wir
in einem langwierigen Werdeprozeß darin sind, der seine Zeit
braucht. Wir benötigen den »langen Willen«, der durch die verschiedenen Werde-Phasen mit ihren notwendigerweise auftre-
tenden Leiden hindurchführt. Ein solcher »langer Wille« bewirkt dann die rechte Geduld, die kein passives Über-sich-erge-
hen-Lassen und Mit-sich-geschehen-Lassen ist, sondern aktive
Haltung.

»Noch werde ich ihn preisen als die Hilfe meines Angesichtes«, als den, der mir zu meinem wahren Menschen-Antlitz verhilft, während das Böse »die Gebärde entstellt«. Als der Ver-
wirklicher des Menschen-Angesichtes ist er »mein Gott«, der
Gott meines Ich, der in der freien Persönlichkeit, in der wahren
»Menschlichkeit« zu seiner Offenbarung kommt.

Die dritte Strophe

*Richte mich, Gott, und führe meine Sache gegen das unheilige Volk.*
*Vor dem Betrüger und Frevler errette mich!*

(V.43,1)

Der Gott, der uns zu unserem Menschen-Antlitz verhelfen
wird, ist zugleich auch der Richter, der uns unsere Entstelltheiten und Unmenschlichkeiten zum Bewußtsein bringt. Aber dieses Gericht geht nicht auf »Hinrichtung«, sondern auf die »Aufrichtung« aus.

Indem wir uns dem Gericht des Ich-schaffenden Gottes stellen
– »richte mich, Gott« –, gewinnen wir in Gott den Beistand gegen unsere Widersacher. Wer sich dem göttlichen Gewissens-Gericht entzieht, fällt notwendig den bösen Mächten in die Hände.
Das ehrliche Bewußt-Werden um die eigenen Fehler scheidet uns
vom Teufel. Innere Unehrlichkeit, die das Gewissen übertönen
will, führt um so stärker in dessen Bereich. Die im Psalm erwähnten menschlichen Feinde sind nur die sichtbaren Exponenten unsichtbarer Mächte der »Unfrommheit«, des »Truges« und des
»Frevels«. Den Kampf gegen diese Mächte führt die Gottheit
selber, wenn wir uns ihrem Gericht nicht entziehen. Dann wird
Gott unser Bundesgenosse, indem er »unseren Streit führt«. –

*Denn Du bist der Gott meiner Stärke.*
*Warum hast Du mich verworfen?*
*Warum muß ich in Trauer einhergehn,*
*indes mein Feind mich höhnt?*

(V.43,2)

Die Frage »warum hast Du mich vergessen« steigert sich hier
zu der noch ernsteren Formulierung: »warum hast Du mich verworfen?« Möglichkeiten von furchtbar katastrophalem Ernst
steigen in diesen Fragen am Horizont auf. Da die eigene Freiheit

222

des Menschen, sein guter Wille, in die Menschwerdung mit ein-
gerechnet ist, da der Mensch die ihm zugedachte Gnade immer
erst durch sein bejahendes Verhalten in Kraft setzen muß, besteht die Möglichkeit, daß die Mensch-Werdung am Nicht-mit-
tun-Wollen des Menschen scheitert. Dann würde er als nicht zu
Ende gekommener Versuch fallengelassen. »Untauglich zur
Mensch-Werdung.« – Hier im Psalm ist das »Verwerfen« noch
nicht mit solchem vollen tragischen Ernst gemeint. Aber wir wollen die apokalyptische Tragweite dieses hier noch nicht »eigentlich« gemeinten Wortes doch ins Auge fassen. – Der Psalmsänger
fühlt sich »wie ein Verdammter«, er fühlt sich wie in einem »In-
ferno«. Doch er erhebt seine Seele wieder zu dem Ausblick auf
die göttliche Gnade.

> *Sende Dein Licht und Deine Wahrheit!*
> *Sie werden mich führen und werden mich geleiten zu Deinem heiligen*
> > *Berge*
> *und zu Deinen Wohnungen.*
> *Und hinschreiten will ich zum Altare Gottes,*
> *zu dem Gott, der meine Freude und Wonne ist,*
> *und will Dir den Lobgesang anstimmen mit Harfenklängen,*
> *Gott, der Du der Gott meines Ich bist.*
>
> (V. 43, 3–4)

Die Rettung kommt dadurch, daß die Gottheit etwas von ihrem eigenen Wesen zu uns herniederschickt. Es ist so etwas wie
ein Ausfluß göttlicher Wesenhaftigkeit in Richtung auf den Menschen, was mit dieser »Entsendung« gemeint ist. »Dein Licht
und Deine Wahrheit« – beide Worte erscheinen in den Selbst-
Aussagen Christi im Johannes-Evangelium, in den Ich-Bin-
Worten. »Ich bin das Licht der Welt.« »Ich bin der Weg, die
Wahrheit und das Leben.«
Diese göttlichen Wesenskräfte »werden mich geleiten und
werden mich kommen machen (so wörtlich) zu dem Berge Dei-

ner Heiligkeit«. Dieses Hingeleiten ist kein Tragen, sondern es setzt die Betätigung der im Menschen liegenden Kräfte eigenen Schreitens voraus.

In drei Etappen ist das Erreichen des Zieles, die Heimholung des exilierten Menschen aus dem Elend zum Zentrum göttlichen Lebens, dargestellt: der heilige Berg – die Wohnungen Gottes – Sein Altar.

Der »heilige Berg« ist zunächst einmal überhaupt der Bildausdruck für eine »Erhebung« in eine »höhere« Welt. Es beginnt mit einer Erhebung des gefallenen Menschen zur Bergeshöhen-Welt göttlicher Heiligkeit.

Hat der Mensch den heiligen Berg erstiegen, so findet er dort oben die »Wohnungen Gottes«. Ist das Bild der »Wohnung« nur ein kindliches Übertragen menschlich-irdischer Dinge auf göttliche Verhältnisse? Vielleicht ist es umgekehrt: daß unser Wohnen an einem besonderen »Ort« nur ein irdisches Abbild ist der Tatsache, daß auch die höhere Welt, wiewohl »unräumlich«, verschiedene Bereiche und Regionen in sich hat. »In meines Vaters Hause sind viele Wohnungen.« Man kann auch an die verschiedenen Klausen frommer Eremiten bei Fausts Himmelfahrt denken, wo die »höchste reinlichste Zelle« des Doktor Marianus doch auch nur der Ausdruck für einen bestimmten überräumlichen »Ort« in der übersinnlichen Welt ist. – »Deine Wohnungen« (im Urtext Mehrzahl) sind die verschiedenen Lebensbereiche der unendlich reich und mannigfaltig differenzierten höheren Wesen, in denen Gott seine mannigfaltige Offenbarung hat; insofern »Gottes« Wohnungen.

Das dritte und letzte endlich ist das Herz des Himmels, das Innerste der göttlichen Welt: »der Altar Gottes«, wo Gott selber sein Liebesopfer der Selbstmitteilung eigenen Wesens vollzieht. Alle irdischen Altäre sind Abbilder dieses höchsten göttlichen Opfermysteriums. – Der Mensch ist berufen, an dem Welten-Opfer-Dienst Gottes teilzuhaben. Er ist als Mensch zum Priestertum berufen. »Und ich will hinschreiten zum Altare Gottes.« Diesen Schritt tut der Mensch aus seinem Innersten heraus. Da sind die göttlichen Führermächte Licht und Wahrheit nicht mehr nur an seiner Seite, helfend und führend – da sind sie gewissermaßen in ihn selber eingegangen und in seinem eigenen Entschluß mit wirksam, so daß es bei aller Gnadenhilfe doch letzten Endes seine freie Tat ist, an diesen Altar heranzutreten.

Solche Teilnahme am göttlichen Welten-Opfer-Dienst ist zugleich höchste Beseligung – »zu dem Gott, der meine Freude und Wonne ist«. Aus einem Wesen, das durch Äonen hindurch die göttlichen Opfergaben in sich hereinnahm, wird nun ein Wesen, das seinerseits geben, opfern darf, das damit in verwandelter Form das Empfangene der Welt zurückgibt. »Geben ist seliger als Nehmen« – das ist im allergrößten Stile das Programm der ganzen Menschen-Entwicklung. Die »himmlische Seligkeit« des Menschen besteht ja nicht in dem faulen Genießen eines Schlaraffenlandes, sondern im Teilnehmen-Dürfen an Gottes schaffenden Opfertaten.

»Ich will Dir den Hymnus darbringen mit Harfenspiel.« Der Mensch ist dann ganz »tönend« geworden, alle Mißtöne und Dissonanzen seines Wesens sind überwunden, er ist ein wandelnder Lobgesang. – Unser Seelenleben klingt immer irgendwie in die höheren Welten hinein, wohl selten harmonisch, wohl meist noch das Gegenteil davon! Der durchchristete Mensch soll seine Seele mit all ihren Klangesmöglichkeiten zur »Harfe Gottes« entwickeln. So schaut die Johannes-Apokalypse die Erlösten als die »Harfenspieler« (Offenb. Joh. 14,2).

Wie eine apokalyptische Zukunftsschau sind die Worte vom Hingehen an den Altar Gottes. Von dieser Zukunftsschau kehrt der Psalm wieder in seine Gegenwart zurück, um nun endgültig die Verzagtheit und Unruhe seiner leidenden Seele zu beschwören durch die Worte des Geistes-Trostes.

*Warum bist du so gebeugt, meine Seele, und bist unruhig in mir?*
*Harre auf Gott; denn noch werde ich ihm danken, daß er die Hilfe meines*
   *Angesichtes und mein Gott ist.*

(V. 43, 5)

# GOTTES-ERFAHRUNG

## PSALM 63

»Ein Psalm Davids, da er war in der Wüste Juda.« Die Wüste
ist ein Stück Welt, das aus dem großen Lebenszusammenhang
herausgefallen und den Schöpfermächten abhanden gekommen
ist. David erlebte die Wüste draußen in der Natur. Der Mensch
von heute erlebt sie in der Großstadt, im Todesbereich einer Zi-
vilisation, die das Dasein entseelt und verödet. Wie sagte doch
Nietzsche: »Die Wüste wächst – weh dem, der Wüsten birgt.«

Über drei Jahrtausende hinweg können auch heute die
Psalmworte zu uns sprechen, die in der Wüste Juda gebetet
wurden.

Der Psalm beginnt mit dem Rufe »Gott!«. Ringsum triumphieren Todes-Gewalten – die Frage nach Gott muß ins eigene
Innere hineinführen. Dort regt sich etwas, das mit dem lebendigen Göttlichen in einem Zusammenhang steht. »Du Gottheit meines innersten Wesens.«

»Frühe wache ich zu dir.« Das Wort »Morgenröte« ist in
dem hebräischen Verbum enthalten, das Luther mit »Frühe
wachen« wiedergibt. Wird sich das Menschen-Ich seines Ur-
grund-Zusammenhanges mit dem Gottes-Ich bewußt, dann ist
das etwas innerlich Morgendliches. Wie die Morgenröte dem
Sonnenaufgang vorausgeht, so fühlt der Betende sein Inneres in
einem großen Erwachen aufglühen. In der Naturwelt draußen
ist Gottes Sonne schon vor Urzeiten aufgegangen, das Men-
schen-Innere ist noch ein Neuland Gottes. Hier soll in der Zu-

227

kunft immer mehr die Sonne aufgehen. Darum hat jede beginnende Erweckung des Inneren den Charakter der »heiligen Frühe«.

Von dieser Gottes-Berührung im innersten Ich-Kern wendet sich der Psalm nun zum menschlichen Seelenleben hin. Der Beter dieses Psalms war von einer so elementaren Religiosität, daß er alle Fühlungen und Strebungen, alle Wünsche und Sehnsüchte seiner Seele zusammenfließen lassen konnte in ein mächtiges Verlangen nach dem Göttlichen: »Es dürstet meine Seele nach Dir.«

Dann steigt er zum irdischen Fleisches-Leib hernieder und vermag auch ihn mit hineinzunehmen in sein Fromm-Sein. Nicht wie bei uns so oft ist der Erdenleib das, was sich »störend bemerkbar macht«, wenn die Seele sich emporschwingen möchte. Hier ist der Erdenleib nicht im Wege, selbst seine Unkraft geht in das religiöse Grund-Erlebnis mit ein. Sein Matt-Sein in der wasserlosen Wüste versteht sich als Gott-Bedürftigkeit, als naturhaftes Schmachten nach der Gottheit. So wie der unverdorbene Menschenleib Sättigung und Durststillung fromm erleben kann, so erlebt sich hier das leibliche Entbehren als Gottes-Sehnsucht.

> *O Gott!*
> *Meines innersten Wesens Gottheit – Du!*
> *Dir erwacht meine Morgenröte.*
> *Es dürstet nach Dir meine Seele.*
> *Es lechzt Dein-bedürftig mein Erdenleib,*
> *in einem Lande, trocken und dürr, ohne Wasser.*
>
> (V.2)

Dem einsamen Wüsten-Gebet kommt nun die Erinnerung an das kultische Erleben im Heiligtum zu Hilfe. Im Kultus ist schon das Äußere und Sinnenfällige »entgegenkommend« angeordnet, daß die Schau-Kräfte der Seele sich regen können. Wieder einmal ein Zeugnis in den Psalmen für die übersinnliche Erfahrung, die sich im Anschauen heiliger Handlungen entzünden kann.

*So schaue ich aus nach Dir im Heiligtum,*
*zu sehen Deine Macht und Deine Gloria.*

(V. 3)

Der Beter in der Wüste fühlt ein solches hingegebenes Wach-Sein für die göttliche Offenbarung, wie sonst nur, wenn er mit Leib und Seele beim heiligen Opferdienst »dabei war«.

In der aufleuchtenden göttlichen Gloria kommt die »Liebe von oben« zum Menschen und verleiht ihm ein ganz neues Lebensgefühl. Was er sonst »sein Leben« nannte, verliert an Bedeutung. Erst wenn ihm jenes höchste Gut ins Herz geleuchtet hat, darf er im Blicke auf sein gewöhnliches Dasein sagen: »Das Leben ist der Güter höchstes nicht.« Und so heißt es denn im Psalm: »Deine Gnade ist besser als das Leben.« Gnade – das meint ja eben diese Liebe von oben.

Dieser Gnade gilt nun der »Lobpreis«. Um dieses leider so abgenützte religiöse Wort wieder in seiner ursprünglichen Frische zu fühlen, möge man einmal das Folgende bedenken. Der heutige Mensch ist vorwiegend kritisch eingestellt. Er stärkt sein Selbstgefühl im Kritisieren, aber seine Seele kann davon nicht satt werden. Sie braucht, um gesund zu sein, das Aufschauen zu jener Welt – »höher als das Leben«. Sie hat es nötig, sich für etwas begeistern zu können. In solcher Aufschau entringt sich ihr das Gegenteil des Kritisierens – das Anerkennen, das zur Anbetung wird. Vielleicht verstehen wir Heutige den religiösen »Lobpreis« gerade von dieser Seite her – als das positive Gegenstück des abbauenden und die eigene Seele verarmenden Kritisierens. – Der Lobpreis der Lippen wird dann im weiteren zum »Benedeien« – »ich benedeie Dich durch mein ganzes Leben«.

Hier ergibt sich ganz organisch, ganz wie von selbst die religiöse Gebärde des Hände-Hebens. Wir kennen es von der Weihe-

Handlung her. Wer die Hände zum Himmel erhebt, greift über sich selbst hinaus. Das kann er in rechter Art nur »im Namen« Gottes, wie der Psalm es ausdrückt. Dieser Name bedeutet ja den Inbegriff dessen, was von Gott in unserem erkennenden Bewußtsein lichtvoll anwesend sein kann. Das steigert sich dann zu einer wirklichen Kommunion, zu einem inneren Empfangen des göttlichen Wesens, das der Beter »ißt und trinkt«, das ihm so »in Fleisch und Blut übergeht«.

> *Ja, ein Gut höher als das Leben ist Deine Gnade.*
> *Meine Lippen lobpreisen Dich.*
> *Mit meinem ganzen Leben will ich Dich benedeien.*
> *Will meine Hände erheben in Deinem Namen.*
> *An reicher Fülle ersättigt sich meine Seele.*
> *Meine Lippen jubeln, es frohlockt mein Mund.*
>
> (V. 4–6)

Dieses Erlebnis der heiligen Frühe wirkt dann auch in die Nachtstunden hinein. In den »Nachtwachen« bewährt es seine Kraft. Das religiös erfüllte Wachen zu nachtschlafender Zeit – denken wir etwa an die Mitternachts-Handlung in der Christnacht – sucht im bewußten Zustand jene Höhen wenigstens zu erahnen, in denen sich sonst die schlafende Seele, losgelöst vom Leibe, unbewußt befindet. Was tut die nachtwachende Seele im Sinne des Psalms? Das hebräische Wort »hagah« ist nicht einfach »reden« – die lateinische Bibel gebraucht hier sehr schön das Wort »meditari« – ein Im-Sinne-Hegen. Wer in dieser Weise seine Nachtwache fromm erfüllt, der erlebt die Geborgenheit unter den »Flügeln« der Gottheit.

Die Gottheit breitet ihre Flügel schützend über die Seele aus. Aber der Mensch ist nicht nur passiver Gegenstand dieser bergenden Fürsorge. Es geht auch von ihm etwas zu Gott hin – »meine Seele hanget Dir an«. Das hebräische Wort für »anhangen« ist zu einem wichtigen Begriff in der jüdischen Geheimlehre geworden – »devekuth«. Der spanische Kabbalist Isaak von Akkon (um 1300) erzählt die Geschichte eines Schülers, der die Geheimnisse des inneren Lebens sucht und der von seinem Meister gefragt wird, ob er schon über die völlige Seelenruhe verfüge. Er antwortet: »Allerdings fühle ich noch Genugtuung, wenn man mich lobt, und Schmerz, wenn man mich kränkt, aber immerhin bin ich ohne Rachsucht und trage nichts nach.« Das aber genügt dem Meister nicht. »Geh wieder nach Hause, mein Sohn, solang du noch den Stachel der Kränkung verspürst, bist du noch nicht so weit, daß du wirklich deine Gedanken mit Gott verbinden kannst.«[13] – Diese Geschichte mag manchen Christen beschämen. Erst oberhalb der Seelenschicht, wo die widerfahrene Kränkung schmerzvoll registriert wird, fängt die Möglichkeit an, »Gott anzuhangen«. –

Gott breitet seine Flügel aus. Die Seele »hanget Gott an« – darauf kann Gott seinerseits wieder mit einem neuen gnadenvollen Tun antworten: »Mich hält Deine Rechte.« Dieses Bild der uns ergreifenden göttlichen rechten Hand ist noch mehr personhaft als das Flügel-Breiten. Nicht nur Geborgenheit, sondern auch Haltekraft, die durch diese Hand auf uns überströmt, uns Halt und »Haltung« gebend.

> Wenn ich Dein gedenke auf meinem Lager,
> in den Wachen der Nacht
> hege ich Dich in meinem Sinnen.
> Denn Hilfe bist Du mir.
> Im Schatten Deiner Flügel spüre ich Seligkeit.
> Meine Seele hanget Dir an.
> Mich hält Deine Rechte.

(V. 7–9)

\*

Kommt nun aber nicht ein Mißton in die reine Harmonie dieses wundervollen Gebetes, eine typisch »alttestamentliche«

Stimmung – durch den nun folgenden Seitenblick auf die in ihr Verderben rennenden »Verfolger«? »Sie aber stehen nach meiner Seele... sie werden ins Schwert fallen...« Man muß ja wohl auch an die konkrete Ausgangssituation denken: David auf der Flucht in der Wüste Juda. Diese Verfolger von damals können heute für uns nur noch ein rein historisches Interesse haben. Aber wie uns die »Wüste Juda« zum modernen »Wüsten-Erlebnis« wird, so werden für uns, wenn wir heute religiös mit dem Psalm umgehen, die Verfolger Davids zu den Repräsentanten der Gegenmächte, der Widersacher-Gewalten. Daß auch diese in einem solchen Lied der Gottes-Liebe ihre Stelle haben, hat seine tiefe innerliche Richtigkeit. In dem bekannten Lied Paul Gerhardts »Breit aus die Flügel beide« folgt mit einer gewissen inneren Erlebnis-Logik auch das andere: »Will Satan mich verschlingen«. Es ist eine alte Erfahrung, daß die gesteigerte Gottes-Nähe zugleich eine stärkere Empfindlichkeit für das Widergöttliche mit sich bringt. So gedenkt die Weihe-Handlung gerade auf dem Höhepunkt der Kommunion auch des »Widersachers«.

Nicht umsonst ging voraus das Gehalten-Sein von der Rechten Gottes. Wer sich so gehalten fühlt, kann nun auch unerschrocken die bösen Mächte ins Auge fassen. In der Offenbarung Johannis erschaut der christliche Seher die Gegen-Mächte, und es wird da in bezug auf das »Tier aus dem Abgrund« das erkennende Wort gesprochen, daß es »zum Verderben hin gehe« (17,8). Es wird dem betreffenden Wesen geistig angesehen, indem es in seiner ihm eigentümlichen inneren Bewegtheit geschaut wird, »wohin es auf dem Wege ist«. Der Seher sieht ihm an, daß es kein gutes Ende mit ihm nehmen kann.

So sieht der Psalm-Sänger den Dienern der Widersacher-Mächte an, daß sie auf bösem Wege sind. Sie sind aus auf die »Verwüstung« seiner Seele. So heißt es wörtlich. »Verwüstung der Seele« – dieser Ausdruck, von David damals auf konkrete feindliche Menschen gemünzt, löst sich für uns von diesen alten vergangenen Fehde-Zusammenhängen ab und bietet sich uns an als sachgemäße Kennzeichnung für gewisse Mächte. Solche verirrte Geistes-Mächte gibt es in der Tat, die sich die Verödung des menschlichen Seelenlebens zum Ziel gesetzt haben. Sie wirken überall da, wo innen und außen »die Wüste wächst«. Alle Seelen-Verwüstung ist auf dem Weg in eine Welt, die wahrhaft eine »Unter-Welt« genannt werden kann. Wo die Seelenhaftigkeit und Herzenswärme abstirbt, da lebt man in Wahrheit nicht mehr in einer Welt, die von der Sonne beschienen wird, sondern man lebt dann im »Unter-Irdischen«.

Noch zwei weitere Bilder gesellen sich hinzu, das tötende Schwert, der Schakal. Die auf dem Wege zum Unter-Irdischen, zum »Hades« begriffen sind, sie fallen dem »Schwert« zum Opfer. Im apokalyptischen Sinne ist das immer das Schwert des Geistes, so wie es aus dem Munde des »Weißen Reiters« hervorgeht und die Widersacher überwindet. – »Den Schakalen zur Beute« – wieder kann hier zum apokalyptischen Bilde werden, was damals auch äußerlich gemeint sein mochte. Solche etwas fatalen Tiere, die sich vom Verwesenden nähren, können zum Bilde werden für unsichtbare dämonische Wesen, die nach dem Tode nun nicht auf den sich auflösenden Leichnam, sondern auf all das losgehen, was in der verstorbenen Seele als »Verwesungsstoff innerlicher Art« hervortritt. Wesen, die sich gleichsam ernähren durch das Ungute, das eine Seele mit hinüberbringt. Mit dem Hinweis auf die nächtlicherweile heulenden Schakale eröffnet sich ein Blick in jene unheimliche Region.

*Jene aber, die darauf aus sind, meine Seele zu verwüsten,*
*sie sind auf dem Wege, der ins Unter-Irdische führt,*
*dem Schwert verfallen,*
*Schakalen zur Beute.*

(V. 10–11)

Auf diesem düsteren Hintergrunde strahlt es nun noch einmal um so heller auf. Ein bisher noch nicht erklungenes Wort kommt hier in den Psalm hinein: »Der König«. Wieder dürfen wir über die Gestalt Davids hinausblicken und im »Könige« den Ausdruck geisterhöhten Menschentums sehen. So wie nach der Apokalypse Christus uns zu Priestern und Königen machen will. »Der König freut sich in Gott.« Für uns klingt das Johannes-Evangelium an, das von der Freude Christi spricht. All das fromm Bewegende, das bisher in diesem Psalm zu Worte kam – Gottessehnsucht, Gottesschau, Hingabe, Speisung, Geborgenheit, Gehaltensein – es faßt sich schließlich zusammen in der Gottes-Freude, die auch »im Angesicht der Feinde« nicht verlöscht werden kann.

Nicht unmittelbar zugänglich ist vielleicht für den heutigen Leser der Abschluß des Ganzen: die Seligpreisung dessen, der »bei dem Könige schwört«, der Ausblick auf das »Verstopfen der Lügenmäuler«. – Der »König« ist, wenn der Psalm in christlicher Schau gelesen wird, der Christus selber. Er trägt in sich den »Logos«, das schaffende Welten-Wort. Auf ein Mysterium des »Wortes« deutet das Motiv des »Schwörens« hin. Der Schwörende ruft die Anwesenheit höherer Wesen herbei, sein Wort »unter Eid« ist in ihrer unmittelbaren Gegenwart gesprochen. So wie das griechische und lateinische Wort für Gewissen eine »Mit-Wisserschaft« (con-scientia) höherer Wesen besagt, so ist das Schwören eine »Mit-Sprecherschaft« der Unsichtbaren. Wer also auf den »König« schwört, der ruft des Königs Wesenheit herbei zur Mit-Sprecherschaft, der holt in sein Menschen-Wort etwas herein vom schaffenden Gottes-Wort selber.

Im Zusammenhang mit diesen Geheimnissen der göttlichen Worteskraft werden wir auch dem letzten Satz des Psalms gerecht werden können – daß die »Lügenmäuler gestopft« werden sollen. Gerade vom Erlebnis des heilig schaffenden Gottes-Wor-

tes aus tritt der satanische Charakter der Lüge erst so recht ans
Tageslicht. Die persische Zarathustra-Religion hatte ein besonders starkes Empfinden für das Wirken des Götterfeindes Ahriman im Lügen-Worte. Ein furchtbares Übel ist das Wirken der
Trug-Gewalten. Der prophetische Ausblick, daß diese dem göttlichen Logos feindlichen Mächte durch das göttliche Urwort einmal sollen entkraftet werden, ist eine große apokalyptische Hoffnung, und als solche ein würdiger Abschluß dieses Liedes frommer Gottes-Erfahrung.

> *Aber der König freut sich in Gott.*
> *Heil einem jeden, der Seinem Worte sich eint.*
> *Denn verstummen wird müssen der Mund,*
> *der Trügendes redet.*

(V.12)

# DER BLICK IN DAS HEILIGTUM

## PSALM 73

»Dennoch bleibe ich stets an Dir, Du hältst mich bei meiner rechten Hand. Du leitest mich nach Deinem Rat und nimmst mich endlich mit Ehren an. Wenn ich nur Dich habe, so frage ich nichts nach Himmel und Erde. Wenn mir gleich Leib und Seele verschmachtet, so bist doch Du, Gott, allezeit meines Herzens Trost und mein Teil.«

Diese Verse (73,23–26) sind immer schon als ein Höhepunkt des Alten Testamentes, ja der religiösen Literatur aller Zeiten empfunden worden, und Luther hat sie in einzig schöner Weise ins Deutsche übertragen. Um sie voll zu würdigen, muß man sie einmal in dem Zusammenhang des ganzen Psalmes sehen.

Der Dichter des Psalms berichtet zunächst davon, wie er lange Zeit von einem quälenden Problem bedrängt wurde. Es wurde ihm durch seine schweren Schicksale zur Frage: Wie kommt es, daß das Böse oft so erfolgreich ist, daß so wenig von der göttlichen Gerechtigkeit in Erscheinung tritt? Und andererseits sieht man so oft das Leben eines sich mit aller Kraft um das Gute bemühenden Menschen schmerzerfüllt und glanzlos verlaufen.

Die ersten 16 Verse sind der Darstellung dieses Problems gewidmet. Sie schildern in lebendiger Bildhaftigkeit den Triumph derer, die sich um das Göttliche nicht kümmern, und im Kontrast dazu das eigene leidvolle gedrückte Leben.

*Soviel ich auch grübelte, dies zu durchschauen –*
*quälend stand es vor meinen Augen.*

(V. 16)

Er fühlte sich manchmal versucht, am Dasein göttlicher Gerechtigkeit zu zweifeln, aber davon hielt ihn immer noch etwas zurück.

Bei Luther heißt es: »Ich hätte auch schier so gesagt wie sie (die Gottlosen); aber siehe, damit hätte ich verdammt alle Deine Kinder, die je gewesen sind« (V. 15). Dieser Satz ist im Urtext etwas konkreter: »Wenn ich spräche: ich will reden wie diese – siehe, das Geschlecht Deiner Söhne würde ich verraten.« Das Geschlecht Deiner Söhne – wir werden beim 24. Psalm der Wendung begegnen: »Das ist das Geschlecht derer, die nach Ihm fragen und Dein Angesicht suchen, Du Gott Jakobs.« Die ernsthaft Suchenden und Strebenden bilden eine geistige Gemeinschaft. Vielleicht ist auch sogar ein ganz bestimmter ordensartiger Zusammenhang gemeint von solchen, die sich um ein tiefer eindringendes Erleben des Göttlichen im alttestamentlichen Sinne bemühten. Die als wahre Angehörige der Jahve-Religion um die Erfahrung des göttlichen »Ich Bin« wach und ichhaft rangen. Sein Darinstehen in diesem Geschlecht der »Söhne« (denn durch die Ich-Kraft sind wir nicht nur »Kinder«, sondern »Söhne« Gottes) war es, das ihn bisher vor dem Verzweifeln bewahrte, obgleich er der Lösung des Problems nicht näherkam.

Bis ihm eines Tages etwas Besonderes widerfuhr. – Sein ehrliches Bemühen um Klarheit, sein standhaftes Ertragen körperlicher Schmerzen (V. 14), sein Ringen um Reinheit und Heiligung (V. 13) und wohl auch sein Darinstehen in der Gemeinschaft der »Söhne Gottes« – das alles hatte ihn für ein Einweihungs-Erlebnis reif gemacht:

*Bis ich eintrat in die Heiligtümer Gottes.*

(V. 17)

Dieser Vers ist der entscheidende Satz im 73. Psalm. Die Auslegung hat viel daran herumgerätselt. Man hat sich über den Plural »die Heiligtümer Gottes« verwundert, damit sei doch sonst nicht der Tempel bezeichnet worden. Und um den Tempel könne es sich doch wohl nur handeln? – Wir sind der Meinung, daß der Satz nur dann verständlich wird, wenn man annimmt, daß es sich um eine Erfahrung übersinnlicher Art handelt. Man kann das »Eintreten in die Heiligtümer Gottes« wohl nicht anders verstehen als einen solchen Vorgang, bei dem die »Wand« der Sinneswelt sich gleichsam auftut und »dahinter« eine Welt sich erschließt, die vorher völlig außerhalb des Bewußtseins lag. Eine Welt, ja Welten göttlichen Lebens, in mannigfaltiger Gliederung und Stufung – »die Heiligtümer Gottes«. – Ein Gang in den Tempel und das Anschauen des Opferkultes mag dieses übersinnliche Erlebnis ausgelöst haben. Auf diese Schau-auslösende Kraft der kultischen Vorgänge wird in den Psalmen gelegentlich hingewiesen; denn der Tempel ist der Ort, »wo Deine Ehre wohnt«, Deine Gloria, Deine Licht-Offenbarung.

Die Rätselfragen des schwer Geprüften empfangen nun ein neues Licht. Er hat Einblick in Kommendes. Er schaut die Realitivität und Vorläufigkeit der irdischen Existenz. Jetzt wird ihm eine äußerlich glückhafte Lebensgestaltung unwichtig im Blick auf das, »worauf es hinausläuft«. Daß ein böses Erdenleben in die Nichtigkeit mündet, ist ihm fortan tief-innerliches Wissen. »Wie ein Traum, dessen Nichtigkeit uns beim Erwachen bewußt wird« (V. 20).

Auch das Wort »Erwachen« hat hier die eigentümliche Klangfarbe mystischen Erlebens. Das vorher als endgültig sich gebende, in falscher Weise ernstgenommene« Erdenleben wird als »Traum« empfunden, aus dem man in eine wahrhaft wirkliche Welt erst aufwacht.

In dem unzweifelhaft mystischen Sinne einer solchen Bewußtseins-Erweckung erscheint das gleiche Wort »erwachen« in dem hochbedeutsamen Ausspruch des 17. Psalms: »Ich will schauen Dein Antlitz in Gerechtigkeit. Ich will mich ersättigen beim Erwachen an Deiner Gestalt« (17, 15). Noch über das »Schauen des Angesichtes« hinaus führt da das intuitive Inne-Werden der Gottgestalt zu einer Speisung übernatürlicher Art, zu einer Kommunion. Es heißt nicht nur »Bild« (Luther), sondern das dort gebrauchte seltene Wort meint die wesenhafte Gestalt, sozusagen die Ich-Kontur Gottes, deren Schau nach 5. Mos. 34, 10 nur dem Moses zuteil wurde. Zu solchem Erlebnis kann nur ein allerhöchstes »Aufwachen« führen.

Nach diesem »Erwachen« – um nun wieder zum 73. Psalm zurückzukehren – blickt der Mensch auf seine bisherige Erdenwesenheit wie von außen her zurück und fühlt sich von ihrer Unangemessenheit zum Göttlichen tief durchdrungen. »Ein Narr war ich, ohne Erkennen. Ein Tier war ich vor Dir« (V. 22). Auch die besondere Nuance dieser Worte kann erst von einem mystischen Verständnis aus recht gewürdigt werden. Jetzt wird dem Psalmsänger klar, daß seine früheren irdisch-befangenen Gedankenversuche allerdings hilflos bleiben mußten und die göttliche Wirklichkeit nicht zu greifen vermochten. Jetzt sieht er auf sein ungeweihtes Menschentum als auf etwas zurück, das eigentlich noch untermenschlich-tierisch war.

\*

Nun erst erhebt sich der Psalm zu jenen eingangs zitierten Kern-Worten. Sie gewinnen ihre volle Bedeutung erst auf dem Hintergrunde der besprochenen Voraussetzungen. – Luthers wunderbare Übersetzung enthebt uns nicht der Notwendigkeit, den Urtext in unserer heutigen Weise wiederzugeben. Dann heißt er etwa:

> *Mein Ich – allezeit bei Dir!*
> *Ergriffen hast Du meine rechte Hand.*

*Nach Deinem Rat führest Du mich.*
*Und dereinst – in die Glorie nimmst Du mich hin.*
*Wer sonst in den Himmeln*
   *ist meines Ich-Wesens schaffendes Urbild?*
*Und mit Dir im Bunde*
   *steh ich dem Irdischen frei gegenüber.*
*Mag denn hinschwinden mein Leib,*
   *hinschwinden auch meine Seele –*
*Gott ist mir ewig Felsgrund des Herzens und Schicksal.*

(V.23–26)

Diese Verse sind deshalb etwas so Außergewöhnliches, weil sie der Ertrag sind eines Einweihungserlebnisses, ein Geschenk aus der Welt der »göttlichen Heiligtümer« heraus! –

Vorangegangen war der Satz: »ein Tier war ich vor Dir«. – Nun erst fühlt sich der Psalmsänger in seinem wahren Ich, als wirklicher Mensch. Jetzt erst ist er sich seines wahren Ich bewußt geworden. Dieses sein wahres Ich weiß er nunmehr unlöslich mit der Gottheit verbunden. »Und mein Ich – allezeit ist es bei Dir.« Diese Gott-Verbundenheit entfaltet sich in drei göttlichen Erweisungen. Es sind das: die Hand-Reichung, die weisheitsvolle Führung, die Vollendung.

Die Hand-Reichung. – Es gibt ägyptische Darstellungen des Sonnengottes, wo die Strahlen der Sonne in Hände ausmünden. Man sollte in diesem Sprechen von der göttlichen Hand, die unsere Hand ergreift, nicht einen kindlich-primitiven »Anthropomorphismus« sehen, sondern bedenken, daß der Mensch seinerseits »theomorph« ist, daß in seiner Gestalt göttliche Geheimnisse offenbar werden. Das gilt besonders auch von dem Wunder der Hand. Daß die Gottheit unsere »Rechte« ergreift, ist nicht zufällig gesagt. Auf der rechten Seite ist der Mensch bewußter und wacher als links. Der Mensch soll mit seinem bewußten Persönlichkeitswesen den Kontakt mit dem Göttlichen finden.

Die Führung. – Diese Hand-Ergreifung, die das bewußte Verhältnis herstellt, wirkt sich nun weiter aus in der weisheitsvollen Führung. Der Psalmist ist nicht mehr beunruhigt über seine schweren Schicksale. Die Einweihung bedeutet nicht, daß sie nun etwa aufhörten, dornenvoll zu sein, aber er kann sie nun in einem anderen Lichte sehen. Er hat das Vertrauen in die göttliche Führung, die ihn aus einer über alle menschlichen Begriffe hinausgehenden Weisheit zu seinen Schicksalen geleitet.

Die Vollendung. – Von weitem erscheint das ferne Ziel. »Dereinst«, »endlich«. Ganz einfach und lapidar spricht da der Urtext nur von einem »Nehmen«: »Du nimmst mich!« »Nehmen« – das steht im gleichen Sinn in dem geheimnisvollen, orakelhaft kurzen Satz der Genesis über Henoch (1. Mos. 5, 24). Weil er einen göttlichen Wandel führte, »nahm« ihn Gott.

Die Gottheit hat den Menschen einmal aus ihrer ureigenen Substanz heraus losgelöst und zu selbständigem Leben »freigegeben«. Aber der Sinn dieser Loslösung ist eine Eins-Werdung auf höherer Stufe. Der Mensch soll einmal seine Freiheit so gestalten, daß er mit seiner Selbständigkeit nicht außerhalb, sondern innerhalb der Gottheit steht. Die Gottheit gab den Menschen aus der Hand, um ihn einst in Liebe in ihren Bereich wieder aufzunehmen. Wenn sich der Mensch einmal in ferner Zukunft ganz mit dem Christus durchdrungen haben wird, dann wird er in der Ganzheit seines Wesens dem Himmel eingegeistet und einverseelt und einverleibt sein. Diese Himmelfahrt wurde in ferner Vergangenheit prophetisch vorgebildet in der Gestalt des Henoch. In großartiger Monumentalität sagt die Genesis von ihm, daß Gott ihn »nahm«.

Es gibt nicht bloß die Kommunion, die darin besteht, daß der Mensch das Göttliche in sich hinein nimmt, sondern es soll einmal am Ende der Entwicklung ein Kommuniziert-Werden des Menschen durch die Gottheit geben. Das wird dann sein, wenn der Mensch einmal ganz und gar, durch und durch ewigkeitsreif geworden ist und ohne Substanzverlust durch hinterbleibende Rückstände und Erdenreste von der Welt seines Ursprungs aufgenommen werden kann. – Was der 73. Psalm als Ahnung ausspricht, ist dieses große »Hin-genommen-Werden« des Menschen, sein Kommuniziert-Werden durch die göttliche Welt. »In Glorie«, das meint nicht nur »mit Ehren« (Luther), sondern das hebräische »kābôd« weist hin auf die Gloria, das Verklärungslicht, in das der Mensch bei seinem Hingenommen-Werden eingeht.

Eine andere Parallele ist Psalm 49, 15. Da geht die grandiose Schilderung voraus, wie die Gottlosen in der »Scheôl« sind, in der Schattenwelt (Hades bei den Griechen): »der Tod weidet sie«. Demgegenüber spricht der Psalm die Gewißheit aus: »doch Gott wird meine Seele erlösen von der Hand der Scheôl; denn er wird mich nehmen«. Abgesehen vom 16. Psalm, den wir noch besprechen werden, sind 73, 24 und 49, 15 die einzigen Stellen im Psalter, die mit solcher Kühnheit von der Ewigkeits-Bewahrung des Menschen zu sprechen wagen.

Das Folgende übersetzt Luther in seiner Weise ganz herrlich: »Wenn ich nur Dich habe, so frage ich nichts nach Himmel und Erde.« Und doch drückt der Urtext etwas anderes aus. Er lautet wörtlich: »Wer mir in den Himmeln? Und mit Dir – habe ich kein Gefallen an der Erde.« Was bedeutet das: »wer mir in den Himmeln?« Das Menschen-Wesen sieht sich gewissermaßen in der oberen Welt nach allen Seiten um und sucht in der Fülle der Geister und ihrer Regionen seine besondere Geistes-Heimat. Da sind in den höheren Welten in schaffender Regsamkeit die göttlichen Urbilder der Kristalle, der Pflanzen, der Tiere – wo aber findet der Mensch die Region, die für ihn als Menschen eine entsprechende urbildliche Bedeutung hat? Wo ist sein, des Menschen, himmlisches Urbild? Wo findet er das für den Menschen »zuständige« Göttliche? – »Wer mir in den Himmeln?« Der Dativ »mir« bringt dieses dem Menschen Zugeneigt- und Zugeordnet-Sein des gesuchten göttlichen Wesens einfach und sprechend zum Ausdruck. So können wir es übersetzen: Wer sonst, wer außer Dir, dem Gott des Ich-Bin, ist meines Menschen-Wesens schaffendes Urbild?

Wenn ich mit Dir im Bunde bin, »habe ich kein Gefallen an der Erde« – das will sagen: bin ich nicht mehr abhängig vom Irdischen, fühle ich mich dem Irdischen gegenüber souverän. Der Mensch ist dann nicht mehr durch die Sklavenkette von Besitz und Begierde an die Erde gebunden, er steht ihr königlich frei gegenüber.

Der Urtext enthält nicht jene gewisse Note von Weltabgewandtheit, die durch Luthers an sich so schöne Übersetzung eben doch hereinkommt. Ist der Mensch wirklich dazu da, »nicht nach Himmel und Erde zu fragen«? Tut er nicht gut daran, sich um die Hervorbringungen seines Gottes in Natur und Geisteswelt mit andächtigem Interesse zu kümmern? Den Gott suchen, ohne von Himmel und Erde Notiz zu nehmen, führt nur zu leicht in eine subjektive, letzten Endes egoistische Religiosität hinein, die nicht die eigentlich christliche ist. So ist es befreiend, zu erkennen, wie diese Uninteressiertheit an der Welt im Urtext nicht begründet ist – wohl aber das innere Unabhängigsein vom Irdischen.

Solche Unabhängigkeit vom Irdischen führt den Psalmisten hinaus über die Probleme, die ihm vorher das Leben verbitterten, als er noch das Sinnenfällige für endgültige Wirklichkeit nahm und »ein Tier war vor Gott«. Die nunmehr errungene Souveränität zeigt sich in dem Ausruf: mag mir schon Leib und Seele dahinschwinden! Innere Überlegenheit liegt in diesem »und wenn schon«! An den Gott seines Menschenwesens angeschlossen, kann er mit Gelassenheit auf das Hinschwinden seiner irdischen Leiblichkeit hinblicken.

Aber es ist hier nicht nur vom »Fleisch« die Rede, sondern auch von der Seele. Im Urtext »Herz«. Daß hier aber mit dem dahinschwindenden Herz nicht der innere Kern des Menschenwesens gemeint ist, zeigt das Folgende: »Du bist allezeit meines Herzens Trost.« Es ist hier im Zusammenhang des Dahin-Schwindens sozusagen das »sterbliche« Herz gemeint, das Seelenleben, soweit es an den irdischen Leib gebunden ist und ganz von dem leiblichen Auf und Ab mit bestimmt wird. Auch in diesem an den vergänglichen Leib gebundenen Seelenleben sieht der Dichter des Psalms etwas, dessen eventuelles Hinschwinden mit Gelassenheit ertragen werden soll. Durch seine »Erweckung« weiß er, daß unsere Gottes-Beziehung viel tiefer verankert sein muß als in den schwankenden und wandelbaren Gefühlen des oberflächlichen Seelenlebens. Es gibt eine solidere Verankerung, unabhängig von den allfälligen »Gestimmtheiten«. Auf »Stimmung« allein läßt sich Religion nicht bauen. Es gibt Lebenslagen, wo der Mensch, wie man so sagt, »die Nerven verliert«, wo ihm sein bis dahin wohltemperiert gewesenes Seelenleben durch die Über-Wucht einer Katastrophe über den Haufen geworfen wird. Es muß der Mensch, wie wir bei Psalm 42 sahen, wenigstens mit einem Teil seines Wesens außerhalb dieser Stimmungen und Verstimmungen, dieser Depressionen und Verzweiflungen stehen können. Hat er diesen Standpunkt »außerhalb« gefunden, dann weiß er, daß er vielleicht nicht allezeit sofort gegen diese Seelenvorgänge aufkommen kann, daß er aber auf dem Weg ist, allmählich doch mit ihnen fertig zu werden. – Die Vergänglichkeit unseres Leibes, sein Krank-Werden, sein Alt-Werden und damit auch die Vergänglichkeit eines beträchtlichen Teiles unserer seelischen Regungen muß mit Gelassenheit angeschaut werden können, im Blick auf die ewigen Belange des Menschen.

Der Psalmist weiß, daß er auch nach seinem großen Gottes-Erlebnis noch durch Abgründe wird hindurchgehen müssen. Aber er bleibt jetzt nicht mehr dem Vordergrund der Erscheinungswelt verhaftet. »Der Fels meines Herzens und mein Teil ist Gott in Ewigkeit.« Hier ist mit »Herz« nicht das vergängliche

244

Seelische gemeint, sondern das »unsterbliche Herz«, durch dessen »Glaubens«-Kräfte der Mensch auf dem Urgestein der Gottheit seinen festen Grund findet. »Und mein Teil« – der erloste Lebens-Anteil des Menschen soll Gott selbst sein. Wer so sprechen kann, der ist frei geworden von dem Bangen und Zittern darum, ob man auch wohl seinen gebührenden Anteil vom Erdenleben hinwegträgt, ob uns das Leben auch die Summe von Glück, Wohlbehagen und Befriedigung zuteilt, die wir meinen beanspruchen zu sollen. So sprach einst die Gottheit zu Abraham: »Ich selbst bin Dein überschwenglicher Lohn.« Der Wert eines Erdenlebens wird auf die Dauer doch nur davon bestimmt, ob das Göttliche selber der Anteil des betreffenden Menschen war, den er als seinen Lebens-Ertrag, als die Summe seines Daseins »davonträgt«. Was sonst noch der Mensch erlost an Freuden und Leiden, das geht vorüber. –

Am Schlusse bleibt für den Psalm von all der Problematik des Wohl-Ergehens oder des Übel-Ergehens nur noch die Frage übrig: Gottes-Nähe oder Gottes-Ferne.

*Denn siehe, die fern von Dir sind, vergehn.*
*Den, der Dir den Treue-Bund bricht, gibst Du der Nichtigkeit anheim.*

(V. 27)

Darin wirkt nicht die Rache eines gekränkten Gottes, sondern es ist eine Art höheren Naturgesetzes, das sich da zur Geltung bringt. Wer die Gottes-Beziehung aufgibt, der liefert sich damit schon selbst der Nichtigkeit aus.

*Und ich – Gottes Nähe ist mein Gut.*

(V. 28)

Die Gottes-Nähe ist »das« Gut, der Wert der Werte.

Im Schlußvers 28 erscheint erstmalig und einmalig in diesem Psalm der Jahve-Name, noch gesteigert durch das beigefügte »adōn«, »Herr«.

*Meine Zuflucht habe ich genommen bei dem Kyrios,*
*dem Gott des Ich-Bin.*

Wer gehört zu mir in den Himmeln? Wo ist der göttliche Hintergrund, aus dem das wahre Menschen-Wesen hervorgehen kann? Der »adōn Jahve«, der Kyrios, der Gott des Ich-Bin – er ist in Wahrheit der dem Menschen zugeordnete Gott.

# DER LEIDENS-PSALM DES ERLÖSERS

Die aus der Passionsgeschichte bekannten Worte »Mein Gott, mein Gott, warum hast du mich verlassen« bilden den Anfang des 22. Psalms. Die hier und da aufgekommene Meinung, diese Worte seien der Ausdruck letzter, auswegloser Verzweiflung, hätte nicht entstehen können, wenn man den Fortgang dieses Psalms vor Augen gehabt hätte. Er beginnt allerdings in den Tiefen der Verlassenheit, führt aber dann in eine um so strahlendere Herrlichkeit. Er enthält nicht nur das Sterben, sondern auch die Auferstehung und Verherrlichung.

Das Erlebnis eines alttestamentlichen Frommen ist bis zum Urbildlichen hin vertieft. Die Christenheit hat von jeher mit Recht eine inspirierte Vor-Schau auf Leiden und Verherrlichung des Christus darin erblickt.

## I.

*Mein Gott, mein Gott, warum hast Du mich verlassen?*
*Weit weg ist, was mein Heil wäre.*
*Ich kann es nicht er-rufen.*
*Du Gott meines Ich – ich rufe des Tages*
*und Du antwortest nicht.*
*Und auch des Nachts*
*gibt es kein Schweigen für mich.*

(V.2–3)

Der diesen Psalm anstimmt, hat ein starkes Gefühl für das Dasein Gottes. Er empfindet ihn nicht nur als einen »Gott im Allgemeinen«, sondern als ein ihm tief zugehöriges Wesen: »Mein
Gott«. Man könnte es auch umschreiben: »Du Gotteswesen, in
dem mein Ich-Sein sich gründet.« Aber eben diese von Haus aus
bestehende intime persönliche Verbundenheit ist ihm verlorengegangen. In unfaßbarer Weise muß er sich von diesem so tief
zugehörigen Göttlichen abgetrennt erleben. Der Erden-Mensch,
ohne dieses ihm bis dahin so vertraut gewesene Überschwebt-
Sein, fühlt sich selbst wie unvollständig geworden. Alleingelassen kostet er bittere Einsamkeit.

An diese Verlassenheit haben sich die Menschen nach der modernen Zeit hin immer mehr gewöhnt. Sie nehmen heute aller-
meist diesen Zustand als den natürlichen und einzig möglichen
hin. Sie kennen es nicht anders und verlieren immer mehr das
Empfinden dafür, daß dieser alleingelassene Erdenmensch von
etwas abgeschnitten ist, das nach oben hin eigentlich zu ihm gehört. Es kommt ihm dann die Frage nach dem Sinn des Daseins,
das ihm sinnlos erscheint. Diese Frage nach dem Sinn stellt man
aus einem Mangel-Empfinden heraus, aber man weiß nicht
recht, woran es eigentlich mangelt. Der Psalm weiß das noch.
Aber er steht vor der rätselhaften Tatsache, daß dieses von oben
her in uns einstrahlende Göttliche, das dem ganzen Leben Glanz
und Fülle und Tiefe gibt, nicht mehr als anwesend empfunden
wird.

Mit aller Mühe kann er die zerrissene Verbindung nicht wieder herstellen. Sein Rufen trägt nicht mehr hin, die Entfernung
ist schon zu groß geworden. Trotzdem bleibt der mit aller inneren Kraft vollbrachte Anruf nicht ohne eine Wirkung. Vermag er
auch nicht die trennende Ferne zu überbrücken, so taucht doch
tröstlich-beruhigend die Vorstellung auf: »Es war aber nicht immer so. Bei den Vätern war das Göttliche noch nicht verschwunden.« Hinter allen Mythen von einer vergangenen besseren, gol-

denen Zeit steht die Wahrheit einer ursprünglichen Gott-Verbundenheit des Menschen. Der Psalmist denkt zunächst an die
Vorfahren in Israel, aber die sind ja doch zugleich die Verbin-
dungsmänner zu jener goldenen Vergangenheit. So steht vor seinem inneren Auge wie ein Trostbild die Gemeinde der früheren
Gottes-Verehrer, zu denen die Gottheit noch wahrnehmbar und
spürbar herniederstieg. Wenn die alten heiligen Hymnen gesungen wurden, dann baute sich aus ihren Klängen gleichsam ein
Thron auf, auf welchem die erscheinende Gottheit sich niederlas-
sen konnte.

> *Doch Du bist der Heilige,*
> *Dich herniederlassend auf den Hymnen Israels.*
> *Auf Dich vertrauten unsere Väter.*
> *Sie vertrauten, und Du kamst ihnen zu Hilfe.*
> *Zu Dir riefen sie und wurden gerettet.*
> *Auf Dich bauten sie und wurden nicht enttäuscht.*
>
> (V. 4–6)

## II.

Doch diese aufsteigende Erinnerung an die Welt der alten Frommen tröstet nur vorübergehend. Die Wunder der Väterzeit können in der gegenwärtigen Not nicht helfen. Wie ein schriller Miß-
klang – den Nachhall der altheiligen Hymnen hart zerreißend –
schreit es auf: »aber ich!« Im Kontrast zu jener Vergangenheit
sieht sich der Erdenmensch um so schmerzlicher alleingelassen.
Das überschwebende Gottes-Ich spürt er nicht mehr zu seinen
Häupten. Und da er von oben nicht mehr gehalten ist, findet er
sich in der Gefahr, in das Unter-Menschliche abzusinken. Er erlebt die Gefährdung seines Mensch-Seins. Der Leib bewahrt
wohl noch die edle Menschen-Form, aber was diesen Leib seelisch als Innen-Leben erfüllt, entsinkt dem eigentlich Menschli-

chen. Wie sagt doch Mephisto bei Fausts Tod: »Das ist das Seel-
chen, Psyche mit den Flügeln, die rupft ihr aus, so ists ein garsti-
ger Wurm.«

*Aber ich! – Ein Wurm! Kein Mensch!*
*Schmachbild eines Menschen,*
*der Verachtung preisgegeben!*

(V.7)

Der Schrecken über das entstellte Menschenbild geht über in
das Erlebnis des Verhöhnt-Werdens. Gewiß mag hier der Psalmist an das Höhnen haßerfüllter Feinde denken, aber diese seine
Gegner und Hasser werden zum Gleichnis. Auch der Verhöhnte
selber. Er ist nicht mehr bloß ein Zufallsmensch, der Zufallsgeg-
ner hat, sondern er ist im urbildlichen Erleben »der Mensch«
selbst, und die Hasser sind die Widersacher-Mächte, die mit sa-
tanischer Zerstörungswut das Göttlich-Menschliche in den
Schmutz zerren, die der Gottheit ihr Menschen-Werk in Scher-
ben schlagen möchten. Und da der Mensch ja dem Sündenfall
erlegen ist, fehlt es ihnen nicht an Ansatzpunkten für ihre Ver-
nichtungsarbeit und Anlässen für ihr höllisches Triumphieren.

*Alle, die mich sehen, verspotten mich,*
*reißen wider mich den Mund auf,*
*schütteln den Kopf.*
*Wirf es auf den Herrn, der mag ihm helfen.*
*Der mag ihn erretten,*
*wenn er ein Wohlgefallen an ihm hat.*

(V.8–9)

Die Passions-Erzählung des Matthäus bringt wörtliche An-
klänge an diese Psalm-Stelle. Es wäre ein Kurz-Schluß zu meinen, daß Matthäus seinen Bericht einfach nur aus dem Psalm
entnommen hätte. Der Psalm seinerseits ist ja Vor-Schau und

250

Vor-Schauer des bevorstehenden Golgatha-Ereignisses, wo der Christus sich gnadevoll mit dem Erdenmenschen verbindet und sich dem Hohn und Spott der Widersacher preisgibt. Natürlich hat Matthäus seine Ausdrucksweise nach dem Psalm stilisiert. Aber der Psalm nahm schon etwas von der kommenden Golgatha-Tatsache voraus.

Auch diese zweite Woge des Schmerzes verebbt noch einmal in einer Tröstung. Was diesmal zu Hilfe kommt, ist nicht mehr die Erinnerung an heilige Vorzeit, sondern eine näherliegende Rückschau, die diesmal im eigenen individuellen Bereich verbleibt: Der Seelenblick wird zur Kindheit zurückgelenkt. Wie die Menschheit als Ganzes in ihren Anfängen vom Göttlichen getragen war, so ist es auch jeder einzelne Mensch noch einmal in den Anfängen seiner Erden-Existenz. Im Mutterleib und an der Mutterbrust ist der Mensch noch wie in naturhafter Frommheit den göttlichen Lebensmächten tief hingegeben:

> *Du zogest mich aus dem Mutterleib.*
> *Du warst mein Vertrauen an der Mutterbrust.*
> *Auf Dich bin ich geworfen vom Mutterleibe her.*
> *Vom Mutterleibe her bist Du mein Gott.*

(V. 10–11)

## III.

Jedoch auch dieser Trost, der auf Besinnung auf das eigene Kind-Sein beruht, ist dem Schweren, was jetzt dem Menschen zugemutet wird, nicht gewachsen. Eine dritte Woge des Schmerzes dringt heran. Sie steigt höher noch als die vorangehenden. Sie bringt den Schmerz aufs Äußerste – und führt damit auch die große Wendung herbei.

251

*Leg nicht die Ferne zwischen Dich und mich!*
*Denn nah ist die Angst,*
*und ist kein Helfer.*
*Umgeben haben mich große Stiere.*
*Mächtige Stiere haben mich umringt.*
*Reißende und brüllende Löwen*
*sperren ihren Rachen gegen mich auf.*

(V. 12–14)

Die »Angst« – in der deutschen Sprache auf das Enge-Werden hindeutend, wo einem der Atem ausgeht – kündigt den neuen Schrecken an. Die auf den Menschen eindringenden wilden Tiergestalten sind alpdruckhafte Wahrtraum-Bilder, Schauungen. Es sind nicht die cherubisch-sternenhaften »Stiere« und »Löwen« der Ezechiel-Vision, sondern deren unterweltliche karikaturhafte Spiegelbilder. In Ezechiels Schau tragen Stier und Löwe dienend den Thron des Gottessohnes. Hier haben sich die Seelenkräfte egoistisch selbständig gemacht, sie dienen nicht einem höheren Ich, sondern wenden sich vernichtend gegen den Menschen.

Vom Gebiet der ins Tierhafte absinkenden Seelenkräfte geht es nunmehr über in die Region der ätherischen Lebenskräfte. Auch sie sind vom Verderben mitbetroffen. Das »Wasser des Lebens« ist gleichsam ausgeronnen aus dem gottverlassenen Erden-Menschen. Der Stoffesleib wird von den Lebenskräften nicht mehr genügend durchwaltet, er vertrocknet und zerbröckelt. Die Knochen – die ja aus fließender, quellender Lebenssubstanz langsam erst sich verfestigt haben – sind das Bild dafür, wie aus dem ursprünglichen Lebenszusammenhang sich das Tote herauslöst und in seinen sich vereinzelnden Teilen der Schwere anheimfällt. »Meine Gebeine haben sich zertrennt«, heißt es in der Luther-Übersetzung.

Der Erdenleib, von Todeskräften ergriffen, entsinkt dem Leben und fällt als Leichnam der Schwere und der Auflösung anheim.

> *Wie Wasser bin ich ausgeschüttet.*
> *Meine Knochen haben sich aus ihrem Zusammenhang gelöst.*
> *Mein Herz ist geworden wie Wachs,*
> *dahinschmelzend in meinem Inneren.*
> *Vertrocknet wie eine Scherbe ist meine Kraft,*
> *meine Zunge klebt mir am Gaumen.*
> *Und Du legst mich in des Todes Staub.*
>
> (V. 15–16)

Dem Erleben des körperlichen Sterbens folgt das Auftauchen unterweltlicher Schreck-Gesichte. Der Hades, die nicht vom Göttlichen erhellte Unterwelt, tut sich auf in dem Bilde der herankommenden Hunde. Der Orientale kennt den Anblick der über einen Kadaver herfallenden wilden Hunde, sie werden zum Gleichnis der unterweltlichen Mächte, die nun auch die nicht vom Göttlichen durchdrungene Seele nach dem Tode bedrohen. So spricht die Herkules-Sage vom »Höllenhund«.

Der Leidende sieht sich an Händen und Füßen durchbohrt, er »kann alle seine Knochen zählen«. Er sieht sich als Gekreuzigten. Wieder war es ein Kurzschluß, wenn vorschnelle theologische Kritik die Nägelwunden des gekreuzigten Christus aus dem 22. Psalm herleiten wollte. Wieder gilt es, daß der Psalm aus einer geheimnisvollen Vor-Schau heraus gedichtet wurde, wo eigenes Leiden wie zum Seh-Organ für das kommende Leiden des Erlösers wurde. In einer Art »Stigmatisationserlebnis« ist die Durchbohrung der Hände und Füße vor-gefühlt. Die Wunden Christi sind keine Zufallswunden, wie ja das ganze Golgatha-Geschehen bei aller historischen Wirklichkeit durchsichtig ist für tiefe Geheimnisse.

Bei keiner anderen Hinrichtungsart wird das Knochengerüst des Menschen so betont wie bei der Kreuzigung. In qualvoller

Ausspannung tritt die Grundstruktur der Menschengestalt zutage. Der Gekreuzigte wird sich ihrer schmerzvoll bewußt, er »kann alle seine Knochen zählen«. Abermals berührt hier der Psalm den Zusammenhang von »Knochen« und Todeserlebnis.

> *Denn Hunde haben mich umgeben,*
> *die Schar der Widersacher hat mich umringt,*
> *sie haben meine Hände und Füße durchbohrt.*
> *Ich kann alle meine Knochen zählen.*
> *Sie aber schauen auf mich mit Triumph.*
> *Sie teilen meine Kleider unter sich*
> *und werfen das Los um mein Gewand.*

(V. 17–19)

Wiederum verspürt der Gekreuzigte das höhnische Triumphieren der Widersachermächte. Er muß zusehen, wie sie seine Kleider unter sich teilen – ein Gefühl letzten Erledigt-Seins, wenn man das, was einen eben noch wärmend umhüllte und wie ein Bestandteil des eigenen Wesens war, nun durch fremde, feindliche Hände gehen sieht. Es ist, wenn man den Ausdruck gebrauchen darf, die »Liquidierung« des Menschenwesens, die der Psalm im Alpdruck unheilkündender Vor-Gesichte erschaut. Was dem Menschen an »Wesens-Hüllen« eigen war, die »Gewänder«, die aus seinen Lebenskräften und aus seiner Seelenhaftigkeit gewoben waren – das wollen die Widersacher-Mächte an sich reißen.

So hat die dritte Welle des Leidens, diesmal nicht so bald von einer Tröstung beschwichtigt, wirklich zu einem Äußersten geführt. Aus dieser letzten Todes-Angst heraus erhebt sich der Hilfe-Ruf:

> *Aber Du, Herr, sei nicht ferne!*
> *Meine Stärke – zu meiner Hilfe eile herbei!*
> *Errette vom Schwert meine Seele,*

*von der Gewalt des Höllenhundes meine Ich-Seele.*
*Errette mich aus dem Rachen des Löwen!*
*Und von dem Einhorn errette mich!*

(V. 20–22)

Auch das »Schwert« ist ein besonderes Erlebnis-Bild. Wie im Tode die Seele vom Leibe wie durch scharfen Schnitt getrennt wird, so warten weitere solche Scheidungen und Trennungen auf die entkörperte Seele. Im Erdenleben trug sie Hohes und Niederes in mannigfaltiger Vermischung in sich, nach dem Tode muß sie sich unter Schmerzen trennen von all dem, was mit einer höheren Welt nicht zusammenleben kann. Was wir mit dem Wort »Ich-Seele« wiederzugeben versuchen, heißt im Hebräischen »jechidah« – »die einzige«. Dieser Ausdruck findet sich in der Weisheit der Kabbala als Fachausdruck für das höchste Seelenglied des Menschen, in dem sein Ich völlig herrscht und das ihm die Einheit und Geschlossenheit der Persönlichkeit verleiht. Diese »Einheitsseele« sieht der Psalm von den Unterweltsmächten, wieder in Gestalt des Hundes, bedroht.

Dieser Hilfeschrei des Tod-Bedrohten geht im Text mit einem Male unvermittelt in den Jubel eines Erlösten über.

## IV.

*Ich will Deinen Namen verkünden meinen Brüdern,*
*inmitten der Gemeinde Dich lobpreisen.*

(V. 23)

Wieso es zur Errettung kam, wird nicht gesagt. Wenn wir den Psalm im Lichte der Christus-Erfüllung anschauen, müssen wir hier, wo der Text zwischen Todesnot und Erlöst-Sein gleichsam nur einen Gedankenstrich setzt, die Tat von Golgatha hinstellen. – Liest man den Psalm zu Ende, so findet man doch noch einen Hinweis auf das, was in ihm verschwiegen ist: Der Psalm endet mit den Worten »denn er hat es getan« (V. 32, bei Luther: »daß er's getan hat«). »Er hat es getan.« – Diesmal, bei der sich zur Todesangst steigernden dritten Schmerzenswelle, sind es längst nicht mehr die Hymnen der Väter, ist es auch nicht mehr die Erinnerung an das eigene Kind-Sein, die trösten können. Dem Todes-Verhängnis ist nur eine neue unerhörte Gottes-Tat gewachsen. Was uns offenbar geworden ist als Tod und Auferstehung des Gottes-Sohnes, das verbirgt sich im Halbdunkel dieses vorahnenden Psalms in den orakelhaften Worten: denn er hat »Es« getan. (Um Urtext steht nur »ki āsāh« – »denn er tat«. Im Deutschen müssen wir das Unbestimmte der Aussage durch jenes verschweigend-wissende »Es« wiedergeben.)

In der begeisterten Schilderung seiner Erlöstheit wächst der Psalmist immer weissagender in die Rolle des Erlösers selber hinein. So wie der Christus der Maria Magdalena den Auftrag gab, die Auferstehung seinen »Brüdern« zu verkünden, so erweitert sich auch im 22. Psalm das erfahrene Heil zu einer in das Menschheitliche ausgreifenden freudigen Bewegung. Die »große Versammlung« ist wie eine Weissagung der christlichen Kirche. War am Anfang von den »Vätern« die Rede, so nun von den »Brüdern«.

> *Die ihr den Herrn fürchtet, lobpreiset ihn!*
> *Ihn scheue aller Same Israels.*
> *Denn er hat nicht verachtet die Armut der Armen*
> *und hat sein Angesicht nicht vor ihm verborgen,*
> *und als er zu ihm schrie, erhörte er ihn.*
> *Dich preist mein Lobgesang in der großen Versammlung.*
>
> (V. 24–26)

Gott hat sich zu dem an himmlischen Gütern »verarmten« Erdenmenschen bekannt. Im weiteren spricht der Psalmist von der dankbaren Einlösung seines Gelübdes. Er lädt ein zu dem großen Opfermahl, das sich wie eine Kommunion an sein Dank-

Opfer im Tempel anschließt. In diesem aus dem alttestamentlichen Kultus hergenommenen Bilde kündigt sich das heilige
Christus-Mahl an, das die geschehene Erlösungstat an die Menschen heranträgt. Ganz besonders spürbar wird dieses Abend-
mahlselement in dem wunderbaren Satze »euer Herz lebe auf
ewig« (V. 27).

> *Meine Gelübde will ich einlösen vor denen,*
> *die ihn ehrfürchtig scheuen.*
> *Essen sollen die Armen und sich ersättigen.*
> *Lobpreisen sollen den Herrn, die ihn suchen.*
> *Euer Herz lebe auf ewig.*
>
> (V. 26–27)

Die Wellen der Erlösungstat schlagen immer weitere Kreise.
Der alttestamentliche Fromme sprengt den Rahmen des israeliti-
schen Volkstums und dringt vor zum menschheitlich Umfassenden. Das ist wie eine große Pfingst-Ahnung.

Zur ganzen Menschheit gehören aber auch die Verstorbenen.
Auch bis zu ihnen hin dringt schließlich der Blick. Und auch am
Ende noch zu den Ungeborenen, den kommenden Geschlech-
tern.

Der Psalm begann mit dem Aufschrei: »Warum hast du mich
verlassen?« Über dem zweiten Teil, der die Erlösung preist, stehen unausgesprochen die Worte: »wie hast du mich verherrlicht«.

> *Es sollen sich erinnern und zum Herrn zurückkehren*
> *alle Enden der Erde.*
> *Anbeten werden vor seinem Angesicht*
> *alle Geschlechter der Völker.*
> *Ihm die Königsherrschaft!*
> *Er herrscht unter den Völkern.*
> *Ihn werden anbeten, die in der Erde schlafen.*[14]

*Vor ihm werden sich beugen alle,*
*die herabgestiegen sind zum Staube.*
*Ihm lebt meine Seele.*[15]
*Die Zukunft wird ihm dienen.*
*Verkündigt werden wird der Herr*
*den kommenden Geschlechtern,*
*und seine Gerechtigkeit denen,*
*die noch erst sollen geboren werden.*
*DENN ER HAT ES GETAN.*

(V. 28–32)

# DER WEG DES LEBENS

## PSALM 16

Der 16. Psalm spielt in der Geschichte des Christentums eine besondere Rolle. Mit zwei anderen alttestamentlichen Zitaten findet er sich in der Pfingstpredigt des Petrus, also in der allerersten christlichen Verkündigung. Die Ausgießung des Heiligen Geistes hat erstmalig Menschen den Mund geöffnet, das von ihnen miterlebte Christus-Geschehen, das Mysterium von Golgatha, öffentlich auszusprechen.

Bei dieser christlichen Ur-Verkündigung stützt sich Petrus auf drei Stellen des Alten Testamentes, entsprechend den deutlich hervortretenden drei Teilen seiner Rede, die sich markieren durch die immer mehr ins Menschheitlich-Universale wachsende Anrede, mit der er seine Zuhörer anspricht. (»Ihr Männer von Judäa und ihr Bewohner Jerusalems« – »Ihr Männer von Israel« – »Ihr Brüder«, Ap. Gesch. 2, V. 14,22,29). Im ersten Teil (2,14–21) stellt Petrus die Geist-Ausgießung dar als die Erfüllung der Joel-Prophetie. Hier ist nur die Rede vom Geist und seinen Wirkungen. Erst im letzten Vers gibt das Wort vom Anrufen des Kyrios, des Herrn, den Übergang zum zweiten Teil (2,22–28), der nun die Welt des »Sohnes« zum Inhalt hat, indem von dem Auftreten des Nazareners gesprochen wird, vom Tode und von der Auferstehung. Der dritte Teil (2,29–36) schreitet von der Auferstehung zur Himmelfahrt weiter, zum Sitzen zur Rechten des Vaters, und hier dient der Melchisedek-Psalm 110 (»Der Herr sprach zu meinem Herrn: setze dich zu meiner Rechten«) als Verständnis-Hilfe. Dieser dritte Teil führt also in die Sphäre des thronenden Vatergottes. Es ist bedeutsam, wie diese allererste christliche Verkündigung vom Mysterium der Drei-Einigkeit überformt ist.

Der zweite Teil also, der das grundlegende Sohnes-Geheimnis von Tod und Auferstehung verkündet, lehnt sich an den 16. Psalm an. Petrus will seinen Hörern das Unglaubliche seiner Botschaft vermitteln, es ihrem Verständnis näherbringen, indem er den 16. Psalm heranzieht: »Denn David spricht mit Bezug auf ihn...« (2,25).

Nach Lukas, der ja auch die Apostelgeschichte schrieb, hat der Auferstandene selbst in seinen »Belehrungen der 40 Tage« nach Ostern den Jüngern das Verständnis der alten heiligen Schriften aufgeschlossen (Luk. 24,44). Dabei nennt Lukas neben Moses und Propheten ausdrücklich die Psalmen. Diese altheiligen Texte erschienen also den Jüngern nach diesen Belehrungen in einem anderen Lichte, und man darf wohl annehmen, daß in dieser pfingstlichen Petrus-Verkündigung die Lehren des Auferstandenen weiterwirken. Das berechtigt uns, den hebräischen Text gleichsam als »auf Zuwachs berechnet« zu lesen; seine Formulierungen daraufhin anzusehen, wie sie offenstehen nach der Zukunft und einen Inhalt in sich veranlagt tragen, der weit über das hinausgeht, was seinem inspirierten Autor damals bewußt sein mochte.

*

*Bewahre mich Gott; denn zu Dir nehme ich meine Zuflucht.*
*Ich sprach zu Jahve: Mein Herr bist Du.*
*Von keinem Gut weiß ich außer Dir.*

(V. 1–2)

Dieser Eingang ist leise vom trinitarischen Mysterium überschattet. Zuerst das Sich-Bergen, das Zuflucht-Nehmen – ein Vater-Erlebnis. Es handelt sich um das Geborgen-Werden des eigenen bedrohten, in seiner Isolierung frierenden Daseins in dem umfassenden Sein des Weltengrundes, von dem die »Bewahrung«, die Erhaltung im Seienden, ausgeht.

Aber dabei bleibt der Psalm nicht stehen. Er sucht nicht nur das Geborgen-Werden im Vater. Er ist sich dessen bewußt, daß der Mensch nicht nur »Kind«, sondern auch »Sohn« sein soll. So tritt er nun »mündig« mit freiem Hingabe-Entschluß vor die Gottheit hin. War das Zuflucht-Suchen noch so etwas wie eine Instinkthandlung höherer Ordnung, so kommt nun die bewußte Gottesbeziehung des Mündiggewordenen in dem »Sprechen« zu Worte. »Ich sprach: mein Herr bist Du.« Der Fromme steht der Gottheit als Geistpersönlichkeit von Angesicht zu Angesicht gegenüber und entscheidet sich frei für sie – ein »Sohnes«-Erlebnis! Dieses Sprechen ist eine Tat aus der eignen Wesensmitte heraus, eine Angelobung. »Du bist mein Herr. Du sollst meinem Wesen die Richtung geben.«

Der dritte Satz »ich weiß von keinem Gut außer Dir« hat wieder einen anderen Charakter. Es ist ein Bewußtseinsvorgang, der über das augenblickliche Gegenüberstehen und Angeloben noch hinausgreift. Das Bewußtsein überschaut den ganzen Bereich menschlicher Wert-Erlebnisse und schwingt sich zu einem Erkenntnis-Urteil auf. Es gibt ein Urteil ab über die Skala der Werte, es »unterscheidet, wählet und richtet«, indem es die Worte prägt: »ich weiß von keinem Gut außer Dir«. Der Wert des Gotteswesens, das der Psalmist als sein höheres Ich, als seinen Herrn anerkannt hat, wird ermessen durch Vergleich mit anderen »Gütern«. Und die Erkenntnis lautet: der Kyrios, der Träger des höheren Ich, ist nicht nur höchstes Gut, »summum bonum«, sondern »das« Gut schlechthin. Alle anderen »Güter« können nur so genannt werden, wenn sie mit diesem Kyrios in Verbindung sind.

Vom kindlichen Sich-Bergen zur freien Angelobung und zur bewußten Rechenschaftsablage vor dem erkennenden Bewußtsein – darin dürfen wir den Weg vom Erleben des Vaters zum Erleben des Sohnes und schließlich des Geistes vorgebildet sehen.

\*

*An den Heiligen, die auf Erden sind, verherrlicht er sich.*
*All sein Wohlgefallen ruht auf ihnen.*

(V. 3)

So müssen die etwas unsicheren Worte des Urtextes wahrscheinlich gelesen werden.

An den Heiligen verherrlicht er sich. – Von ferne klingt das Wort aus dem hohepriesterlichen Gebet an: »Ich bin in ihnen verherrlicht.« Als »Heilige« bezeichneten sich die alten Christen, obwohl sie sich ihrer menschlichen Unvollkommenheiten bewußt waren. Sie sprachen damit aus, daß sie sich von den Heilskräften berührt und durchströmt fühlten.

Sein Wohlgefallen ist auf ihnen. – Wieder fühlen wir uns an neutestamentliche Erfüllung gemahnt: »Mein geliebter Sohn, an dem ich Wohlgefallen habe«, »in dem ich die wahre Spiegelung meines eigenen Wesens wiederfinde«, »in dem ich mich wirklich geoffenbart sehe«.

Von den Menschen, die den Weg der Heiligung und des Heils gehen, hebt sich im Kontrast die negative Möglichkeit ab:

*Ein schweres Schicksal ziehn sich die zu,*
*welche dem Anderen sich weihen.*

(V. 4)

Das wären die Menschen, die sich nicht dem höheren Ich öffnen, sondern ihr Wesen dämonischen Mächten hingeben.

In diesen Dämonen wirkt der Widersacher, der »Andere«.

*Ihre Blutopfer möchte ich nicht darbringen.*

262

In den Götterkulten der alten Zeit handelte es sich um Realitä-
ten. In dem Maße wie im Fortschreiten der »Götter-Dämme-
rung« die guten Wesenheiten, die hinter den Göttergestalten der
alten Zeit standen, sich zurückzogen, traten Dämonen und Gespenster an ihre Stelle. Paulus schreibt den Korinthern: »Ihr
könnt nicht den Kelch des Herrn trinken und den Kelch der Dämonen« (1. Kor. 10,21). Mit den Dämonen ging man in den de-
kadent gewordenen alten Kulten eine Verbindung ein. Die alt-
christlichen Märtyrer waren mit Recht der Meinung, daß sie
durch Darbringung des von ihnen verlangten Götter-Opfers Dämonen nähren würden, und lehnten es deshalb unerbittlich ab.

Durch das Nicht-mehr-Bestehen jener alten Kulte sind die
Worte des Psalms deshalb nicht überholt und etwa nur noch historisch interessant. Die Dämonen gibt es nach wie vor, und auch
ohne ausdrücklichen zeremoniellen Kult besteht die Möglichkeit, sie durch unser Opfer zu nähren und von ihrem Kelch zu
trinken. Mit jeder unguten Seelen-Regung »füttern« wir böse
Geister, machen sie stärker. Sie kommen herbei wie die Fliegen
zum Unrat. Unser Blut, das die feinsten Regungen unserer Seele
aufnimmt, ist wirklich der »besondere Saft«, auf den es der Teufel abgesehen hat. Wer sein Inneres dem Bösen auftut, der ge-
währt zugleich den widergöttlichen Wesen Macht über sein Blut.
Er bringt ihnen, ob er es weiß oder nicht, das Blut-Opfer dar.

*Ihre Namen sollen nicht auf meine Lippen kommen.*

Wiederum eine noch heute gültige Wahrheit, auch wenn es
nicht mehr die erwähnten Kulte gibt, in denen Dämonen-Namen
in zeremoniell-magischer Weise angerufen wurden. Durch ungute Worte zitiert man böse Geister. Das Fluchen zum Beispiel ist
ganz real ein »negativer Kultus«.

Von diesem Kult der Dämonen, deren Wirklichkeit nicht erkannt zu haben für den Menschen des 20. Jahrhunderts eine un-

statthafte Harmlosigkeit wäre, wenden wir uns nun wieder dem Positiven zu.

*Der Herr ist mein Los-Anteil und mein Kelch.*

(V.5)

Im Psalm 116, 13 heißt es: »Den Kelch des Heiles will ich ergreifen, und den Namen des Herrn will ich anrufen«, Worte, die in den christlichen Messe-Kult Eingang gefunden haben. Das ist das Gegenteil der Blutsdarbringung und Namen-Anrufung im Dienst der Dämonen. – Das andere Bild, der Los-Anteil, ist von der Verteilung des Landes hergenommen. Die »Verteilung des Landes« ist ihrerseits ein Gleichnis dessen, wie sich jeder Mensch »an einer anderen Ecke des Welten-Seins anbaut«. So will sich der Fromme in der Geistesregion des Ich-tragenden Gottes ansiedeln und heimisch machen. Dann ist er mit dem ihm gefallenen »Los« zufrieden, mag er auch sonst vielleicht bei der großen Verteilung der irdischen Güter, die das Schicksal vornimmt, zu kurz kommen (vgl. Psalm 73, 26). – Von der betrachtenden Redeweise in der dritten Person geht der Psalm nach dem Wort vom Kelch zur »zweiten Person« der direkten persönlichen Anrede über:

*Ja, Du sollst auf immer mein Los sein.*
*Die Lose fielen mir lieblich. Mein Anteil gefällt mir wohl.*

(V.5–6)

*

*Ich will den Herrn lobpreisen, der mich beraten hat.*
*Dazu fordert mich mein Inneres auf bei der Nacht.*

(V.7)

Er hat den Frommen »beraten«, er hat ihm seine Inspiration zufließen lassen. Das »Innere« fordert ihn des Nachts zum dankbaren Lobpreis auf – wörtlich »die Nieren«. Sie erscheinen öfter

264

im Alten Testament als Sitz innerer Regungen. Die im Inneren des Körpers verborgenen Organe waren überhaupt der Ausdruck auch für das seelische Innenleben. So meint auch das im Neuen Testament öfter gebrauchte griechische Wort »splangchna«, wörtlich »Eingeweide« (wofür es in manchen Gegenden den volkstümlichen Ausdruck »Innereien« gibt), das Seelisch-Innerliche.

Aus dem Innern wird nachts die Stimme des Gewissens hörbar, die zur Dankbarkeit gegenüber den Schicksalsmächten aufruft.

Jetzt haben wir im 16. Psalm den Punkt erreicht, wo das Zitat in der Pfingstpredigt des Petrus einsetzt.

*Ich habe den Herrn beständig vor Augen,*
*denn zu meiner Rechten ist er, daß ich nicht erschüttert werde.*

(V. 8)

Aus der im Bisherigen dargestellten Hinwendung zum Göttlichen wird allmählich ein beständiges Vor-Augen-Haben, ein »Wandeln in der ununterbrochenen Anschauung Gottes«.

Das Bild »vor Augen haben« spricht mehr vom bewußtseinsmäßigen, das andere Bild vom »zur Rechten haben« mehr vom kräftemäßig-willenshaften Verhältnis zur Gottheit. Ihre dauernd verspürte Gegenwart bewahrt uns, daß wir »nicht erschüttert« werden, das heißt, den sicheren Zusammenhalt, das solide Gefüge des einheitlichen Ich-Wesens einbüßen.

Aus diesem gesteigerten Verhältnis zum Göttlichen geht nun ein ganz neues Lebensgefühl hervor.

*Darum freut sich mein Herz*
*und frohlockt meine Licht-Seele,*
*auch mein Fleisch wird im Vertrauen wohnen!*

(V. 9)

265

Der Drei-Schritt dieser Aussage geht von Innen nach Außen im Menschenwesen. Es beginnt beim Herzen als dem inneren Mittelpunkt. Das Äußerste, bis zu dem vorgedrungen wird, ist das Fleisch – der physische Leib. Dazwischen steht das rätselhafte Wort, das Luther mit »Ehre« übersetzt. Es ist das hebräische »kābôd«, das uns anfangs beim 8. Psalm begegnete als hebräische Entsprechung zu »gloria« und »doxa«. – Der Hebraist Kautzsch gesteht ehrlich, daß »kābôd« in unserem Psalmenzusammenhange nicht recht zu übersetzen sei. »Meine Ehre frohlockt« – was soll das heißen?

Im griechischen Text der Petrus-Rede folgt die Apostelgeschichte der Lesart der griechischen Septuaginta-Übersetzung. Dort wird die Schwierigkeit umgangen, indem einfach an Stelle von »kābôd« von der »Zunge« geredet wird: »frohlockt meine Zunge«. Offenbar wurde schon in der vorchristlichen Zeit der alexandrinischen Septuaginta-Übersetzung das hebräische Wort an dieser Stelle nicht mehr verstanden. Heutige Übersetzer geben es manchmal mit »Seele« wieder, aus dem Gefühl heraus, daß doch wohl so etwas Ähnliches gemeint sein müsse.

Wir ziehen noch andere ähnliche Stellen heran. In Psalm 57,9 und 108,3 heißt es: »Erwache, meine Ehre! Erwache, Psalter und Harfe! Aufwecken will ich die Morgenröte.«

»Kābôd« ist »gloria« und wird zumeist gebraucht für die offenbarende Licht-Erstrahlung Gottes. Aber auch der Mensch hat eine »Licht-Erstrahlung«, die ihn als feines übersinnliches Wesensglied umgibt. Nicht immer ist sich der Mensch dieses seines ausstrahlenden Licht-Wesens bewußt. Im prosaischen Alltagsbewußtsein weiß er von seinen feineren ätherischen und astralischen Hüllen nichts. Durch die Musik kann sein Bewußtsein von diesem feineren Organismus aufgelockert werden. So ist das Aufwecken von »Psalter und Harfe« zugleich das Aufwecken des »Gloria-Bewußtseins«. »Erwache, meine Gloria! Erwache,

266

Psalter und Harfe.« Es ist die Frage, ob nicht auch das nachfolgende Wort vom »Aufwecken der Morgenröte« auf Erlebnisse mystischer Art hinweist. Man bedenke nur, daß die Morgenröte (Aurora) in der mystischen Sprache immer das Bild eines innerlich erlebten Vorganges war, von den Rishis der indischen Veden an, die »mit kräftigen Zaubersprüchen Ushas (die Morgenröte) erweckten«, bis zu Jakob Böhmes »Morgenröte im Aufgang«.

Eine andere aufschlußreiche Stelle ist 1. Mos. 49, 6. Der sterbende Patriarch Jakob segnet seine Söhne. Im Hinblick auf Simeon und Levi, deren Untat in Sichem er tadelt, sagt er: »Meine Seele komme nicht in ihren Rat, und meine ›Gloria‹ nicht in ihre Versammlung.« Der Sterbende sagt das. An ein körperliches Erscheinen im Rat und in der Versammlung seiner Söhne kann er nicht mehr denken. Er blickt hin auf die nun kommende Zeit nach seinem Tod, in der er körperlich nicht mehr bei seinen Söhnen zugegen sein kann, aber übersinnlich weiterwirkt. Wenn sie beraten, wenn sie in feierlicher Weise als Söhne ihres Vaters sich versammeln, dann kann nach dem Wissen uralter Zeit der Verstorbene »mitten unter ihnen sein«, und zwar nicht dem physischen Leibe nach, aber als seelisch-ätherische Gestalt, in dem feinen Licht-Organismus der »Gloria«.

Im 16. Psalm steht die »Gloria« zwischen dem »Herz« und dem »Fleisch«, also zwischen dem Ich-Mittelpunkt (in Psalm 22, 27 heißt es: »euer Herz lebe auf ewig«) und der physischen Leiblichkeit. Es kann nur an etwas Übersinnliches gedacht werden, das dem Erleben späterer Zeiten dann nicht mehr zugänglich war.

Im Herzen des Menschen entspringt die Gottes-Freude. »Euer Herz soll sich freuen«, sagt Christus in den Abschiedsreden.

Von diesem Mittelpunkt aus überträgt sich die Gottesfreude auf den feinen ätherisch-astralischen Organismus der »Gloria«, »meine Ehre frohlockt«, und von dort auf die Leiblichkeit. Was im Innern seinen Anfang hat, das ergreift schließlich auch das

Äußere des Menschenwesens. Die Wege Gottes enden im Leiblichen. »Auch mein Fleisch wird wohnen im Geist-Vertrauen.« Sind die inneren Gottes-Eindrücke stark und nachhaltig, dann schwingt zuletzt nicht nur der feinere übersinnliche Organismus, sondern schließlich auch der Leib mit. Von solchen ganz-menschlichen Gottes-Erlebnissen sprechen auch andere Psalmen. 63,2: »Frühe wache ich zu Dir, es dürstet meine Seele nach Dir, mein Fleisch verlangt nach Dir.« 84,3: »Leib und Seele freuen sich in dem lebendigen Gott.« Auch der Leib soll in die Erlösung und Verwandlung einbezogen werden. »Auch mein Fleisch wird wohnen im Vertrauen« besagt nicht bloß, daß der Fromme für sein leibliches Wohl unbesorgt ist. Es ist mehr ein Vorgefühl der Auferstehung des Leibes, ein Vorgeschmack, wie ihn die alten Christen hatten, wenn sie die Kommunion als »Arznei der Unsterblichkeit« empfanden.

Wieder geht der Psalm hier zur unmittelbaren Anrede über:

*Denn Du wirst meine Seele nicht dem Hades überlassen,*
*Du wirst nicht zugeben, daß Dein Frommer die Verwesung schaue.*

(V. 10)

Hades, im Hebräischen Scheôl. Hades, Aïdes, das Nicht-Schauen, das Seelendunkel. Der antike Mensch hatte wohl vielfach noch das Wissen, daß es mit dem Tode nicht einfach zu Ende ist, aber er sah nur ein herabgedämpftes Schatten-Dasein von sich, ein »Dasein zweiten Ranges« in einer wahrhaft so zu nennenden »Unter-Welt«. Die Seelen haben ihren von ur-her angeborenen Himmelsglanz, »ihr göttliches Sein«, verloren und finden sich nach dem Tode in einer kraftlos dämmerigen Schatten-Existenz vor. So schildert es in grandioser Weise das 11. Buch der Odyssee, die »Nekyia«. – Das waren keine leeren Phantasien. In dem Maße wie die Seelen im irdischen Dasein Fuß faßten und der Mensch eine wache und selbstkräftige Erdenpersönlichkeit wurde, verlor das Dasein nach dem Tode an Leuchtkraft.

Erst die »Höllenfahrt« Christi, sein Erscheinen im Reiche der Verstorbenen, bringt eine Wendung in dieser Entwicklung. Das Credo der Christengemeinschaft sagt: »Im Tode wurde Er der Beistand der verstorbenen Seelen, die ihr göttliches Sein verloren hatten.«

Es sei noch einmal an den schon erwähnten Psalm 49 erinnert. Die Seelen erscheinen wie eine willenlose »Herde« in der Scheôl: »Der Tod weidet sie.« – »Aber Gott wird meine Seele befreien von der Macht der Scheôl« (49, 15. 16).

Der Karsamstag bringt neues Licht in das Reich der Verstorbenen. Er erfüllt das Wort: »Du wirst meine Seele nicht dem Schatten-Reich überlassen.« Und vom Seelen-Bezirk greift nun am Ostersonntag die Auferstehung über auf das Gebiet des Leiblichen. »Der letzte Feind, der überwunden wird, ist der Tod.« So folgt dem Satz von der Scheôl im 16. Psalm der Satz: »Du wirst nicht zugeben, daß Dein Frommer die Verwesung schaue.« Auf diese Worte weist Petrus hin als bei der Auferstehung Christi in Erfüllung gegangen. David habe sie gesprochen »voraussehend die Auferstehung Christi« (Ap. Gesch. 2, 31).

Petrus, dem es auf diese Worte eigentlich ankommt, beginnt gleichwohl mit seinem Zitat des 16. Psalms schon vorher: mit dem »vor Augen haben allezeit«. Was bedeutet es, daß er dem eigentlich entscheidenden Satz von der Auferstehung diese vorangehenden Verse noch vorausschickt in seiner Predigt? Dadurch erhält die verkündigte Auferstehung ihre Voraus-Setzungen! Sie ist dadurch kein isoliertes unbegreifliches Mirakel, sondern bei all ihrem Wunder-Charakter eben doch das Endglied eines mehrstufigen Prozesses, das Ergebenis einer vorangegangenen Entwicklung. Sie beginnt ganz innerlich, mit den intimen Gewissens-Entscheidungen des Herzens. Von ihnen geht es hin bis zu einem Zustand eines ununterbrochenen Gottes-Bewußtseins. Das innere Ostern überträgt sich zunächst auf die sympathetisch mitschwingenden feineren Wesensglieder und gelangt

269

schließlich bis zur Leiblichkeit. Die Auferstehung steht nicht nur
aus äußerlich-historischen Gründen am Schluß der Evangelien!
Ihr Verständnis wäre die reife Frucht einer wirklich innerlichen
Erarbeitung der ganzen vorangehenden Kapitel, deren Resultat
dann die Petrus-Einsicht sein würde: »Ihn hat Gott auferstehen
lassen, lösend die Geburtswehen des Todes (griech. Urtext!) –
wie es denn auch gar nicht möglich war, daß er vom Tode behal-
ten würde« (2,24).

Petrus führt sein Zitat auch noch darüber hinaus weiter. Er
fügt noch das Wort von den »Pfaden zum Leben« hinzu und von
der Freudenfülle vor Gottes Angesicht. »Weg«, »Pfad« ist alter
Fachausdruck der Mysteriensprache für den Entwicklungspro-
zeß der Einweihung. Bedeutungsvoll stellt ja gleich der 1. Psalm
das Bild der beiden Wege, zum Tode und zum Leben, an den
Eingang des ganzen Psalmenbuches. So spricht auch die Bergpredigt am Schluß von dem breiten Weg und dem schmalen
Pfad, der zum Leben führt. Schließlich sagt Christus von sich
selbst: »Ich Bin der Weg.« Er ist die persongewordene Einweihung selber. Indem Petrus den Satz vom Wege noch hinzuzitiert,
wird noch einmal unterstrichen, daß die Auferstehung Christi
das organische Ende eines Weges war und daß sie uns auch zugänglich werden kann durch das Gehen eines Weges.

> *Du wirst mich erkennen lassen den Pfad des Lebens.*
> *Sättigung mit Freuden ist vor Deinem Angesicht,*
> *Fülle der Huld zu Deiner Rechten in Ewigkeit.*

(V. 11)

So endet der Psalm nach dem hebräischen Urtext mit einem
Dreiklang. Der »Pfad zum Leben« schließt in sich, recht verstanden, das Mysterium der Passion und des Kreuzes ein. Die Freudenfülle vor dem göttlichen Angesicht ist österlich. »Zur Rechten« weist auf Himmelfahrt hin, die »Fülle der Huld« ist schon
wie eine Pfingst-Ahnung. Dieses letzte heißt wörtlich: »Lieblich-

keiten« (Plural), »Huld-Erweisungen«, »Holdseligkeiten«. Die »Rechte« Gottes ist nicht ein blinder, gewaltsamer Macht-Wille, wiewohl Inbegriff der Allmächtigkeit, sondern ein Wille zur Schöpfung, der Schönheit hervorbringt, »Liebens-Würdiges« im Sinne der lateinischen »Gratia« oder der griechischen »Charis«. Beide Worte bedeuten sowohl »Gnade« als auch »Anmut«, »Grazie«. Sie meinen gnadenvolle Schönheit. Der zum Himmel gefahrene Christus ist, wie es im Credo heißt, »der Herr der Himmelskräfte auf Erden und lebt als der Vollführer der väterlichen Taten des Weltengrundes«, er vermittelt das schöpferische Tun der »rechten Hand« Gottes, und als Verwalter der Schöpferkräfte sendet er auch den Heiligen Geist, dessen Ausgießung zu Pfingsten gefeiert wird. Pfingsten, das »liebliche Fest«, fällt in eine Zeit, in der die Natur in aller farbigen Blütenpracht entfaltet ist, die ein irdisches Gleichnis sein soll dessen, was auf einer höheren Stufe der Geist bewirken soll. – Das Alte Testament kennt nicht nur die Strenge des göttlichen Gesetzes. Der 16. Psalm erreicht ahnend die Welt des Heiligen Geistes, der die Blumengärten eines höheren Lebens gnadenvoll zum Blühen bringt. »Lieblichkeiten zu Deiner Rechten in Ewigkeit.«

Das letzte Wort ist »Ewigkeit«. Der Anfang war die Bitte »bewahre mich«! Nun bekommt dieses Bewahren seinen vollen umfassenden Sinn: »Entnimm das Menschenwesen in seiner Ganzheit, in der Vollzähligkeit seiner Wesensglieder dem drohenden Verderben!«

Das Credo der Christengemeinschaft spricht von denen, »die die heilbringende Macht des Christus empfinden«, es sagt von ihnen, daß sie hoffen dürfen »auf die Überwindung der Sündenkrankheit, auf das Fortbestehen des Menschenwesens und auf ein Erhalten ihres für die Ewigkeit bestimmten Lebens«.

# DER HERR IST MEIN HIRTE

PSALM 23

Einer der bekanntesten Psalmen ist der Psalm vom guten Hirten. Er steht innerhalb des Psalters in einem bedeutsamen Zusammenhang. Was man vom ganzen Psalter sagen kann: daß in ihm das mannigfaltig bewegte religiöse Gemüt wie in allen Regenbogenfarben des Seelenlebens erglänzt – das gilt im besonderen von der Gruppe der drei Psalmen 22 bis 24. Der 22. Psalm – »Mein Gott, mein Gott, warum hast Du mich verlassen?« – ist der Leidenspsalm des Messias. Er gehört der dunklen Seite des Farbenbogens an. Die Nacht des Verlassen-Seins hellt sich auf zum Blau sehnsüchtigen Hoffens, zum priesterlichen Violett des großen Opfers. Die helle Seite des Farbenbogens leuchtet im 24. Psalm. Er strahlt wie in Rot und Gold, er atmet Auferstehung und Himmelfahrt: Der Herr der Heerscharen, der König der Glorie soll Einzug halten. Zwischen dem Dunkel des 22. und der Helle des 24. Psalms steht der Hirten-Psalm mitteninne. Es geht von ihm etwas Beruhigend-Wohltuendes und Friedvoll-Heilendes aus, wie vom Grün, das die Mitte des Farbenbogens erfüllt.

Der 23. Psalm ist in all seiner Kürze ein in sich vollendetes Kunstwerk. Er hat in seinen knappen Sätzen etwas Umfassendes, etwas endgültig Formuliertes.

Er gehört im Alten Testament zu den Stellen der größten Christus-Nähe, wie er denn in verwandelter Gestalt in das 10. Kapitel des Johannes-Evangeliums eingeflossen ist. »Ich Bin der gute Hirte.« Wir tun dem Text nicht Gewalt an, wenn wir ihn christlich verstehen. Wir setzen ihn dadurch erst in das ihm gebührende rechte Licht, wie ja so vieles im Alten Bunde – wir sehen es immer wieder – erst im Scheine der Christus-Offenbarung seine wahre Tiefe und Schönheit enthüllen kann.

\*

*Der Herr ist mein Hirte. Es wird mir nicht mangeln.*

»Hirte« ist, wer den Geist einer Gemeinschaft in sich trägt. Die großen Menschheitsführer hießen in alter Zeit »Hirten«, weil sie sich nicht in einem privaten Eigenleben egoistisch abschlossen (»Soll ich meines Bruders Hüter sein?«), sondern weil sie die Schicksale anderer Menschen in ihrem Herzen wohnen ließen. Wer einem solchen »Hirten« entgegentrat, der hatte das Gefühl: ich komme nicht zu einem fremden anderen Menschen, sondern zu mir selber. Mein Bestes und Eigenstes ist in ihm beheimatet.

Der Fromme des Alten Bundes erkennt seinen Hirten, den Verwalter seiner ewigen Angelegenheiten in dem Gott, der die Kraft des Ich-Bin trägt. Hermann Beckh hat darum den ersten Vers des Psalmes übersetzt: »Der das Ich in mir spricht, ist mein Hirte.« Dieser Gott, der eigentliche »Menschen-Gott«, erscheint in Christus. »Ich Bin der gute Hirte.« – »Mir wird nichts mangeln.« In allem »Mangel« soll uns ja der eine große Mangel zu Bewußtsein gebracht werden, an dem die Seele leidet seit dem Sündenfall, seit sie sich sonderte von dem Strom des unendlich reichen göttlichen Lebens. In der Rede vom guten Hirten spricht Christus: »Ich bin gekommen, daß sie Leben in überströmender Fülle haben sollen« (Joh. 10, 11). – Im folgenden wird nun das Werk des guten Hirten am Menschen entfaltet in einer klassischen Folge von Bildern.

# I.

*Er weidet mich auf einer grünen Aue.*

Die Seele ist in das Erdendasein hinabgestiegen, um dort etwas zu gewinnen. Wenn sie so über die Erde geht, daß sie durch ihre Erden-Erlebnisse Nahrung findet für ihr Ewiges, daß sie »etwas davon hat«, dann wird ihr – in der naiv-tiefsinnigen Bildersprache der Alten geredet – die Erde zur »Weide«. So spricht auch der Christus in dem johanneischen Hirten-Kapitel vom »Weide-Finden« (Joh. 10,9). Er führt uns zu den wahren »Ergiebigkeiten« unserer irdischen Existenz; dorthin, wo die Erde uns etwas hergibt, wo sie uns in unserem tieferen Wesen nicht darben läßt. Die »grüne Aue« mag uns auch an den »grünen Rasen« erinnern, auf dem Christus die Menschen sich lagern ließ, als er ihnen am See die große Speisung zuteil werden ließ.

Wenn aber nicht die guten Mächte unseren Erdenweg leiten, dann wird für unser Ewiges die Erde zur grauen Einöde, zur steinigen toten Wüste. Dann sind wir »wie ein Tier, auf dürrer Heide von einem bösen Geist im Kreis herumgeführt, und rings umher liegt schöne grüne Weide«. Dieses Wort gilt eigentlich von allen denen, die nur ein materialistisches Verhältnis zur Erde finden können. Das ist ja das Paradoxe, daß der Materialist gerade im tieferen Sinne von der Materie »nichts hat«, weil er sie geistlos erlebt. Er mag im üppigsten Reichtum leben, seine Seele bleibt öde und arm. Wenn er stirbt, muß er seinen ganzen Reichtum zurücklassen und ist drüben wahrhaft eine »arme Seele«. Wer im Irdischen den Geist findet, der nimmt seine Erden-Erlebnisse als wirklichen Besitz mit hinüber in die Ewigkeit.

## II.

*Er führet mich zum frischen Wasser.*

Wir in unserem gemäßigten Klima ahnen kaum, wie elementar der sonnendurchglühte Orient das Göttliche des Wassers empfindet. Allenfalls sind wir an einem heißen Sommertag nach langer Wanderung in Glut und Staub ein wenig aufgeschlossen für den zauberhaften Klang des alten Wortes vom »Wasser des Lebens«. Oder man spürt es beim Begießen durstiger Blumen, wie »in, mit und unter« dem Wasser die geheimnisvollen Lebenskräfte einströmen, die – selber etwas Fließendes, etwas »Fluidisches« – des ihnen verwandten Wasserelementes bedürfen, um in die Materie eingreifen zu können.

Wörtlich im Urtext: die Wasser der Ruhen (Mehrzahl von »die Ruhe«), »menuchôth«. Es ist die Ruhe als »schöpferische Pause«, wo das Abgebaute wieder aufgebaut wird im Fließen und Strömen ätherischer Kräfte.

## III.

*Er erquicket meine Seele.*

Wohl gilt das Faust-Wort: »Erquickung hast du nicht gewonnen, wenn sie dir nicht aus eigner Seele quillt.« Aber es bedarf eben der göttlichen Einwirkung, daß unsere Seele zur Harmonie gestimmt und dieser innere Quell zum Strömen gebracht werde. Wir kennen die Erfahrung, daß sich unsere Seele in der Nähe eines verehrten Menschen verwandelt fühlt, daß uns in seiner Nähe »wohl wird«. So wird die Nähe des göttlichen Hirten daran gespürt, daß innere Erquickung in der Seele aufquillt. Sie ist sich dann nicht mehr selber zur Last, wie es bei der disharmonischen Seele der Fall ist. Die lähmende Unlust schwindet, die Seele gewinnt ihre Erlebnisfreudigkeit und Spannkraft wieder.

## IV.

*Er führet mich auf rechter Straße*
*um seines Namens willen.*

Der Psalm hat die Reiche des physischen Erdendaseins, des Lebendig-Strömenden, des seelisch Webenden berührt und erreicht nun als vierte Stufe die Sphäre des eigentlich Menschlichen im Ich.

»Sein Name« – der Name ist der Ausdruck ichhafter Geistigkeit. Gottes Name ist das »Ich Bin«. Im Namen des Menschen soll Gottes Name erscheinen, im Ich des Menschen soll Gottes Ich in Ebenbildlichkeit geoffenbart werden. Der Ich-Name ist vom Menschen mißbraucht worden und verunehrt, es wurde das »Ich-Sagen« zum Inbegriff des Egoistisch-Bösen. Darum beten wir: »geheiliget werde Dein Name«. Unser Ziel ist, daß in unserem Ich kein egoistisch-dämonisches Zerrbild, sondern unser wahres, ewiges Wesen erscheinen möge. Dazu sind wir erst auf dem Wege. Wir müssen durch unsere Schicksale in der rechten Weise hindurchgehen, um der Ich-Werdung, um des ewigen Namens willen. »Er führt mich die Pfade der Gerechtigkeit – um seines Namens willen.«

Unser wahrer ewiger Name, mit dem uns Gott »in das Dasein rief«, schwebt noch unverwirklicht über unserer irdischen Gestalt. In den Himmeln ist er geschrieben, in den Sternen steht er zu lesen, noch nicht an unserer Stirn. Im Namen Christi wohnen zugleich die Sternen-Namen aller Menschen. Wir finden uns selbst, wenn wir ihn, den »Hirten«, finden. Er führt uns den Schicksalsweg in rechter Weise, im Sinne einer ewigen Gerechtigkeit, um seines und damit auch um unseres Namens willen. Er wird uns am Weg-Ziel unseren Sternen-Namen auf die Stirn schreiben.

## V.

Aber dieser Schicksalsweg »um des Namens willen« geht durch das unheimliche Gebiet des Widersachers hindurch. Auch wenn sich der Mensch vom guten Hirten gerecht führen läßt, ja gerade dann. Der Durchgang durch das finstere Tal bleibt keiner Seele erspart.

> *Und ob ich schon wanderte im finsteren Tal,*
> *fürchte ich nicht das Böse; denn Du bist bei mir.*
> *Dein Stecken und Stab trösten mich.*

Das finstere Tal ist ein klassisches Bild für das Erlebnis der Materie, die den freien Ausblick verlegt und von beiden Seiten alpdruckartig beklemmt. Die Seele, beheimatet in lichten Himmelsweiten, muß eingehen in die raum-zeitliche Enge irdischer Existenz. Daseinsbangigkeit erfaßt sie. Enge wird »Angst«. Die Lichtentstammte fröstelt in der sonnenlosen Schlucht, in der dunklen »Klamm«. Kalter Tod haucht sie an, des Bösen Hand greift nach ihr.

Wie viele Menschen haben schon diese Psalmworte vom »finsteren Tal« gebetet! Diese Worte sind wie ein Gefäß, in das Jahrhunderte, Jahrtausende ihre Daseinsängste und Bängnisse hineingegossen haben.

»Wenn mir am allerbängsten wird um das Herze sein, so reiß mich aus den Ängsten, kraft Deiner Angst und Pein« – damit spricht Paul Gerhardt die christliche Erfahrung aus, die in unserem Psalm ihre Vorverkündigung hat. – Man muß einmal darauf aufmerksam werden, wie sich hier im Text eine feine Veränderung zeigt: von der »dritten Person« der Betrachtung (»Er führet mich...«) geht es über zum unmittelbaren »Du« der »zweiten Person«. Hieß es eben noch: »Er führet mich auf rechter Straße«, so heißt es jetzt: »denn Du bist bei mir«. Die andächtige Betrachtung – »Er« – wird nun zum unmittelbaren Ansprechen, zu einem Reden »von Angesicht zu Angesicht«. Nur dadurch kann der Mensch mit den Ängsten und Gefahren des irdischen Daseins fertigwerden, nur dadurch kann er die Furchtlosigkeit gegenüber der unheimlichen Macht des Bösen gewinnen, daß er in eine noch engere, noch innigere Beziehung zu dem göttlichen Hirten eintritt als bisher. Dieser wird jetzt so etwas wie das »höhere Ich« des Menschen.

Von nun an, nachdem die Sphäre des höheren Ich erreicht ist, bleibt dieses »Du« auch noch in den nächsten Versen. Zugleich verläßt von nun an der Psalm endgültig die Bilder von Hirt und Tier und geht zu einer anderen Bilder-Reihe über, die ganz dem rein menschlichen Dasein entnommen ist. Das letzte »Hirten«-Bild ist der Stab. »Dein Stecken und Stab trösten mich.« Aber wie der Hirtenstab des Moses nach seiner Berufung zum machtwirkenden Stab Gottes, zum Königszepter wurde, so darf man auch hier im Psalm in dem tröstenden Stab mehr sehen als nur den gewöhnlichen Hirtenstecken. – Der ausgereckte Arm ist gebietende Gebärde, vom Menschen ausgehender Kraftstrahl. Faßt die Hand den Stab, so wird diese Herrschergebärde dadurch noch sprechender. Der Stab des Moses weckte den Lebensquell aus steinernem Felsentod. Die Katakombenbilder zeigen Christus, wie er das gleiche Wunder an Lazarus vollbringt: sein Stab, Weltenmächten Richtung weisend, rührt an die steinerne Totenkammer – und Lazarus geht hervor zu neuem Leben. Tröstend ist der Blick auf den »Stab«, auf die »heilbringende Macht« des göttlichen Hirten, der nun im folgenden immer mehr als »König« sich offenbart.

## VI.

*Du bereitest vor mir einen Tisch*
*im Angesicht meiner Feinde.*
*Du salbest mein Haupt mit Öl*
*und schenkest meinen Kelch voll ein.*

Als Lazarus auferweckt war, nahm er teil an dem festlichen Mahl in Bethanien: »Lazarus war einer von denen, die mit ihm zu Tische saßen« (Joh. 12, 2). Wer den »guten Hirten« als sein höheres Ich gefunden hat, dessen wesenhafte göttliche Nähe das Böse überwindet, der wird nun zum Gralesmahl berufen. Er »sitzt am Tisch des Herrn«. Aber dieses Mysterium der Speisung hat zu seinem notwendigen Gegenbild das Walten der widergöttlichen Mächte. Die Gralsburg ist nicht denkbar ohne die Gegen-Welt des Klingsor. Die Speisung am See geschieht auf dem Hintergrund des Todes Johannes des Täufers, dessen Haupt auf der Schale liegt. Aus dem Saal des Abendmahles geht Judas, in den der Satan hineinfuhr, hinaus in die Nacht. So wird auch hier die Speisung aus den heiligen Lebenskräften des höheren Ich erlebt »im Angesicht meiner Feinde«. Man kann nicht zu Christus finden, ohne auch dem Antichrist und den Seinen in das Antlitz geblickt zu haben. Ohne die bewußte Auseinandersetzung mit dem Bösen ist keine höhere Entwicklung möglich. – Gewiß mag der Sänger des 23. Psalms zunächst an seine Feinde im gewöhnlich-alltäglichen Sinne gedacht haben. Man braucht diesen zunächstliegenden Sinn gar nicht beiseite zu schieben in der Art einer allegorischen Deutung, die dem Text Gewalt antut und etwas in ihn hineinlegt, das ihm fremd ist. Nicht in dieser Weise ist unsere Betrachtung gemeint. Das Zunächstliegende soll man nicht wegdeuten, man soll es nur tief genug nehmen. Man braucht nichts Fremdes in die Dinge hineinzuinterpretieren, aber das Vergängliche ist Gleichnis, und hinter dem Vordergründigen erscheint in der Ferne das Ungeheure, das Weltengroße. So sind auch die irdischen Widersacher des Menschen, die ihm sein Leben beengen, nur die Repräsentanz von viel gefährlicheren Widersachermächten, die mehr als den Leib töten können. – Man ahnt, aus welch tief-innerer Gesetzmäßigkeit heraus dieser Psalm gebildet wurde, der gerade das Kommunion-Geheimnis des heiligen Tisches mit dem Widersacher-Erlebnis zusammen schaut. Von Lazarus, der in Bethanien am Tische Christi saß, sagt das Johannes-Evangelium im weiteren, daß man ihn töten wollte (12,10). Die Menschen, die ihm nach dem Leben trachteten, waren nur das Abbild der Mächte, die das im Menschen neugeborene göttliche Leben wieder zu Tode bringen möchten.

»Du salbest mein Haupt mit Öl.« Wer das heilige Mahl empfängt, erlebt eine Weihe, wird gesalbt zum Priester und König. Das Haupt, in dem sich das egoistisch-irdische, tod-verhaftete Selbstbewußtsein seine Burg geschaffen hat, wird dem Göttlich-Geistigen dienstbar gemacht. »Christus«, die griechische Übersetzung des hebräischen »Messias«, heißt ja eben »der Gesalbte«!

»Du schenkest mir voll ein«, wörtlich: »mein Kelch fließt über«. Zur Speisung tritt hinzu das Mysterium des Kelches. Er ist voll eingeschenkt – »ich bin gekommen, daß sie das Leben in überströmender Fülle haben sollen«.

## VII.

*Güte und Barmherzigkeit werden mir folgen all mein Leben,*
*und ich will wohnen im Hause des Herrn immerdar.*

Güte und Barmherzigkeit erscheinen hier wie etwas Wesenhaftes, das den Menschen, der zum höheren Ich durchgedrungen ist, begleitet. »Güte« ist die innerste Kern-Kraft des Seins, in der »Barmherzigkeit« strahlt diese innere Substanz sonnenhaft nach außen.

Orest fühlte sich verfolgt von den Rachegeistern. Jeder Mensch hat sein unsichtbares Gefolge, das ihn begleitet, im Bösen – und im Guten. Die Apokalypse sagt von den Erlösten: »denn ihre Werke folgen ihnen nach«.

Ewigkeitsgefühle durchströmen die Seele des Psalmisten. In seiner Weise spricht er eine österliche Ahnung aus: Wohnen wird er im Hause des Herrn, auf die Dauer. Der Christ schaut auf den Auferstehungsleib hin, den er empfangen soll, in dem er als in dem wahren Tempel, in dem Hause des Herrn »bleiben«, »wohnen«, »überdauern« wird. Der Mensch, der noch ein Knecht der Sündenmächte ist, muß immer wieder im Tode von seinem Leibe Abschied nehmen. »Der Knecht bleibt nicht im Hause in Ewigkeit« (Joh. 8, 35). Erst wenn er durch Christus, den »Sohn«, freigemacht ist von der Herrschaft der Sünde, kann er im Auferstehungsleibe dauernd wohnen.

Wohl meint der Psalmist zunächst nichts anderes, als daß es ihm vergönnt sein möge, »auf die Länge der Tage« im Tempel Jahves wohnen zu dürfen. Einen ähnlichen Wunsch finden wir im 27. Psalm ausgesprochen: »Eines erbitte ich mir von Jahve, das erflehe ich, zu wohnen im Hause Jahves alle Tage meines Lebens, zu schauen die huldvolle Schönheit Jahves, und zu sinnen in seinem Tempel.« Ein Dokument altisraelitischer Tempelfrömmigkeit ist auch der ebenfalls in diesem Buch behandelte 84. Psalm.

Der Tempel war der Ausdruck dessen, daß der Gott ein »Haus« baut, er war eine Weissagung auf die kommende Einwohnung des Gottes in einem irdischen Leibe. »Er sprach aber von dem Tempel seines Leibes« (Joh. 2, 21). Der fromme Wunsch, allezeit in dem Hause Gottes wohnen zu dürfen, war in verhüllter Form der aus den Tiefen des Menschen-Wesens aufsteigende Wunsch nach dem Wohnen im Auferstehungsleibe, der in seiner Unvergänglichkeit das Vorbild des irdischen Gotteshauses ist.

# »VOLLMACHT ÜBER SCHLANGEN UND SKORPIONE...«

## PSALM 91

»Bist du Gottes Sohn, so wirf dich in die Tiefe hinab; denn es steht geschrieben: Er wird seinen Engeln über dir Befehl tun, dich zu behüten. Sie werden dich auf ihren Händen tragen, daß du deinen Fuß nicht an einen Stein stoßest« (Luk. 4, 9–11).

Hier zeigt der Teufel, daß er gegebenenfalls sogar auch mit einem Bibel-Wort aufwarten kann. Die von ihm mißbräuchlich zitierten Verse sind dem 91. Psalm entnommen. Daß der Versucher seine Einflüsterung gerade in diese Worte einkleiden kann, zeigt uns, daß sie in der Seele des Jesus von Nazareth lebendig gewesen sein müssen. Derselbe Psalm taucht dann noch einmal später im Evangelium auf. Er klingt deutlich an in einem Christuswort. »Ich sah den Satan vom Himmel fallen wie einen Blitz. Siehe, ich habe euch Vollmacht gegeben zu treten auf Schlangen und Skorpione und über alle Gewalt des Widersachers, und nichts wird euch Schaden tun« (Luk. 10, 18.19).

So spielt der 91. Psalm eine eigenartige Rolle in der Auseinandersetzung des Christus mit den Gegen-Mächten.

Der Eingang ist wortgetreu nicht leicht zu übersetzen. Bei Luther: »Wer unter dem Schirm des Höchsten sitzt..., der spricht zu dem Herrn: meine Zuversicht und meine Burg...« Aber im hebräischen Ur-Text heißt es nicht: »Wer unter dem Schirm des Höchsten sitzt, *der* spricht«, sondern: »*ich* spreche«. Der Anfangssatz mit »wer...« wird also gar nicht zu Ende gebracht. Er bleibt ohne fortführenden Hauptsatz gleichsam in der Luft schweben. »Wer unter dem Schirm des Höchsten sitzt und unter dem Schatten des Allmächtigen bleibt...« – nun muß man eine Pause empfinden. Es ist, als werde in diesem nicht zu Ende geführten Eingangssatz eine große wunderbare Erfahrung vorausgeworfen. Sie ist so überwältigend, das Herz ist so voll von ihr, daß sich davon gar nicht in einem regelrecht zu Ende gebrachten Satz abgeschlossen reden läßt. Wenn der Eindruck entsteht, daß da etwas wie in der Luft schweben bleibt, so ist das gerade richtig. Es steht auf diese Weise wie eine Überschrift über dem Folgenden. Man könnte versuchen, dieses unabgeschlossen Schweben-Bleibende durch Infinitive wiederzugeben:

> Oh – zu siedeln im hüllenden Geheimnis des HÖCHSTEN,
> zu herbergen in des ALLGEWALTIGEN Schatten...

(V.1)

Aus dieser Erfahrung heraus gebiert sich ein Bekenntnis. Das Menschen-Ich schwingt sich dazu auf, unmittelbar zum Gottes-Ich zu sprechen.

> Ich spreche zu dem HERRN:
> Meine Zuversicht und meine Burg!
> Mein GOTT, auf den ich traue.

(V.2)

Die Fülle und Konkretheit des inneren Erlebens spricht sich in der Mannigfaltigkeit der genannten Gottes-Namen aus. »Der Höchste (Eljōn) – so hieß der Gott, dem Melchisedek, der geheimnisvolle Priesterkönig im uralten Jerusalem, Brot und Wein darbrachte. Der »Allmächtige« (Schaddai), ebenfalls schon zur Zeit Abrahams angerufen, wurde als ein besonders kraftgeladener Name empfunden für jene göttliche Lebens-Energie, die auch die Todesmächte sich dienstbar machen kann. »Herr« ist die Umschreibung des ich-kräftigen Jahve-Namens, im Griechischen: »Kyrios«. Und »Gott« ist die Wiedergabe von »Elohim«, das noch wie ein Regenbogen die vielfarbige Mannigfaltigkeit der Gotteskräfte umfaßt.

Das bekennende Wort des Psalm-Beters verklingt in das göttliche Schweigen hinein. Aber aus diesem Schweigen heraus beginnt ein Tönen wie eine Antwort. Eine Stimme wird vernehmbar, die nun ihrerseits den anredet, der da in das Übersinnliche hinein gesprochen hat. Es ist noch nicht die Gottesstimme selber, die am Schluß des Psalms sprechen wird, aber eine andere Stimme aus der unsichtbaren Welt. Die Stimme wie eines Hüters, eines Engels, vor der Gottes-Stimme einhergesandt. Die Stimme:

> Er ist es, der dich rettet vom Fallstrick des Jägers,
>  von der Pest des Verderbens.
> Mit seinem Fittich bedecket er dich.
> Unter seinen Flügeln darfst du vertrauen.
> Schild und Schirm ist seine Wahrheit.
> Nicht mußt du dich fürchten
> vor dem Grauen der Nacht,
> vor dem Pfeil, der am Tag fliegt,
> vor der Pest, die im Finsteren umgeht,
> vor der Seuche, die am hellen Mittag wütet.
> Fallen gleich tausend an deiner Seite,
> zehntausend zu deiner Rechten –
> nicht trifft es dich.
> Blickst nur mit den Augen,
> siehst an den Frevlern die Vergeltung.

(V. 3–8)

Auf diese Stimme hin spricht nun abermals das Ich des Betenden unmittelbar[16] zur Gottheit selber:

> Ja, DU, HERR, bist meine Zuversicht.

(V. 9a)

Gegenüber dem ersten Bekenntnis (V.2) ist es insofern eine Steigerung, als dort der »Herr« zwar auch direkt angesprochen, das Wort »Du« aber noch vermieden wird. Dieses »Du« – im Hebräischen atthā, mit dem A-Vokal beginnend und schließend – ist wie ein Urlaut des Sich-Verwunderns, daß es das andere Ich gibt. Nicht wie in Sartres existentialistischer Philosophie ist es der Ur-Skandal für das Ich-Bewußtsein, daß es nicht alleiniger Bewußtseinsmittelpunkt in der Welt sein soll, sondern es ist heilige Verwunderung über ein göttliches Wunder.

Dieses zweite, zum Aussprechen des großen »Du« sich steigernde Ich-Bekenntnis löst abermals eine Inspiration der geheimnisvollen »Stimme« aus. Sie greift das Bekenntnis auf und bekräftigt es. Die Stimme:

> *Den HÖCHSTEN nahmst du zum Obdach.*
> *Nicht wird dir Böses widerfahren.*
> *Kein Schlag wird nahetreffen deinem Zelt.*
> *Denn seine Engel befiehlt er zu dir hin,*
> *dich zu behüten auf allen deinen Wegen.*
> *Auf ihren Händen tragen sie dich,*
> *daß nicht am Stein deinen Fuß du stoßest.*
> *Über Löwen und Ottern hin gehst du deinen Weg,*
> *schreitest über Löwenbrut und Drachen.*
>
> (V.9b–13)

Auch hier eine Steigerung. War es zunächst mehr das Geschützt-Sein sozusagen in der Ruhe-Lage, eine mehr passive Gesichertheit, so erweitert sich das diesmal zu einem Gefühl des Schutzes auch im eigenen aktiven Tun. Der Fromme soll nicht nur in der göttlichen Geborgenheit ruhen. Auch im handelnden In-Bewegung-Sein soll er des Schutzes gewiß werden.

Er soll ja den Erden-Weg beschreiten. Dabei kann es ihm nicht erspart bleiben, auch den Widersacher-Mächten zu begegnen.

Sie machen sich zum Beispiel bemerkbar als »Mächte der Hindernisse« – das ist in unserem Psalm der »Stein« auf dem Wege, an dem sich der Fuß hart stößt. Dem aber, der mit dem Göttlichen im Einklang ist, kommen die Engel zu Hilfe, als die Instrumente der göttlichen Vorsehung. Die geheimnisvolle »Stimme« weiß davon, daß diese Engel-Hilfe so wirksam und so wirklich werden kann, daß das Gefühl entsteht, über alle widrigen Hindernisse hinweg wie auf Händen getragen zu werden.

Dies ist das Bibelwort, das der Teufel im Munde führte, als er den Christus in der Wüste versuchte. Als er ihm einflüsterte, er solle sich im Gottvertrauen von der Zinne des Tempels herabstürzen. Aber der Christus erkennt die Verfälschung des hochgemuten Psalmwortes ins Vermessen-Überhebliche und lehnt es ab, »Gott zu versuchen«.

An der gleichen Stelle zitiert dann der Christus denselben Psalm weiter, an einer späteren Station seines Erdenwandels: in dem Augenblick, als die ausgesandten Siebzig erfolgreich von ihrer Mission zurückkehren. Da spricht er von der Vollmacht, auf Schlangen und Skorpione zu treten, in leiser Abwandlung des Psalmtextes.

Die Widersacher-Mächte werfen dem Menschen nicht nur Steine auf den Lebensweg. Sie attackieren ihn ganz direkt, um ihn zu verderben – als reißender Löwe, als tückisch stechende Giftschlange. – Der Löwe kann auch das Bild edelster göttlicher Herzenskräfte sein. Wer durch die irdische Löwengestalt auf das himmlische Urbild durchblickt, der wird zu hohen Christus-Geheimnissen geführt – zum »Löwen, der überwunden hat«. Der irdische Löwe ist aber nicht nur Träger eines von ferne hereinscheinenden himmlischen Urbildes, sondern als materiell gewordenes Erden-Tier hat er auch zerstörende Kräfte in sich aufgenommen und lebt sie aus als reißendes Raubtier. Von dieser Seite her ist er hier im Psalm gesehen. Aus den von der Sündenkrankheit befallenen Herzens- und Gemüts-Kräften der Menschensee-

le kann in vernichtender Leidenschaftlichkeit der »böse Löwe«
entspringen.

Wieder eine ganz andere Seite der dem Menschen feindlichen
Gewalten offenbart die schleichende Otter, die unbemerkt am
Wege lauert und mit ihrem Giftzahn tödlich trifft. Und über Löwe und Otter hinaus schaut der Psalm noch auf ein weiteres Tier,
das in seiner Wahrheit gar nicht mehr recht eigentlich der Zoologie angehört, sondern seine Wirklichkeit im Unsichtbaren hat.
Es zeigt sich der Seelen-Schau im Wahr-Traum-Bild des Drachen.

Darin liegt das eigentümlich Kraftvolle und Ermutigende des
Psalms, man möchte sagen: sein michaelischer Charakter, daß
er dem Menschen trotz aller Fährlichkeiten das Zutrauen zu seinem Erden-Wege geben möchte. Die Gefahren werden deutlich
ins Auge gefaßt. Man muß wissen, daß sie existieren – Löwe,
Otter, Drache. Aber wenn es Dämonen und Teufel gibt, dann
gibt es auch die Engel. Sie heben über den Stein hinweg. Sie
setzen den Menschen instand, die Verderber unter seine Füße zu
treten und seinen Weg zu gehen.

Indem die einsprechende »Stimme« diese Höhe der Offenbarung erreicht, verstummt sie und gibt einem noch Höheren
Raum. Zu den zwei bisher angetroffenen Weisen des Sprechens
tritt nun eine dritte hinzu. Das Ich des Psalmsängers sprach:
»Ich (der Beter) und Du (Gott)«. Die einsprechende Engel-
Stimme: »Du (der Beter) und Er (Gott)«. Nunmehr erklingt
eine dritte Stimme, in deren »ICH« die Gottheit selber sich vernehmen läßt, während des Psalmisten in der dritten Person gedacht wird: »ICH (Gott) und er (der Beter)«. Die Gottes-Stimme selbst:

> *Mir hanget er an – ich will ihn erretten,*
> *empor ihn heben – er erkannte meinen Namen.*
> *Er ruft mich an – ich gebe ihm Antwort.*

*In der Bedrängnis – mit ihm bin ICH.*
*Heraus will ich ihn reißen.*
*Will ihn verklären.*
*Sättigen ihn mit der Erdentage Fülle.*
*Schauen will ich ihn lassen mein Heil.*

(V. 14–16)

Im hebräischen Urtext erklingt hier, wo die Gottheit selber redet, die feierliche Großform des Wortes »Ich«: »Anokhi«. Die »Liebe von oben« kann rettend an den Menschen herankommen, weil er den göttlichen »Namen erkennt«. Gott ist nicht »anonym«, wie es die Welt der Atome ist. Bei ihm kann der Mensch wissen, »mit wem er es zu tun hat«. Der »Name Gottes« ist die Kundgebung seines innersten Wesens an uns, wie sie in höchster Art in dem Christus Jesus an uns herankommt. Wenn der Mensch des göttlichen Namens inne geworden ist, dann kann er von der Gottheit nach oben hin »herausgerissen« werden aus der Verkettung einer dem Tode verfallenen Welt. Er wird »verklärt«, verwandelt »von einer Klarheit zur andern«, in immer größere Herrlichkeiten hinein.

Das »Sättigen mit der *Länge* der Erdentage« am Schlusse der göttlichen Verheißung müssen wir uns erst aus der alttestamentlichen Denk- und Sprechweise – in die sich eben damals die Gottesoffenbarung anpassend einkleiden mußte – ins Christliche übersetzen. Der Alte Bund hatte die Aufgabe, den Erdenleib des zur Mensch-Werdung herabsteigenden Erlösers vorzubereiten. So war es in der Ordnung, daß die Frommen des Alten Bundes der irdischen Leibes-Existenz einen hohen Wert zu-erkannten. »Hier-Sein ist viel« (Rilke). Die Seele stiege nicht ins Erdendasein hinab, wenn sie nicht ein tiefbegründetes Verlangen nach Erden-Existenz hätte, eine Art »Hunger«. Das Erdenleben soll dann diesem Verlangen Genüge tun, wie eine sättigende Mahlzeit. Bei den Patriarchen hatte man noch den Eindruck, daß ihr

Sterben in dem Zeitpunkt erfolgte, wo diese Sättigung eingetreten war. Sie starben »alt und lebenssatt«. Außer von Abraham und Isaak wird das dann nur noch von Hiob, David und dem Priester Jojada gesagt.

Im Christentum wird dieser besondere Wert des Erdendaseins nicht geleugnet, sondern nur noch tiefer erkannt. Drückte er sich für den althebräischen Frommen noch mehr quantitativ aus in der »Länge« der zugeteilten Lebens-Spanne, so steht für uns das Qualitative im Vordergrund: daß der Mensch während seiner Erden-Existenz den Christus finde und sich von seinem Wesen durchdringen lasse. Wie die Erlösungstat eben nicht im Himmel, sondern auf Erden stattgefunden hat, so ist auch das Erdenleben die Gelegenheit zum Christ-Werden. Die Menschen-Seele, obwohl vom Himmel stammend und für künftige himmlische Daseinsweise bestimmt, hat ihr entscheidendes und in alle Ewigkeit hinein wirkendes Erlebnis hier auf Erden. Durch diese Erfahrung wird der »Hunger« gesättigt, der die Seele ins Erdendasein führt, um den Sinn des Lebens, die »Fülle« der Erdentage zu suchen.

Der letzte Satz der Gottes-Rede im 91. Psalm tut die weiten Horizonte der Zukunft auf. Das Zeitalter des Heiligen Geistes, der großen Bewußtseins-Erweckung, kündigt sich an. Das »Erkennen des göttlichen Namens« entfaltet sich zur apokalyptischen Welten-Schau. »Schauen will ich ihn lassen mein Heil.«

# HYMNUS DER SEELE

## PSALM 103

## I.

*Lobe den Herrn, meine Seele,*
*und alles, was in mir ist, seinen heiligen Namen!*

(V. 1)

Rudolf Steiner wies einmal darauf hin, daß es mehr als eine Redensart war, wenn Homer zu Beginn die Muse anruft: »Singe mir, Muse...« Die Muse war damals wirklich noch ein inspirierendes Geisteswesen, dessen Mit-Wirken der Dichter empfand. Anderseits machte Rudolf Steiner darauf aufmerksam, wie Klopstock seine Messias-Dichtung mit den Worten beginnt: »Singe, unsterbliche Seele, der sündigen Menschheit Erlösung!« Der antike Dichter ruft noch die außermenschliche Muse herbei. Beim christlichen Dichter sollen die eigenen Seelentiefen, vom Christusmysterium berührt, zu klingen anfangen.

Der 103. Psalm gehört auch der alten Welt an, aber er steht doch schon in einer Geistesströmung darin, die auf das Ichhaft-Christliche hinführt. So soll auch hier die eigene Seele in ihrer Innerlichkeit tönend werden zum Lobe des Herrn. – Das ganze Innere (»alles was in mir ist«) mit all seinen Kräften und Möglichkeiten soll dem heiligen »Namen« Resonanz geben. Der heilige »Name« ist der erkannte Gott, soweit er sich offenbart. Die Gottes-Erkenntnis als anbetendes Erkennen des heiligen Namens und der aus ihr hervorgehende Hymnus nehmen die Seele im vollen Umfang all ihrer Möglichkeiten in Anspruch. Wenn es

290

auch vorerst noch ein fernes Ziel bleibt, daß alle Strebungen und Fühlungen des inneren Menschen sich vollzählig zusammenfinden, um dem heiligen Namen das volle Seelen-Echo zu geben.

Gerade dieses »Loben und Preisen« Gottes ist durch die Inflation, von der die erbauliche Sprache ergriffen wurde, allmählich eine recht nichtssagende Wendung geworden. Gehen wir einmal, um diesen Begriff wieder mit etwas Konkretheit aufzufüllen, von dem deutschen Wort »preisen« aus. Wir machen uns klar, daß ja das Wort »Preis« in seiner Bedeutung sich gegabelt hat. Einmal bedeutet es soviel wie lobend verherrlichen, daneben hat es eine »prosaische« Bedeutung, insofern es den geldlichen Wert irgendeiner Sache, den Kauf-Preis meinen kann. Das Gemeinsame dieser scheinbar so auseinanderliegenden Bedeutungen ein und desselben Wortes ist: das Bewußtsein eines Wertes. Der Kaufpreis sagt an, was die betreffende Sache »wert« ist. So ist auch der Lob-Preis – nur in einem höheren Sinne – Ausdruck eines Wert-Erlebnisses. Der Geist erkennt den »Namen« des Gottes, die Seele stimmt ihr Fühlen zu dieser Erkenntnis und geht darin ganz auf. Dieses Gefühl wird innere Musik und dann schließlich hörbarer Gesang. Es wird zum Hymnus im Emporwallen und Überfließen der durch solches Wert-Erlebnis in Bewegung gesetzten Mächte der Seele.

> Lobe den Herrn, meine Seele,
> und vergiß nicht all seine Erweisungen.

(V. 2)

Es liegt dem Menschen nahe, sich wohl das Unerfreuliche zu merken, das Gute aber mit stumpfer Selbstverständlichkeit gedankenlos und darum auch danklos hinzunehmen. Ohne bewußte Pflege der Dankbarkeit kommen wir auf dem Weg zum Göttlichen nicht vorwärts.

Im folgenden wird nun die Fülle der göttlichen Wohltaten aufgegliedert und vor das dankbare Bewußtsein feiernd hingestellt.

*Der dir alle deine Sünden vergibt,*
*der alle deine Gebrechen heilt,*
*der dein Leben von der Grube erlöst,*
*der dich krönt mit Gnade und Barmherzigkeit,*
*der mit Güte sättigt dein Verlangen,*
*der adlergleich deine Jugend erneut.*

(V. 3–5)

Die ersten drei Aussagen betreffen ein Negatives, das durch die göttliche Hilfe überwunden wird. Sünde – Krankheit – Tod.

Die im Innern wirkende Sünde ist die Wurzel aller Übel. Das In-Ordnung-Bringen der Seele ist der Ausgangspunkt für eine umfassende Wiederherstellung des gesamten bedrohten Menschen-Wesens.

Aus der Sünde folgt die Krankheit. Was erst rein seelisch war, greift auf die Region der feineren Bildekräfte über und »kränkt« sie. Damit soll nicht behauptet sein, daß deswegen jede Krankheit die direkte Folge einer Sünde sein müßte. Das wäre ein Kurzschluß aus einem zu einfachen Denken heraus, das der Kompliziertheit menschlicher Schicksalsverhältnisse nicht gerecht wird. Es kann schicksalsmäßig ganz anders zustande kommen, daß nun gerade dieser Mensch an dieser Krankheit leidet. Aber daß überhaupt in der Menschheit die Möglichkeit der Krankheit vorhanden ist, daß sie überhaupt zum Menschen Zutritt fand – das ist Folge der Sünde.

Der nächste Schritt auf dem Wege dieser Realisierung, dieser Welt-Werdung der Sünde, ist dann der Tod.

Darum hat die Reihenfolge im Psalm etwas so organisch Richtiges. Am Anfang die Sünden-Vergebung, die das innere Leben in Ordnung bringt. Danach die Heilung der Gebrechen. So wie Christus zuerst dem Gichtbrüchigen die Sünde vergibt und ihn danach gesund macht. Als Drittes endlich: die Überwindung des Todes. Es sind Worte, die in das Christliche, Zukünftige hinein

292

weit offen stehen und über den damaligen Anlaß im Schicksal des Psalmisten hinaus eine bleibende, ja sogar eine sich steigernde Gültigkeit haben. Worte, die mit dem Fortschreiten der christlichen Entwicklung immer richtiger und wahrer werden.

Einen besonderen Klang hat im Urtext das Wort »goël«: der dich »erlöst« von der Grube. Das gleiche Wort findet sich an der bedeutsamen Hiobstelle: »Ich weiß, daß mein Erlöser lebt.«

Zu dem Wegräumen von Sünde, Krankheit und Tod tritt nun noch das Positive, auch in einer Dreiheit von Aussagen entfaltet.

Die »Krönung mit Gnade und Barmherzigkeit« hat das zur Voraussetzung, was man im alten Orient die »Haupt-Erhebung« nannte. Der Mensch, der daniederlag, ragt nun als ein Auferstandener mit seinem Haupte wieder in die höheren Welten hinauf, deren Licht sich gnadenvoll auf ihn niedersenkt.

Nach der Krönung des Hauptes, die die Majestät des aufgerichteten Menschen wiederherstellt, wird die fühlende Mitte angesprochen. »Der mit Güte dein sehnendes Verlangen stillt.« Die tiefste Sehnsucht findet ihre Erfüllung.

Immer weiter dringt die Gnadenwirkung in den Menschen hinab. »Der adlergleich erneut deine Jugend.« Alte Weisheit sah im »Adler« das Symbol für die Umwandlung der unheimlichen Skorpion-Gewalten. Der »Skorpion«, der auch im Begierde-Wesen des unteren Menschen wirkt, ist eine todbringende Kraft. Wird er aber vergeistigt, dann dringt der Mensch zum »Adler« vor. Der Evangelist Johannes, der in der Gestalt des Lazarus durch den Tod ging, steht im Zeichen des Adlers. Er hat als erster die Auferstehung als das »Weltverjüngungsfest« erfahren. Als der hundertjährige Alte von Ephesus ist er andererseits in besonderem Sinne der »Jünger« Christi, der die Erneuerungskraft an sich erlebt. »Siehe, ich mache alles neu« (Offenb. Joh. 21,5). Auf höherer Stufe werden die Kräfte von Kindheit und Jugend wiedergewonnen.

Auch bei Jesaja wird einmal von diesem johanneischen Adler-Mysterium gesprochen: »Die Knaben werden müde und matt, und die Jünglinge fallen. Aber die auf den Herrn harren, erhalten neue Kraft, daß sie auffahren mit Flügeln wie Adler, daß sie laufen und nicht ermatten, daß sie wandeln und nicht müde werden« (Jes. 40, 30. 31). Die nur im Natürlichen wirksamen Kindheits- und Jugendkräfte gehen früher oder später zur Neige, sie müssen im Geist wiedergefunden werden. Vor der Vergreisung rettet uns nur die Wiedergeburt aus dem Geist.

## II.

*Der Herr schafft Gerechtigkeit*
*und Recht allen, die Unrecht leiden.*

(V. 6)

Damit geht der Psalm aus dem Bereich des Einzelnen und der individuellen Heils-Erfahrung hinaus und preist das Gottes-Wirken in den größeren Zusammenhängen. Es hat oft zu Unmöglichkeiten geführt, wenn alttestamentarische Frömmigkeit allzu eng das Walten der Gerechtigkeit schon innerhalb ein und desselben Schicksales aufzufinden vermeinte. Das führt oft zu Absurditäten, zu einer Vergewaltigung des Tatbestandes; denn zunächst ist es eben meistens nicht so, daß der Gerechte Gutes erfährt und der Böse bestraft wird. Deswegen ist aber die Grund-Intention des gerechten Gottes nicht widerlegt. Wir müssen nur die Betrachtung ins Weite bringen durch den Blick auf die wiederholten Erdenleben, durch die der Mensch hindurchgeht. Erst im großen Panorama aller Erdenläufe kann das zutage treten, daß die Schicksale von höchsten Himmelsmächten liebevoll-weisheitsvoll in Gerechtigkeit verwaltet werden.

Dieser in den großen Weltzusammenhängen gerecht waltende Gott hat dem Moses Einblick gegeben in seine Wege.

*Er hat seine Wege dem Moses zu erkennen gegeben,*
*den Söhnen Israels seine Taten.*
*Barmherzig und gnädig ist der Herr,*
*langmütig, ehe er zürnt, und reich an Gnade.*

(V. 7–8)

Der Psalm denkt da wohl besonders an die einzigartige Offen-
barungsstunde, die dem Moses zuteil wurde, als der Herr vor
ihm vorüberging und Seinen großen Namen vor ihm ausrief in
der Fülle seines Inhaltes (2. Mos. 34, 5–7). Die Worte »barmherzig und gnädig ist der Herr ...« sind ein direktes Zitat aus dieser
Moses-Offenbarung.

*Nicht in alle Ewigkeit wird er abweisend sein,*
*nicht in alle Zeitenkreise wird sein Zorn währen.*
*Nicht nach unseren Verfehlungen handelt er an uns,*
*und nicht nach unserer Schuld vergilt er uns,*
*sondern wie der Himmel hoch ist über der Erde,*
*ist hoch seine Gnade über denen, die ihn ehrfürchtig scheuen.*
*So weit der Sonnenaufgang entfernt ist vom Untergang,*
*entfernt er von uns unsere Sünden.*

(V. 9–12)

Der »Zorn« ist nicht das Ursprüngliche und wird nicht das
Letzte sein. Auch in der Zeit noch vor Christus erlebt Moses den
in der Gottheit vorhandenen Willen zur Vergebung und Hei-
lung. Obwohl es ein Gott der Gerechtigkeit ist, ein Garant des
Gesetzes vom Säen und Ernten, »handelt er nicht mit uns nach
unserer Missetat«. Wir sprachen hierüber schon bei Psalm 51.
Gäbe es nur den starren Automatismus einer mechanisch auf den
Täter zurückschlagenden Gerechtigkeit, dann müßte der
Mensch an den Folgen seiner Taten zugrunde gehen, »in seinen
Sünden sterben«. Dann müßte das, was er an der Welt verbro-
chen hat, ihn im Rückschlag ganz einfach vernichten. Aber die

295

Gottheit gibt aus ihrer eigenen Substanz noch etwas hinzu, sie gibt ein großes, unendlich wirksames Gottes-Opfer als neuen »zusätzlichen« Faktor dazu, wodurch alles ein anderes Aussehen erhält. Christus setzt die Gesetzmäßigkeit von Ursache und Folge nicht außer Kraft, er wirft das Karma-Gesetz des Schicksales nicht um, aber er bringt gnadenvoll eine ganz neue Ursache in den Zusammenhang herein, indem er sich in freier Opfertat an das Schicksal der Menschheit bindet und sich selber in die »karmischen« Abläufe einschaltet. Das »Gesetz« wird damit nicht beiseite getan; denn gerade kraft dieses Gesetzes von Ursache und Folge hat ja eben auch die Tat von Golgatha ihre so weitgreifenden Auswirkungen!

Die Worte vom gerechten Gott, der trotzdem uns nicht an den Folgen unserer Taten zugrunde gehen läßt, werden erst im Lichte Christi voll verständlich. Der Gott, der dem Menschen nicht nach seiner Missetat vergilt, ist kein launenhafter Sultan, der willkürlich der Gerechtigkeit in die Zügel fällt, sondern der Gott, der im Begriffe ist, für die Menschheit das Christus-Opfer zu vollbringen.

Über dem Menschen wölbt sich der hohe Himmel der Gnade. Man darf demgemäß den Menschen nicht nur in seiner irdischen Erscheinung als unvollkommenen Erden-Menschen sehen – dann müßte man ihn aufgeben und an seiner Zukunft verzweifeln. Aber zum Gesamt des Phänomens »Mensch« gehört eben auch der hohe Gottes-Himmel, der sich verheißend und zukunftsträchtig über ihm wölbt. Es ist nicht des Menschen Verdienst, daß das so ist. Nur um seiner christlichen Zukunftsmöglichkeit willen erträgt ihn die Welt. Er wird nur »gerechtfertigt durch den Glauben an Christus«, weil er im Fortgang seiner Durchchristung die Welten-Waage der ewigen Gerechtigkeit wieder auf gleich bringen wird.

Die Freiheit ist damit nicht angetastet. Die überwölbenden hohen Gnadenhimmel, die im Erdenmenschen wirksam werden

möchten, sind nur für die ergiebig, die »Gott ehrfürchtig scheu-
en«. Es muß also für das In-Kraft-Treten der ihm vermeinten
Gnade eine Bedingung seitens des Menschen erfüllt sein. Er muß
sich seiner Situation bewußt sein, er muß die ehrfürchtige Scheu
haben. Im Neuen Testament heißt diese eine Bedingung dann:
Er muß an Christus glauben, sich ihm zuwenden. Sonst können
sich die ihn überwölbenden hohen Gnadenhimmel nicht erschließen, und er muß letzten Endes »sterben in seinen Sünden«.
Der Erlösungsfaktor kann dann in seine Schicksalsrechnung
nicht eingeschaltet werden.

»So fern der Aufgang ist vom Untergang« – durch unsere Sünden gehören wir einer Welt an, die untergeht. Die Gnade verbindet uns mit einem neuen Welten-Morgen. Durch die Gnade geht
eine grundsätzlich andere Welt in uns auf, durch unausdenkliche
»Ferne« von der Welt unserer Sünden geschieden.

Wir sehen den Menschen in großen Dimensionen: den Menschen, wie er den hohen Himmel der Gnade über sich hat und
wie er einem Welten-Morgen zugehörig wird, während seine
Sünden in einen Welten-Abend hinein untergehen.

Neutestamentlich klingt auch der folgende Satz:

> *Wie sich ein Vater über Söhne erbarmt,*
> *so erbarmt sich der Herr über die, die ihn*
> *ehrfürchtig scheuen.*

(V. 13)

Die Gottheit, die den Erlöser sendet, sieht unsere Schwäche.

> *Denn er weiß, wie es mit uns beschaffen ist.*
> *Er gedenkt daran, daß wir Staub sind.*
> *Der Sterbliche – wie das Gras vergehen seine Tage.*
> *Wie eine Blume des Feldes blüht er auf,*
> *der Wind geht darüber hin, sie ist nicht mehr,*
> *und nicht kennt man mehr ihre Stätte.*

297

*Die Gnade des Herrn ist von Ewigkeit zu Ewigkeit*
*über denen, die ihn ehrfürchtig scheuen,*
*und seine Gerechtigkeit über den Söhnen ihrer Söhne,*
*die da treu sind seinem Bunde*
*und seine Willensziele im Bewußtsein tragen,*
*sie zu verwirklichen.*

(V. 14–18)

Das Element des »Erdenstaubes«, der Vergänglichkeit ist dem
Menschen eingefügt. Nicht als ob der ganze Mensch darin auf-
ginge, nur Staub zu sein. Das steht wohl manchmal im Alten
Testament im Vordergrund. Aber das Alte Testament weiß auch
von dem Odem, den Gott dem Menschen einhauchte, und es
berichtet von einer Erschaffung des Menschen (1. Mos. 1, 27),
lange bevor ihm die vergänglich-irdische Gestalt zuteil wurde
(1. Mos. 2, 7). Durch seinen Anteil am Ewigen ist der Mensch
Gott gegenüber »bundesfähig«. Seine Treue zum Übersinnlichen erhebt ihn über das nur Vergängliche. »Treue« setzt in uns
ein Bleibendes voraus, sie ist eine Ich-Funktion.

### III.

Der Psalm begann mit dem Hymnus der Seele. Er endet mit einem Hymnus des Welt-Alls. Was im innersten Kreise begann, ist
nun ins Weite geführt.

*In den Himmeln hat der Herr seinen Thron errichtet,*
*und seine Königsherrschaft umfaßt das All.*
*Lobpreiset Ihn, ihr seine Engel,*
*ihr Kraft-Helden, die ihr sein Wort wirket,*
*in die Hörbarkeit zu tragen die Stimme seines Wortes,*
*lobpreiset Ihn, all seine leuchtenden Heerscharen,*
*seine erhabenen Diener, die ihr seinen Willen vollzieht.*

(V. 19–21)

298

Der Preisgesang des Herzens verbindet sich mit dem Opferge-
sang der Hierarchien.

Etwas von der Gliederung der Engelreiche ist leise angedeutet,
ähnlich wie bei Psalm 104. Da sind zunächst die Engel, die wie
im Griechischen (Angeloi) einfach »Boten« heißen. Sie übermit-
teln Botschaft von Geist zu Geist. – »Kraft-Helden« deutet wohl
darüber hinaus auf die mittleren Engel-Reiche hin, die im besonderen dem göttlichen Worte dienen, wie es aus der Sonne ertönt.
Sie sind in diesem Ertönen lebendig wirksam und tragen es zum
lauschenden Geistgehör hin. – Mit den »Heerscharen« (Zebaoth) werden wir in die Stern-Welten der höchsten Hierarchien
versetzt. »Zebaoth« wird gelegentlich für die Sternen-Scharen
gebraucht, zum Beispiel Jeremia 33,22 »des Himmels Heer«,
das man nicht zählen kann. Diesen höchsten Hierarchien gehören die »erhabenen Diener« an, die »Liturgen«, wie sie griechisch genannt werden. Sie leben unmittelbar in der Substanz
göttlichen Willens. Der Psalm sagt: Sie verwirklichen Seinen
Willen.

Im Anschluß daran richtet sich der Blick auf die gesamte
Schöpfung:

> *Lobet Ihn, alle seine Werke,*
> *an allen Orten seines Waltens.*

> (V. 22)

Der Schlußsatz kehrt noch einmal zum Anfang zurück. Aber
inzwischen hat sich die Seele erweitert und das ganze All in ihr
Interesse einbezogen. Ihr Lobgesang klingt zusammen mit dem
Hymnus der Welten.

> *Lobe den Herrn, meine Seele!*

# III

## DAS NEUE LIED

# UM DIE ZUKUNFT DER ERDE

## PSALM 37

Der 37. Psalm liegt dem bekannten Liede Paul Gerhardts zugrunde »Befiehl du deine Wege«. Man hat gelegentlich geradezu
von einem »Befiehl du deine Wege«-Christentum gesprochen
und damit eine bestimmte Ausprägung evangelisch-lutherischer
Christlichkeit treffen wollen. Man wollte auf die Einseitigkeit einer Religiosität hinweisen, die zwar tief-innerlich und gottergeben
ist, aber die Welt-Interessen sich nicht zu eigen macht; einer
Religiosität, die um »Gott und die Seele« kreist, aber die großen
Welt-Entscheidungen aus den Augen verliert.

Sieht man sich nun den 37. Psalm genauer an, so findet man
wohl das Wort »Befiehl du deine Wege« im Original, aber man
findet im übrigen nichts von der erwähnten Einseitigkeit, sondern gerade eine ganz anders geartete Stimmung. Natürlich muß
man berücksichtigen, daß ein gewisses Etwas in dem wunderbar
schönen und für so viele Herzen schon trostvoll gewordenen Liede Paul Gerhardts eben nur erst durch das Christentum herein-
kommen konnte und daß andererseits bestimmte Nuancen in
dem Psalm von der vorchristlich-alttestamentarischen Befangenheit herrühren. Trotzdem ist zu bemerken, daß in dem Psalm
weite Perspektiven geradezu apokalyptischen Formates veranlagt sind, die in Paul Gerhardts Lied nicht zu ihrem Recht kommen.

## I.

Der Psalm beginnt mit der Mahnung, die Kräfte der Seele nicht im Haß gegen das Böse zu vergeuden.

> *Entbrenne nicht gegen die Bösen!*
> *Ereifere dich nicht über die Übeltäter!*
>
> (V.1)

Wieviel seelische Energie geht dadurch verloren! Die Versuchung ist allerdings groß, sich von früh bis abend über irgend etwas zu entrüsten, was nicht so ist, wie es sein sollte. Aber solche Energie-Befeuerung ist nur da am Platze, wo wir positiv bessernd eingreifen können. Also in erster Linie auf dem Gebiet der Selbst-Erziehung, wo wir es mit unseren eigenen Fehlern zu tun haben. Aber darüber hinaus wird das »Entbrennen« und »Ereifern« bald unfruchtbar. Hier lauert die Gefahr, daß wichtige Kräfte unserer Seele in sinnloser Weise verbraucht werden, die wir für das Positive nötig haben.

Wir sollen das Böse seiner eigenen Wesenlosigkeit überlassen. Allerdings teilen wir nicht mehr das Weltbild mancher alttestamentlicher Frommer, die der Meinung sind, es müsse die Nichtigkeit des Minderwertigen noch in diesem Leben durchaus eklatant sichtbar werden. Wir denken da weiträumiger, aber gleichwohl bleibt prinzipiell die alte Anschauung richtig, daß das Böse schon seinen Richter hat.

Die seelischen Energien sollen, statt sich in unfruchtbarem Ereifern aufzureiben, dem Göttlichen zufließen.

> *Vertraue dem Herrn und tue Gutes!*
> *Bewohne das Land und bemühe dich um Beständigkeit!*
>
> (V.3)

In dieses Wort »vertraue auf den Herrn!« dürfen wir als Christen all das hineinlegen, was unser Verhältnis zu Christus sein kann. Aus diesem herzkräftigen Verhältnis des glaubenden Vertrauens ergibt sich dann auch die Möglichkeit, Gutes tätig zu verwirklichen.

Die anschließenden Worte sind von Luther etwas mißverständlich wiedergegeben worden: »Bleibe im Lande und nähre dich redlich.« Dieser Satz kann nur allzu leicht das Leitwort für eine hausbackene kleinbürgerliche Selbstzufriedenheit werden, die der Tod aller kühnen und wagemutigen Regungen ist. Aber was da im Psalm steht, hat einen anderen Klang.

Der 37. Psalm kreist immer wieder um das Wort »erez«, die Erde, das Land. In diesem Fall zunächst ganz konkret das Land Israel, als das heilige Land. Die theologische Auslegung erklärt den Psalm aus dem Gegensatz der »Frommen«, der Chassidim, zu den anderen, die von der Jahwe-Religion abfielen und sich fremden Einflüssen öffneten. Der Streit ging um das heilige Land, von welcher der beiden Parteien es beherrscht werden sollte. – Der Psalm hat aber dadurch seine Bedeutung, daß dieser damalige, längst der Vergangenheit angehörende Streit zweier Menschengruppen transparent werden kann für ein viel größeres Problem. Hinter dem Streit der »Frommen«, unter denen wir vielleicht manchen engherzigen Fanatiker gefunden hätten, und der sogenannten »Gottlosen« um das Land erscheint ein viel größerer und bedeutungsvollerer Kampf: der Kampf, den gute und böse Mächte um die Erde führen! Da sind dann die Frommen die Menschen der Zukunft, die dem Christus dienen, und ihre Gegenspieler sind die antichristlichen Mächte, und »erez« ist dann eben nicht nur das Land, sondern: die Erde! (Das Wort »erez« bedeutet ja beides.)

Das eigentliche Thema des Psalms ist der apokalyptische Kampf um die Erde. Das wird im späteren noch deutlicher werden.

»Bewohne das Land und pflege Treue.« Für Abraham war es richtig, herauszugehen aus seinem Vaterlande und aus seiner

Freundschaft. Ob jemand in die Ferne reist oder ob er zeitlebens über seinen Ort nicht hinauskommt, das ist für den Einzelnen je nach seinem Schicksal verschieden. Über diese Frage will der Psalm nicht entscheiden. Für ihn geht es darum, wer das Land besitzen soll. Er weiß, daß es bei diesem Kampf um das heilige Land letzten Endes auf die inneren Qualitäten, auf die innere Einstellung des Menschen ankommt; denn dieser Kampf um das Land ist dem Psalm doch schon mehr als nur eine politische Angelegenheit. Auch für ihn leuchten dabei schon apokalyptische Horizonte auf. So gibt er die Mahnung: »Bewohne dieses Land in der rechten Weise, indem du der Geistigkeit, der du dienst, die Treue hältst!«

Und wir dürfen nun erst recht die in diesen Psalm hereinschauenden apokalyptisch-eschatologischen Hintergründe als das Bleibend-Wichtige und Eigentliche ansehen. Dann aber heißt dieser Satz, von seiner zeitgeschichtlichen Bedingtheit befreit: »Bewohne die Erde in rechter Art!« Erkenne die Gegebenheit an, daß du nicht ein erdfremder Himmelsbewohner bist, sondern – wiewohl himmlischen Ursprunges – von den weisen Schicksalsmächten auf die Erde gesetzt wurdest. Bejahe diese Tatsache! Pflege die rechte Treue zur Erde, indem du dabei den Geisteswelten in Ergebenheit dienst.

Vom Christlichen aus wird das erst ganz verständlich. Nietzsche hatte ein weltflüchtig entstelltes Christentum vor Augen, als er den Mahnruf erhob: Bleibet der Erde treu! Dieses Wort erhält seinen Sinn erst im Zusammenhang des recht verstandenen Christentums. Der Christus selber hat die Erde aufgesucht. Er hat mit der Auferstehung den Keim einer verwandelten, vergeistigten Erde geschaffen, die sich mit dem Himmel in neuer Weise zusammenfindet. Die Verklärung der Erde ist das große Thema des Christentums. »Auf einer Mission sind wir begriffen. Zur Wandlung der Erde sind wir berufen« – diese Novalisworte sind echt christlich. In der Idee der Wandlung hält der Mensch so-

306

wohl dem Himmel die Treue – als auch der Erde. Er bringt sie beide zusammen, so daß die große apokalyptische Hochzeit geschehen kann. Der Christ kann nicht einfach bloß »in den Himmel kommen« wollen – er muß das Irdische geläutert und verwandelt dem Himmel zubringen. Er kann nicht einfach bloß die Erde besitzen wollen – er muß den Geist in sie hineintragen.

Auf diese Haltung weist der 37. Psalm schon hin. Er verbindet die Treue zur Erde mit der Treue zum Geiste.

## II.

Man darf es nicht übersehen, daß die nun anschließenden, sehr bekannten Verse eben auf das Wort folgen: »Bewohne das Land in rechter Treue!«

> *Finde deine Beseligung im Herrn!*
> *Er wird dir geben nach den Begehrungen deines Herzens.*
> *Befiehl dem Herrn deinen Weg*
> *und vertraue Ihm! ER WIRD ES TUN.*

(V. 4–5)

»Habe deine Lust am Herrn«, übersetzt Luther. Es ist das gemeint, was mit dem Wort »Gottseligkeit« ausgedrückt wurde. Wir betreten hier den heiligen Boden mystisch vertiefter Innerlichkeit. Das Alte Testament kennt, wie man sieht, nicht nur den Gehorsam gegen das Gesetz. Es kennt auch die innere Beseligung, die der Umgang mit der göttlichen Nähe verleiht. – Bei Tersteegen finden wir die Worte« »daß Du vergnügst alleine, so wesentlich, so reine«. Das ist das gleiche Erlebnisgebiet, von dem hier der Psalm spricht.

Es hat seinen tiefen Zusammenhang, wie gerade aus dieser Geistesfreude heraus der Übergang vollzogen wird zu den Bitten, den »Begehrungen des Herzens«. Vielfach herrscht in der Christenheit die Meinung, daß es sich im religiösen Leben vor allem darum handle, Gott um dieses oder jenes zu bitten. Viele besinnen sich erst auf Gott, wenn sie etwas brauchen, wenn sie etwas haben wollen, wenn sie einer Bedrängnis enthoben werden möchten. Der Psalm steht auf einer ganz anderen Höhe. Er weiß: das erste in der Religion ist die Anbetung, die Versenkung, die selbstvergessene Beseligung im Anschauen und Erleben des Göttlichen. Nur der Mensch, der aus selbstvergessener Anbetung des Göttlichen wieder zu sich selber zurückkehrt, darf nun auch seine Bitten aussprechen. Im Vater-Unser geht erst die Anrede voran, die ja, recht verstanden, ein solches Sich-Versenken in die Gottheit bedeutet. Aus dieser Versenkung gehen die drei großen Wünsche hervor, die sich noch nicht auf des Menschen irdische Bedürftigkeit beziehen, sondern die gleichsam im Interesse dieses angeschauten Göttlichen gewünscht werden, als wahrhaft »fromme Wünsche«, die durch das »Dein« charakterisiert sind: »Dein Name«, »Dein Reich«, »Dein Wille«. Dann erst, durch das Vorangehende geläutert und gereinigt, dürfen wir zu unseren eigenen irdischen Angelegenheiten kommen: »unser tägliches Brot...«

So steht zuerst der Satz da von der Gottseligkeit, die wir in dem Herrn finden sollen. Darauf folgt dann als zweites: »Er wird dir geben nach den Begehrungen deines Herzens.« Dann kann es ja nicht mehr ein törichtes Bitten und egoistisches Haben-Wollen sein, für das wir die Gottheit einspannen möchten, so daß sie im Bilde unserer selbstischen Pläne nur eine Hilfslinie bedeutet. Die wahren erhörungswürdigen Bitten gehen aus der selbstvergessenen Anbetung hervor, dann sind es auch erst wirklich Begehrungen des »Herzens«! Das ist schon noch etwas anderes, als was man sonst wohl mit der abgebrauchten Wendung verbindet: »was dein Herz begehrt«. Nur wer von der Erfahrung berührt ist »daß Du vergnügst alleine, so wesentlich, so reine«, vermag aus reinem Herzen zu begehren. – Dem christlichen Bittgebet ist die Erfüllung verheißen, wenn es »im Namen Christi« geschieht.

Das kann ja nicht besagen wollen, daß wir unserer Bitte nur jeweils die Formel »im Namen Christi« vorauszuschicken brauchen. Es meint dieses »im Namen Christi« doch vielmehr, daß wir uns erst ganz mit seinem Wesen durchdringen sollen. Aus dieser wesenhaften Einung mit Ihm heraus »werdet ihr bitten, was ihr wollt, und es wird euch widerfahren«; denn dann hat dieses »was ihr wollt« einen anderen Charakter angenommen, dann werden es wirklich Begehrungen des reinen Herzens sein.

Aus solch mystischer Erfahrung gehen nun die berühmten Worte hervor: »Befiehl dem Herrn deinen Weg« (Einzahl im Urtext). Es ist der Weg des Schicksals, den zu gehen die Weisheit höherer Welten dich zur Erde geschickt hat. Gib dich vertrauensvoll der göttlichen Führung hin! – Es wiederholt sich noch einmal das Wort »vertraue Ihm!« (wie in Vers 3). Er wird handeln. Er wird es machen. Das ist in diesem Zusammenhang keine Aufforderung zur Passivität. Man darf solche Worte nicht isolieren. Es ging ja voraus: Vertraue ihm! Tue Gutes. Bewohne in rechter Treue das Land. Finde deine Freude und Beseligung im Göttlichen. Damit ist hinreichend auf die Aktivitäten des Menschen hingewiesen; denn auch zum Beispiel die »Gottseligkeit«, das Ver-genügt-Sein am Geiste ist etwas, für das wir uns mit innerem Bemühen der Selbsterziehung, im Ringen mit den Widerständen eines unruhigen und bedrohten Daseins den Raum immer wieder erst freikämpfen müssen. Nur auf Grund innerer Aktivität ergibt sich dann die wahre und gesunde Gelassenheit: »Befiehl dem Herrn deinen Weg. Er wird handeln.« Er wird »es« machen. Durch unsere rechte Hingabe setzen wir das göttliche Handeln erst wahrhaft »in Kraft«, so wie wir dem Geschehen der Wandlung, wo die Gottheit handelt und »es tut«, im Offertorium unsere gesammelte Hingabe voranschicken.

Diesem geheimnisvollen Worte, daß Gott »ES« tun wird, begegneten wir bereits im Schlußvers des Leidens-Psalms 22.

*Und er wird hervorgehn lassen wie ein Licht deine Gerechtigkeit,*
*und dein Recht wie den hellen Mittag.*

(V. 6)

Christus sagt: »Dann werden die Gerechten leuchten wie die
Sonne in ihres Vaters Reich« (Matth. 13, 43). Es ist nichts verloren, was gut und recht getan wurde, auch wenn es vielleicht zunächst keine Auswirkung zeigt. Es ist nichts sinnlos vertan. Mit
allem, was wir an wirklich Gutem vollbringen, bauen wir an einer künftigen Welt. Was jetzt moralisch-innerlich ist, das wird
einmal »Natur« werden. Die Gerechtigkeit, die auf Erden geschah, wird einmal ganz wirklich einer kommenden Welt leuchten, so wie uns heute die Sonne strahlt. Das ist die weitere Per-
spektive dieses Psalmwortes, über den im Vordergrund liegenden Sinn hinaus, daß das Gute doch noch einmal rehabilitiert
und zu Ehren gebracht wird. Das geschieht ja eben im allergrößten Stil, wenn das innere Licht einmal aus dem Menschen her-
vortreten und Weltenlicht werden wird; denn die Christus-Worte
vom sonnenhaften Leuchten der Gerechten und von der Bestimmung seiner Jünger, das Licht der Welt zu sein (»ihr seid das
Licht der Welt«, Matth. 5, 14), können gar nicht wirklich genug
verstanden werden.

*Neige dein Schweigen dem Herrn und hoffe auf Ihn.*

(V. 7)

Sei stille dem Herrn! Schweige Ihm! Wieder ein Wort, das
eine ganze Welt der Selbsterziehung und der mystischen Beseligung ahnen läßt. »Alles in uns schweige und sich innigst vor ihm
beuge« (Tersteegen). Ein solches Schweigen ist kein bloßes Verstummen, das aus Dumpfheit und Stumpfheit kommt. Wir müssen diesen »Dativ«, diesen Gebe-Fall richtig erfassen: Dem
Herrn schweige! Dieses Schweigen ist kein Brüten in sich selbst,
es ist eine innere Zukehrung zum Göttlichen. Wir bringen alles

andere in uns zur Ruhe und halten diese von allen anderen Inhalten leergemachte Seele wie eine Schale dem Göttlichen hin, daß es in diese Leerheit erfüllend eingehen möge. Wir neigen ihm den Kelch unserer Seele zu, daß er sein göttliches Leben in ihn eingieße. Das ist der Sinn dieses »Dativs«.

## III.

Gerade das gibt dem Psalm die weiten Horizonte, daß er diese beiden Themen miteinander verwebt: die mystische Innerlichkeit der Gottbeseligung und das Interesse am großen Welten-Geschehen.

> *Entbrenne nicht gegen den, der glückhaft vorankommt auf seinem Wege,*
> *    obwohl er gott-fremd handelt.*
> *Steh ab vom Zorn, laß fahren den Grimm.*
> *Entbrenne nicht, es führt zum Bösen,*
> *denn die Übeltäter gehn ihrem Untergang entgegen.*
> *Die auf den Herrn in Erwartung hinschauen,*
> *die werden das Land ererben.*

(V. 8–9)

Wir werden hier ganz unmittelbar an eine Seligpreisung der Bergpredigt erinnert, in deren Formulierung ganz offensichtlich die Worte des 37. Psalms mit eingeflossen sind; denn Christus lebte in den Psalmen. »Selig sind die Sanftmütigen; denn sie werden das Erdreich ererben« (Matth. 5,5). »Die Sanftmütigen, d. h. diejenigen, die durch Besiegung ihrer elementarischen Leidenschaften Herren über sich selbst geworden sind, haben den Sinn der Erde erreicht. Das Ich kann nur als die stille Gewalt des Gewissens erlebt werden, das den Rohstoff seelischer Triebe und Neigungen zu gefaßter Menschlichkeit umwandelt« (Eduard Lenz). Sanftmut ist also hier nicht eine innere Schlappheit und Unkraft, sondern gerade der innere Sieg, die Befriedung des wo-

311

genden Seelenmeeres. Die Sanftmütigen, das sind die, die im Sinne des 37. Psalms die Seelenkräfte, die sich in unfruchtbarem Ereifern und Zürnen verschwenden wollen, fest in die Hand nehmen, die das Schweigen in der Seele tätig herstellen können. Was da im Innern geschehen ist, es hat welthafte Auswirkung. »Sie werden die Erde ererben.« Die »Erde« (g̅e), wie es in der Seligpreisung heißt, das ist genau das Wort »erez« im Psalm. In der Seligpreisung hat es schon nicht mehr die noch eingeengte Bedeutung »das Land«, da ist es schon die Erde als Ganzes, die Erde als eine Welt. Die inneren Siege und Errungenschaften des Menschen entscheiden letztlich das Schicksal des Erd-Planeten! Wie denn auch den Seligpreisungen sogleich das Wort folgt: »Ihr seid das Salz der Erde.« Um die Erde als solche geht es.

Sie wird am Ende nicht denen gehören, die sie nur zum Ausbeutungsobjekt ihrer Lüste und Habsüchte gemacht haben. Solche Menschen »haben nichts von der Erde«, im wahrsten Sinn des Wortes. Es ist eine grundlegende Erkenntnis, daß gerade der Materialist im tieferen Sinne »von der Erde nichts hat«. Nur wer ihr im Geiste gegenübertritt, kann sie »ererben« und wirklich »davontragen«. Zum Beispiel: es kann jemand einen Park »besitzen«, ohne ein Auge für die Schönheit der Bäume und das Grün der Wiese zu haben. Ein anderer, dem das alles juristisch nicht »gehört«, kann diese Schönheit aufgeschlossen erleben und sich zu Herzen nehmen. Wer von beiden »ererbt« den Park, wer »trägt ihn davon« als der wahre Eigentümer? Der ihn in sein Inneres hineingenommen hat! Der trägt das Irdische geistverklärt in die andere Welt hinüber und birgt es in seiner eigenen Unsterblichkeit. Der andere besaß ihn nur äußerlich. Wenn er stirbt, kann er ihn nicht »davontragen«, sondern muß ihn ganz einfach liegen lassen. Er hat nichts von seinem Haben gehabt und ist drüben eine arme Seele.

Die Erde als materieller Weltkörper zerstäubt. Aber ihr wahres Wesen sollen wir in das Ewige davontragen. Die Raffenden

312

und An-sich-Reißenden gewinnen der Erde nicht das ab, was sie ihnen eigentlich gewähren könnte; sie verlieren sie im Besitzen.

Das Wort vom »Ererben der Erde«, das gewürdigt wurde, in die Seligpreisungen einzugehen, findet sich immer wieder wie ein Kehr-Vers im 37. Psalm, in vierfacher Gestalt.

> *Die auf den Herrn in Erwartung hinschauen,*
> *die werden die Erde ererben.*
>
> (V. 9)
>
> *Die Demütigen werden die Erde ererben.*
>
> (V. 11)
>
> *Seine Gesegneten werden die Erde ererben.*
>
> (V. 22)
>
> *Die Gerechten werden die Erde ererben.*
>
> (V. 29)

Wir können uns diese vier Erscheinungsformen etwas konkreter machen durch einen Blick auf die vier Teile der Menschenweihe-Handlung[17], die nach dem gleichen inneren Gesetz aufeinanderfolgen.

Das erste: »in Gespanntheit, in Erwartung hinschauen auf den Herrn« – das ist die Haltung, in der wir das Evangelium hören.

Das zweite: »Die Demütigen«, wörtlich: »die Gebeugten« – das sind die, die der opfernden Hingabe an das Göttliche fähig sind.

Das dritte: »Seine Gesegneten.« Die Wandlung ist das große Erlebnis des »Segens«, der als die »Liebe von oben« über das Irdische herabkommt und es verklärt.

Das vierte: »Die Gerechten« – das sind nicht die Selbstgerechten, die »vor Gott Werke tun« wollen und ihm ihre Verdienste vorrechnen, sondern es sind die, denen die göttliche Gerechtigkeit gnadenvoll in ihr eigenes Wesen eingegeben wird.

Wer wahrhaft die Kommunion empfängt, der wird dadurch gerecht, der bringt die große Weltenwaage, die durch den Sündenfall aus dem Gleichgewicht kam, wieder auf gleich.

Zwischen dem dritten und dem vierten steht der Satz:

*Weiche vom Bösen und tu Gutes.*
*Wohnen wirst du in Ewigkeit.*

(V.27)

Dieses »Wohnen« ist schon so etwas wie das johanneische »Bleiben«. Es erfüllt sich, wenn der Auferstehungsleib erstanden und die Erde selber zum »himmlischen Jerusalem« verwandelt ist.

Das Thema »Erde« wird abgeschlossen in dem zusammenfassenden Satz:

*Spanne deine Aufmerksamkeit auf den Herrn*
*und bewahre seinen Weg,*
*erhöhen wird er dich, zu ererben die Erde.*

(V.34)

Bewahre seinen Weg, der dich durch Opfer-Demut, durch Wandlungs-Segen, durch Gerechtigkeits-Kommunion zu der innerlich erworbenen Erde führt.

Es ist bezeichnend, daß das eingangs erwähnte Lied Paul Gerhardts mit dem Wort »Himmel« schließt: »So gehen unsere Wege gewiß zum Himmel ein.« Das Wort »Erde« kommt nicht vor. Umgekehrt fehlt in dem Psalm das Wort »Himmel«, und in nachdrücklicher Wiederholung erscheint immer wieder das Wort »Erde«. – Das Lied greift nur die eine Seite des Psalmes auf: das demutvolle stille Harren und Vertrauen. Das andere Thema kommt zu kurz. Es ist an der Zeit, gerade auch auch diesem »Erden-Thema« zu seinem Recht zu verhelfen und die Tatsache zu begreifen, daß in jener Seligpreisung den Sanftmütigen nicht der Himmel verheißen wird; denn an dem haben sie ja schon durch ihre »Sanftmut« Anteil. Nicht der Himmel wird ihnen als ihr Ziel hingestellt, sondern die Eroberung der Erde.

Die Seligpreisung der Sanftmütigen hat eine gewisse Verwandtschaft mit der Seligpreisung der »Friedfertigen«, wörtlich: der Friede-Schaffenden. Auch zu dieser Seligpreisung finden wir schon einen Vorklang im 37. Psalm, und zwar in dem bekannten Satz: »Bleibe fromm und halte dich recht, denn solchem wird's zuletzt wohlgehn« (37,37). In Anlehnung an den wörtlichen Urtext könnten wir das so übersetzen:

*Bewahre das Recht und pflege Aufrichtigkeit;*
*denn eine Zukunft hat der Mensch des Friedens.*

(V. 37)

Zukunft, im Hebräischen »acharith«, »was danach ist«. Als das »Danach-Kommende« meint es konkret auch die Nachkommenschaft, und mancher Ausleger sieht in diesem Satze nur die bekannte altjüdische Hochschätzung der leiblichen Fruchtbarkeit. Aber auch wenn vielleicht der Psalmist nur dies gemeint hätte: »der Fromme hat Nachkommenschaft«, während die Nachkommenschaft des Frevlers zugrunde geht (V. 38), so liegt eben einfach in dieser Vorstellung »realsymbolisch« etwas darin, was durch sich selber auf Tieferliegendes noch hindeutet.

In den Kindern, die ihm geboren werden, erlebte der antike Mensch konkret die Zukunft, die Zukunftsmöglichkeit des Menschlichen überhaupt. Er erlebte ahnungsvoll außer dem Fortleben der Familie noch etwas anderes. Die leiblichen Kinder sind bei all ihrer Wirklichkeit doch auch wieder ein »Bild« dafür, daß der Mensch auch in der Tiefe seines eigentlichen Wesens Zukunft spüren darf. Er fühlt, wie sich in seinem Innern ein Zukünftiges regt, das einmal ans Licht treten will, das »nach-kommen« wird, wenn seine jetzige menschliche Erscheinungsform vergangen sein wird. Was sich in unseren Tiefen als Zukünftiges regt, das ist »des Menschen Sohn«, unsere heranreifende wahre künftige Menschengestalt, die, weil aus dem Göttlichen gezeugt, zugleich »Sohn Gottes« wird heißen dürfen. »Der Same Gottes ist in uns.« »Es ist noch nicht erschienen, was wir sein werden« (1.Joh. 3,9 und 3,2).

Wenn der Psalm sagt, daß die Nachkommenschaft des Bösen ausgerottet wird, so muß das ja nicht immer in der leiblichen Wirklichkeit so sein. Aber die tiefere Wahrheit gilt: Der Böse ist ohne wahre Zukunft und »menschlich unfruchtbar«. Dagegen: »Eine Zukunft hat der Mensch des Friedens.«

Welche Verheißung gibt Christus den Frieden-Schaffenden in seiner Seligpreisung? »Denn sie werden Gottes Söhne heißen.« Die alte Welt würde gesagt haben: Denn sie werden Söhne bekommen. (Es ist wohl nicht nötig, darauf hinzuweisen, daß es selbstverständlich auch im Christentum eine hohe und heilige Aufgabe des Menschen ist, das Leben weiterzugeben.) Im Neuen Testament ist das Innere betont: Der »Mensch des Friedens« soll selber in sich fruchtbar werden, er soll zu seiner wahren Zukunftsgestalt herangedeihen als Träger göttlicher Zukunftskräftigkeit. »Denn sie werden Gottes Söhne heißen.«

## »EIN' FESTE BURG...«

### PSALM 46

Das bekannte Luther-Lied »Ein' feste Burg ist unser Gott« ist im Anschluß an den 46. Psalm gedichtet worden. Schaut man sich diesen Psalm einmal genauer an, so bemerkt man, wie er noch tiefer als das kraftvolle Reformationslied in die Sphäre des Apokalyptischen hineinreicht. Gerade dadurch kann er uns in der heutigen Weltenstunde bedeutsam werden.

### I.

Das Wort »Gott« steht nicht nur äußerlich am Beginn des Psalmes. Wenn wir zu dem alten heiligen Text wieder ein lebendiges Verhältnis gewinnen wollen, müssen wir uns mit dem inspirierten Sänger in diese höchste und letzte Wirklichkeit anbetend versenken. – Von ihr wird dann eine Brücke geschlagen zu uns Menschen hin und zu unserer Not. »Gott ist uns Zuversicht und Stärke, als Hilfe in Bedrängnissen sich finden lassend.« Dieses Finden wird dann noch bekräftigt durch »gar sehr« (V. 2).

Aus solcher Erfahrung der sich dem Menschen hilfreich neigenden Gottes-Wirklichkeit heraus formen sich dann die Worte: »Darum fürchten wir uns nicht, wenn gleich die Welt unterginge und die Berge mitten ins Meer sänken« (V. 3). Man hat das öfters mit dem Ausspruch des Horaz verglichen: »Si fractus illabatur orbis, impavidum ferient ruinae – und wenn die ganze Welt in Stücke zerbricht, so sollen ihre Trümmer doch einen Uner-

317

schrockenen erschlagen.« Die stoische Philosophie strebte nach
Weltüberlegenheit, aus der Erfahrung der inneren Geisteswürde
des Menschen heraus. Aber diese innere Überlegenheit konnte
sich nur behaupten, wenn auf der anderen Waagschale das Fühlen für die auf uns eindringende Außenwelt abgeschwächt wurde. Man strebte nach der »A-taraxia«, nach der völligen inneren
Unerschüttertheit, die kühlen Auges auf die Katastrophen blickt
und sich nicht imponieren läßt. Der Psalm hat als Ich-Rückhalt
die unmittelbar-konkrete Gotteserfahrung. Ist sie vorhanden,
dann kann der Fromme es sich leisten, die Welt auch in ihren
Furchtbarkeiten voll in die fühlende Seele hereinzulassen. Katastrophen und Untergänge werden dann nicht unbeteiligt-gleich-
gültig-kühl angesehen. Sie können so gefühlt werden, wie sie
doch eigentlich von einem natürlich empfindenden, von einem
unverbildeten und unblasierten Gemüt gefühlt werden wollen.
Der Fromme kann sich dem allen offenen Auges und offenen
Herzens »stellen«, weil er seine Innerlichkeit von den noch stär-
keren Gottesmächten gehalten und getragen weiß. Das religiöse
Sich-nicht-Fürchten kommt nicht aus der Verachtung des
Furchtbaren, sondern aus dem Kraftgefühl des Rückhaltes im
Ewigen.

So kann der Psalm den Geistesblick auf die Zukunft richten, in
der apokalyptische Katastrophen hereinbrechen werden. Er
schaut in dieselbe Richtung wie später Johannes auf Patmos. Er
trägt wie Johannes die Zuversicht im Herzen, daß die göttliche
Hilfe sich immer wieder finden läßt, daß sie die gottverbundenen
Menschen durch alle Zusammenbrüche und Untergänge hindurch ans Ziel bringen wird.

Man hat gemeint, der Psalm könne entstanden sein nach der
unerwarteten Befreiung Jerusalems durch den überraschenden
Abzug des furchtbaren Sanherib, der die Stadt belagert hatte.
Welche geschichtliche Situation auch immer der Anlaß gewesen
sein mag, das Wichtige ist der sich öffnende apokalyptische

Durchblick auf Bedrängnisse und Befreiungen noch viel gewalti-
geren Ausmaßes in der Zukunft. Wovon hier im Psalm die Rede
ist, das ist nichts Geringeres als der Weltuntergang selber.
»Wenn die Erde sich um und um verwandelte und die Berge
hinstürzten zum Herzen der Meere« (V. 3). Die Berge in ihrer
jahrtausendealten Beständigkeit scheinen dem Menschen die
Verläßlichkeit seines Erdenschauplatzes zu garantieren, und
doch sind sie nur »relativ ewig«. Einmal werden auch sie nicht
mehr sein. Aber wenn bei diesen tief eingreifenden Veränderungen auch verschwindet, was für ewige Dauer gegründet schien,
dann soll sich bis dahin ja auch das gottverbundene Menschen-
Ich so weit erfestigt haben, daß es alle diese Erschütterungen
innerlich übersteht.

Die ungebändigt tobenden Wassermassen waren von jeher das
Bild für die entfesselten Elementargewalten des Chaos. »Es tosen
und schäumen die Wassermassen. Von ihrem Übermut, von ihrer ungezügelten wilden Kraft erbeben die Berge« (V. 4). – Das
Alte Testament enthält wie erratische Blöcke hier und da Über-
bleibsel einer uralten, noch ganz mythologisch-bildhaften Schau
der Weltschöpfung. Propheten und Psalmen spielen gelegentlich
an auf einen Urkampf des Schöpfergottes gegen die Drachen-
macht des Chaos, Levjathan oder Rahab genannt, die als Mee-
resungetüm erscheint. Es ist ja im Grunde jede Schöpfung solch
ein Ringen eines ordnenden Prinzipes mit den wild aufbrodeln-
den vitalen Mächten. Ungebändigt bringen sie nur ein Chaos
zustande. Aber ohne diesen zu bändigenden »Rohstoff« gibt es
keine blutvolle Schöpfung.

In den alten Mythologien offenbart sich hier und da ein Wissen darum, daß dieses gigantische Ringen mit den Chaosmächten, so wie es am Anfang der heutigen Weltgestalt sich vollzog,
auch gegen das Weltenende wieder auftreten wird. Moderne Re-
ligionswissenschaft registriert solche Anschauungen sachlich,
aber sie kommt kaum auf den Einfall, die Wahrheitsfrage zu stel-

len: ob diese Träumer und Seher nicht vielleicht Wahrträumer und Hellseher gewesen sein könnten. Ob sie nicht in bildhafter Schau etwas Richtiges wahrgenommen haben. – Der 46. Psalm spricht nicht ausdrücklich von Levjathan oder Rahab, aber seine »tosenden ungestümen Wassermassen« sind deutlich eine apokalyptische Schau. Noch einmal werden die Chaosmächte furchtbar ihr Haupt erheben. –

Das hebräische Wort »Sela«, das vielleicht ein musikalisches Zwischenspiel, vielleicht auch so etwas wie »Aufsteigen« bedeutet, markiert den Schluß der ersten Strophe des Psalms, wie es sich dann ebenfalls am Ende der zweiten und dritten findet. –

> *Gott ist uns Zuversicht und Stärke,*
> *als Hilfe in Bedrängnissen gefunden, gar sehr.*
> *Darum fürchten wir uns nicht,*
> *wenn gleich die Erde sich um und um verwandelte*
> *und die Berge hinstürzten zum Herzen der Meere.*
> *Es tosen, es schäumen die Wassermassen.*
> *Von ihrem Ungestüm erbeben die Berge.*
>
> *Sela*
>
> (V. 2–4)

## II.

Die Johannes-Apokalypse schaut, wie die mit Christus verbundene Menschheit in der Gottesstadt, im himmlischen Jerusalem, geborgen wird, während die bisherige Welt dem Untergang verfällt. Die Christus-Menschheit lebt dann in einer höheren, verwandelten Daseinsform, wie sie sich in dem Bilde der »himmlischen Stadt« verhüllt offenbart.

Von diesem »oberen Jerusalem« spricht in ihrer Weise die zweite Strophe des Psalms. Gemütvoll-idyllisch übersetzt Luther: »Dennoch soll die Stadt Gottes fein lustig bleiben mit ihren

320

Brünnlein« (V.5). Wörtlich übersetzt: »Ein Strom. – Seine Verzweigungen erfreuen die Stadt Gottes.« Das steht einfach so da,
wie eine Vision: »Ein Strom.« – Nicht um »Brünnlein« handelt
es sich, sondern um die majestätische apokalyptische Schau des
göttlichen Lebensstromes. – Im gewöhnlichen Bewußtsein sehen
wir ja niemals das Leben als solches, nur Belebtes. Der höheren
Schau aber erscheint dieses geheimnisvolle Fluidum, das wir
»Leben« nennen, im Bilde strömenden Wassers; als mächtiger
Strom. »Und der Engel zeigte mir einen Strom Lebenswassers,
hell wie Kristall«, sagt Johannes bei der Beschreibung des
himmlischen Jerusalem. Der Paradiesesstrom vom Garten Eden
ist wieder da. Nun durchströmt er belebend die Heilige Stadt,
welche Menschenwelt und Gotteswelt zugleich ist. – Im irdischen palästinensischen Jerusalem gibt es einen solchen Strom ja
gar nicht. Die Propheten Sacharja und Ezechiel schauten die
künftige Gottesstadt, wenn sie in »Jerusalem« diesen Strom entspringen sahen (Sach.14,8; Ezech.47). Von diesem Strom
spricht der Psalm.

Dann schaut er, wie sich der Strom in viele Rinnsale verzweigt
und so die ganze Stadt durchwässert. Im Gegensatz zu den
Chaosfluten wird dieses »Wasser des Lebens« von göttlicher
Weisheit gelenkt und geordnet. In seinen überallhin dringenden
Verzweigungen und Verästelungen wird es gleichsam »indivi-
dualisiert«. Dieses überall pulsende Leben »erfreut« die Gottesstadt, es trägt Beseligung überall hin. Man möchte einen Ausdruck gebrauchen, den der 1914 gefallene junge Maler August
Macke geprägt hat; er sprach vom »Durchfreuen« der Welt. So
»durchfreuen« die kristall-hellen Lebenswasser jenes höhere Jerusalem.

Es ist »die Stadt Gottes, das Heiligtum der Wohnungen des
Höchsten«. Der »Höchste« heißt im Hebräischen »Eljon«. So
hieß der Gott, dessen Priester Melchisedek war, der in Jerusalem
mit Brot und Wein dem Abraham entgegentrat und ihn im Na-

men des »Höchsten Gottes« segnete. Abraham hatte da eine Begegnung mit einer noch höheren Gestalt des Göttlichen als diejenige war, der er selber diente. Was sich ihm da durch Melchisedek hindurch ahnungsvoll offenbarte, das verhielt sich zu seiner eigenen bisherigen Gottes-Erfahrung wie die Sonne zum Mond. Es traf ihn wie ein Strahl der kommenden Christus-Sonne. – Der Gott, welcher in der vom Lebensstrom durchfreuten Stadt »das Heiligtum seiner Behausungen« hat, ist eben dieser »Höchste Gott«, dessen Kultus mit Brot und Wein vollzogen wird. Mit dem Worte »Eljon« wacht uralt-heilige Jerusalem-Tradition auf. – Er wohnt selber in der Stadt darin, in naher Gemeinschaft mit den Menschen. »Gott ist in ihr mitten darin, sie wird nicht erschüttert. Gott hilft ihr früh am Morgen« (V.6).

Erst hier in der zweiten Strophe, im Zusammenhang mit dem »himmlischen Jerusalem«, kommt der Gott so recht in Menschen-Nähe. Erst durch die Christus-Erfüllung werden die Bilder der zweiten Strophe ganz transparent. Von dem Mensch gewordenen Gottes-Sohn kann es im vollen Sinn gesagt werden, daß er in der Menschenstadt »mitten darin wohnt«. Und die Auferstehung, die ein morgendliches Ereignis ist, als Anbruch eines neuen Welten-Tages, ist in Wahrheit die Erfüllung jenes wundersamen Satzes: »Er hilft ihr früh am Morgen.«

Die Widersacher-Mächte können dieser aus den Katastrophen sich heraushebenden Christus-Welt nichts anhaben. »Es toben Heidenvölker. Es wanken Königreiche. Ertönen läßt Er seine Stimme, da zerrinnt die Erde« (V.7). Die Strophe schließt mit dem Jubelruf: »Der Herr Zebaoth ist mit uns, der Gott Jakobs ist unsere Burg.« – Jahve Zebaoth ist der Herr der Scharen, der Sternen-Heere, in denen man noch die Engelscharen erschaute. »Mit uns« – auf hebräisch »immanu«. Das klingt an den Namen an, den der Heilbringer bei Jesaja trägt: Immanu-El, mit uns Gott.

Der »Gott Jakobs« ist der Gott, der dem Menschen Krafterprobungen zutraut, der ihn mit Hindernissen ringen läßt. Es ist der Gott, zu dem Jakob sprach: »Ich lasse dich nicht, du segnest mich denn.«

Es kann auffallen, wie in dieser zweiten Strophe die verschiedenen Gottes-Namen sich zusammenfinden: »Gott« (Elohim), »Herr« (Jahve), »der Höchste« (Eljon). Es hängt mit dem Christus-Geheimnis des den Menschen einwohnenden Gottes zusammen, daß hier das Göttliche in all seiner Fülle offenbar wird, daß es gerade hier so oft genannt ist.

> *Ein Strom. – Seine Verzweigungen durchfreuen die Stadt Gottes,*
> *das Heiligtum der Wohnungen des Höchsten.*
> *Gott ist mitten darinnen,*
> *so wird sie nicht erschüttert.*
> *Gott hilft ihr früh am Morgen.*
> *Es toben Heidenvölker.*
> *Es wanken Königreiche.*
> *Seine Stimme läßt er ertönen,*
> *da zerrinnt die Erde.*
> *Der Herr der himmlischen Scharen ist mit uns.*
> *Der Gott Jakobs ist unsere Burg.*
>
> *Sela*
> (V. 5–8)

## III.

Wenn man die dritte Strophe zunächst vom Historischen her betrachtet, so findet man in ihr die Schilderung, wie nach dem Abzug der Belagerungsarmee die Einwohner Jerusalems aus den Stadttoren herauskommen und das verlassene Schlachtfeld besichtigen. »Kommt und schauet die Wundertaten des Herrn, der Staunenswertes bewirkt auf Erden« (V. 9). Aber wiederum ist es so, daß im Anblick der dort umherliegenden, weggeworfenen

und zerbrochenen Waffen dem Psalm eine weiterreichende apokalyptische Schau entsteht. Er spricht von dem Gott, der »Bogen
zerbricht, Spieße zerschlägt, Kriegswagen mit Feuer verbrennt«. Die ewigen Lebens-Gesetze der Gottheit werden sich
einmal durchsetzen. Gott gibt die Zerstörung ihrem eigenen Element anheim. So entsteht die Vision des sich selbst liquidieren-
den Krieges, der sich letzten Endes selbst zerstörenden Zerstörung. Was zerstörend wirkt, geht selbst der Zerstörung entgegen.
Wir können heute im Atomzeitalter die Weissagung des sich selber ad absurdum führenden Krieges schon aus viel größerer Nähe verstehen.

Der Schau der zerstörten Zerstörung folgt unmittelbar der
Aufruf zu einer höheren Bewußtseins-Erweckung. Luther übersetzt schön »seid stille und erkennet, daß Ich Gott bin«. Doch
das Wort »Stille-sein«, das sich mehrfach in den Psalmen findet
(zum Beispiel: »sei stille dem Herrn«, 37, 7), steht hier im Urtext
nicht da. Wörtlich heißt es: »Lasset ab.« Es meint ganz konkret:
»Lasset ab vom Kriege.« Aber die Menschheit soll nicht etwa
nur aus Nützlichkeitsgedanken oder Furchterwägungen heraus
von der sinnlosen Zerstörung des Krieges ablassen. Die einzig
heilsame Ergänzung zu der Tatsache des aufhörenden Krieges
kann nur die Erhebung in ein höheres Bewußtsein bilden. Die
Menschheit soll den Gott erkennen, der das »Ich Bin« spricht.
Er kann auch nur wieder durch das Ich im Menschen erkannt
werden. Nicht im Aufwirbeln dumpfer Masseninstinkte ist er zu
finden, sondern im innersten Gewissenszentrum der mündig gewordenen Persönlichkeit. Er wartet darauf, vom einzelnen Menschen frei erkannt und freiwillig anerkannt zu werden. Indem er
das einzelne Ich zur Selbstlosigkeit hin durchheiligt, macht er es
zugleich fähig für eine neue höhere Gemeinschaft. Dieser Gott
für das freie Ich ist in Christus zu den Menschen gekommen.

Neben dem gewöhnlichen Wort für »ich« (ani) hat die hebräische Sprache noch eine feierliche Großform: »Anokhi«, sozusa-

324

gen das mit großen Lettern geschriebene ICH. Diese Großform ist hier gebraucht. »Erkennet es, daß ICH Gott bin.« Mit dem Motiv des Erkennens klingt nun auch noch die dritte Gestalt des Göttlichen, der Heilige Geist, in den Psalm herein. Das Folgende heißt dann bei Luther: »Ich will Ehre einlegen unter den Heiden, ich will Ehre einlegen auf Erden.« Aber dieses »Ehre einlegen« reicht doch noch nicht ganz an den Urtext heran. Was dort steht, meint soviel wie »ich will hoch sein«, »ich will mich hoch emporheben«, »ich will hoch emporragen«. Das große göttliche ICH, das zunächst von den egoistisch verdunkelten Menschen noch gar nicht wahrgenommen und dargelebt werden konnte, will sich allsichtbarlich emporrecken, so daß man es auf Erden nicht mehr übersehen und nicht mehr ignorieren kann. Es möchte auf Erden im Leben der Menschheit als entscheidender Faktor zur Geltung kommen. – Die neutestamentliche Weiterbildung dieses Wortes ist die Christus-Weissagung auf das hoch aufragende Kreuz von Golgatha: »wenn ich erhöht sein werde von der Erde, will ich sie alle zu mir ziehen« (Joh. 12, 32). –

> *Kommet und schauet die Wundertaten des Herrn!*
> *Staunenswertes wirkt er auf Erden.*
> *Zum Ruhen bringt er die Kriege*
> *bis hin zum Ende der Erde.*
> *Bogen zerbricht er, Spieße zerschlägt er,*
> *Kampfwagen verbrennt er mit Feuer.*
> *Laßt ab und erkennet in meinem großen ICH den Gott.*
> *Hoch empor will ich ragen über den Völkern.*
> *Hoch empor will ich ragen über der Erde.*
> *Der Herr der himmlischen Scharen ist mit uns.*
> *Der Gott Jakobs ist unsere Burg.*
>
> *Sela*
>
> (V. 9–12)

# »ICH WERDE NICHT STERBEN,
# SONDERN LEBEN«

## PSALM 118
## EIN ÖSTERLICHER HYMNUS

## I.

Es ist ein erschütternder Augenblick in der Schilderung des Matthäus-Evangeliums, als der Christus Abschied nimmt von seiner öffentlichen Wirksamkeit vor allem Volke, um sich die letzten Tage vor seinem Leiden nur noch den Seinen zu widmen. Bei diesem Abschied von der großen Volksmenge, am Dienstag der Karwoche, spricht er die Worte: »Ich sage euch, ihr werdet mich hinfort nicht mehr sehen, bis daß ihr sprechet: Gelobt sei, der da kommt im Namen des Herrn« (Matth. 23, 39).

Sein Wirken im sichtbaren Erdenleibe vor aller Augen geht dem Ende zu. »Ihr werdet mich hinfort nicht mehr sehen, mit irdischen Augen.« Aber als der Auferstandene wird er in neuer Weise zu den Menschen »kommen« und für sie dasein. Um ihn in dieser übersinnlichen Daseinsform wahrzunehmen, werden die Menschen ein neues, übersinnliches Seh-Organ nötig haben. »Ihr werdet mich hinfort nicht mehr sehen – bis daß ihr sprechet: Gelobt sei, der da kommt.« Bis daß ihr sprechet... das besagt doch: Wenn ihr dieses Begrüßungs-Gebet wirklich sprecht, nicht nur mit den Lippen, sondern aus dem ganzen Menschen heraus, dann wird dieses Sprechen euch hellsichtig machen für mein Kommen in übersinnlicher Gestalt. Dieses heilige Begrüßungs-Gebet, das die Menschenseele für den Kommenden empfangsbereit, wahrnehmungsbereit macht – woher ist es genommen? Es entstammt einem alttestamentlichen Psalm, dessen Hinordnung auf den künftigen Heiland man zur Zeit Christi stark empfand.

Hat doch eben erst am Palmsonntag die Volksmenge den in Jerusalem einziehenden Erlöser mit diesem Begrüßungs-Gebet aus dem 118. Psalm empfangen. Durch die dumpf gefühlte Größe des historischen Augenblickes über sich selbst hinausgehoben, wie in eine gemeinschaftliche Hellsicht emporgerissen, hatten die Scharen diese Worte angestimmt. »Gelobt sei, der da kommt im Namen des Herrn. Hosianna in der Höhe.« Was da am Palmsonntag in besonderer Stunde instinktiv-hellsichtig in den Seelen aufgebrochen war, das konnte sich allerdings durch die Karwoche hindurch nicht am Leben erhalten – am Karfreitag verwandelt sich das Hosianna sogar in das »Kreuzige!«. So gibt der Christus den Menschen bei seinem Abschied dieses Wort für die spätere Zukunft mit, als wolle er sagen: »Wenn ihr später einmal diesen heiligen Gruß mit voll erwachter Bewußtheit werdet aus ganzer Seele heraus sprechen können, dann wird er euch ein Schlüssel sein zu neuem Schauen meines übersinnlichen Wesens.«

Es liegt nahe, diesen Psalm, der ein so bedeutsames Wort enthält, einmal in seiner vollständigen Textgestalt anzuschauen. Beginnen wir ihn zu lesen, so nimmt er uns alsbald gefangen durch die festliche Beschwingtheit seiner Rhythmen. Die alttestamentliche Wissenschaft sieht in ihm eine Art Fest-Liturgie, die sich auf verschiedene Sprecher und verschiedene Chöre verteilt. Eine göttliche Heiles-Tat ist erlebt worden, nun wird sie in jubelnder Dankbarkeit gefeiert. So beginnt der Psalm:

*Lobpreis-Bekenntnis dem HERRN!*
*Denn gut ist er.*
*Denn in Zeitenkreisen ewig – seine Gnade.*

*So spreche denn Israel:*
*In Zeitenkreisen ewig – seine Gnade!*
*So spreche das Haus Aarons:*
*In Zeitenkreisen ewig – seine Gnade!*

327

*So spreche denn alles, was den HERRN ehrfürchtig scheut:*
*In Zeitenkreisen ewig – seine Gnade!*

(V. 1–4)

Aus Luthers Übersetzung ist uns der Wortlaut lieb und vertraut, daß der Herr »freundlich« ist. Aber im Urtext steht monumental das einfache, in seiner Einfachheit unausschöpfliche Wort »gut«, mit dem hier etwas Letztgültiges über das Wesen Gottes ausgesagt sein möchte. Es ist das Wort »gut«, das im Evangelium dem reichen Jüngling allzurasch über die Lippen geht, wenn er sich an Jesus wendet mit der Anrede »guter Meister«. Da wird ihm die prüfende Frage gestellt: »Was nennest du mich gut?« Hat der Jüngling das Wort in seinem vollen Goldgehalt er-wogen? »Niemand ist gut als Gott allein.« Er hielt immerhin Jesus doch nur für einen Rabbi. Das Wort, das allein der Gottheit gebührt, hätte er nur gebrauchen dürfen, wenn er in den Gottheits-Abgrund des Christus-Wesens geschaut hätte. – In diesem erhabenen Ursinne, als nur dem Göttlichen zugehörend, wird am Beginn des Psalms das Wort »gut« gebraucht.

Das jubelnde Bekenntnis zur göttlichen Güte sucht den Weg vom Ich zum Wir. Es sucht Bestätigung und Bekräftigung durch die Gemeinschaft. Sie erscheint in drei verschiedenen Chören. Zunächst wird »Israel« aufgerufen. Sodann das »Haus Aarons«, also die Priesterschaft. Endlich alle, »die Ihn ehrfürchtig scheuen«, die große unsichtbare Kirche aller Frommen.

## II.

Im folgenden blickt der Psalmsänger noch einmal zurück auf die ausgestandene Bedrängnis, aus der ihn jene heilbringende Gottestat errettet hat. »In der Angst rief ich zum Herrn.« »Angst« kommt von »eng«. Es ist das Bild etwa einer Klamm, in der man die immer näher zusammenrückenden Felsenwände wie eine den

Atem raubende Beklemmung empfindet. Aus solch angstvollem Enge-Erlebnis schwang sich der Hilferuf zum Göttlichen empor. Die Seele ist einmal aus lichten weiten Himmelswelten herniedergestiegen. Nun findet sie sich in der Felsen-Klamm des irdischen Daseins, beengt vom Egoismus, beengt vom materiell verhärteten Körper-Leben. Sie ringt gleichsam angstvoll nach Atem-Luft.

In der Luther-Fassung geht es ganz verloren, daß nun der » Enge« gegenüber in genau richtiger Bild-Sprache die » Weite« erscheint. Aus der » Weite« kommt der bedrängten Seele der göttliche Trost. Es ist wie ein Urlaut der Religion: die Seele in der Erden-Enge zum Göttlichen rufend – das Göttliche aus lichten Himmelsweiten Antwort gebend.

Solchem Herein-Wehen aus der Gottes-Weite folgt der jubelnde Ausruf: » Der Herr ist mit mir.« Im Urtext steht nur der Gottes-Name, und unvermittelt ihm an die Seite gestellt der Dativ » mir«. » Der HERR – mir!!« Der » Dativ«, der vom Geiste des Zuneigens beseelte Gebe-Fall, zeigt sich hier wie in seinem Urbild. Noch einmal wird es wiederholt, » Der HERR – mir!!«

Wer diese Zu-Neigung des Göttlichen erfährt, der hat nichts mehr zu fürchten. Seine Feinde können ihm nichts anhaben. » Ich will meine Lust sehen an meinen Feinden« (Luther) – das klingt uns freilich recht » alttestamentlich«. Doch der Urtext sagt eigentlich nur: » Und sehen werde ich auf meine Feinde.« Das müssen wir nicht notwendigerweise als den Haßblick gesättigter Rache verstehen. Es ist nur von einem An-sehen die Rede. Wir dürfen diese alttestamentliche Formulierung vom Christentum aus mit dem Sinn erfüllen, daß der Blick des durchchristeten Menschen-Auges in Zukunft einmal den Widersacher entwaffnen wird.

Daraus entspringt das siegreiche Vertrauen auf das Göttliche, gegenüber allen anderen trughaften illusionären » Investierungen« unserer Vertrauensfähigkeit, wie etwa in schwachen Erden-Menschen und » Machthabern«.

*Von der Angst-Enge her rief ich zum HERRN.*
*In der Weite gab Antwort der HERR.*
*Der HERR – mir!! Mir neigt er sich zu.*
  *Nicht fürchte ich mich.*
  *Was können Menschen mir tun?*
*Der HERR – mir!! Mir neigt er sich zu.*
  *Mir seine Hilfe.*
  *Mein Blick auf meinen Hassern.*
*Gut, zu vertrauen dem HERRN,*
  *besser als vertrauen auf Erden-Menschen.*
*Gut, zu vertrauen dem HERRN,*
  *besser als vertrauen auf Mächtige.*

(V. 5–9)

### III.

Und noch einmal zittert die bestandene Bedrängnis nach. Die Bedränger, die »Heiden« – aus dem Alttestamentlichen ins Menschheitliche übersetzt sind das die Widersacher-Mächte. Dreimal klingt der Triumph: »Im Namen des Herrn – zunichte mach ich sie.« Es ist das Erlebnis, das in den Kommunion-Worten des Altarsakramentes seine christliche Höhe erreicht: Die Macht des Widersachers wird von uns genommen, wenn wir uns in den Namen des Christus hinein bergen. Der Name ist dann freilich nicht bloß »Schall und Rauch«, sondern die im vollen Bewußtsein herbei-erkannte Wesenheit des Göttlichen. Die Mächte, die in immer erneuter Versuchung den Menschen »zu Fall bringen« wollen, werden durch solches Geborgen-Sein in dem heiligen Namen abgewiesen.

> *Die Widersacher – alle umringen sie mich.*
> *Im Namen des HERRN*
>   *ich mach sie zunichte.*

*Umringen, ja umringen mich!*
*Im Namen des HERRN*
  *ich mach sie zunichte.*
*Umringen mich wie Wespen-Schwärme,*
  *wie Feuer prasselnd im Gedörn.*
*Im Namen des HERRN*
  *ich mach sie zunichte.*
*Man stößt und stößt mich, daß fallen ich soll –*
*Der HERR kommt mir zu Hilfe.*

(V. 10–13)

## IV.

Nun bricht sich der Jubel erneut Bahn. »Man singt mit Freuden...« Nur der Gesang vermag die gewaltige Freuden-Bewe-
gung der Seele zu fassen. »Die Rechte des Herrn behält den
Sieg.« Die rechte Hand ist der Inbegriff des »Handelns«. Das
alttestamentliche Motiv vom heilbringenden Handeln Gottes
findet seine volle Erfüllung erst in der einzigartigen Gottes-Tat
auf Golgatha, die den Tod besiegt. Der 118. Psalm erfüllt sich erst
als Oster-Hymnus.

Diese Hin-Ordnung auf den Oster-Jubel der Christenheit tritt
nunmehr ganz direkt zutage. Im 17. Vers betreten wir das Allerheiligste: »Ich werde nicht sterben, sondern leben.« Der Psalm
berührt das große Lebens-Todes-Geheimnis und spricht die Gewißheit aus, daß der Mensch letztlich auf die Seite des Lebens
gehört, daß er dem Ewigen zubestimmt ist. Letzten Endes soll er
durchdringen zum »Leben«.

In diesem Ewigkeits-Leben wird er nicht nur für sich selber
da-sein, sondern er wird Gott dienen zur weiteren Offenbarma-
chung seines Wesens. »Die Taten des Herrn erzählen« – das
braucht gar kein Reden mit dem Munde zu sein. Es ist die Verkündigung der Gottestat und ihre Erweisung durch ein aufer-
standenes Menschentum.

331

Der Psalmist weiß sehr wohl, daß er noch nicht am Ziele ist. Noch bedarf er der Prüfungen und Bewährungen. »Der Herr züchtigt mich wohl...« Aber diese schmerzlichen Schicksale sollen ja nur erwecken und läutern und so dem höheren Leben dienen.

> *Meine Stärke und mein Sang ist der HERR!*
> *Geworden ist er zu meinem Heil.*
> *Heiles-Frohlocken in den Zelten der Gerechten!*
> *Die Rechte des HERRN – tut Macht-Tat.*
> *Die Rechte des HERRN – hoch erhoben!*
> *Die Rechte des HERRN – tut Macht-Tat.*
> *Nicht werd ich sterben.*
> *Leben werde ich*
> *und verkünden die Taten des HERRN.*
> *Mit Prüfungen prüft mich der HERR,*
> *doch dem Tode gibt er mich nicht.*

(V.14–18)

## V.

Auf die durchbrechende Oster-Gewißheit folgt – als könne es gar nicht anders sein in der wunderbar organischen Folge der Bilder – ein Sich-Auftun von Toren. Verschlossen gewesene Pforten öffnen sich.

Wenn man den Psalm auf seinen geschichtlichen Hintergrund hin ansieht, kann man natürlich daran denken, daß jetzt im Verlauf der großen Sieges-Fest-Liturgie die Prozession der Feiernden vor dem Tempel angelangt ist und Einlaß begehrt. »Tut mir auf die Tore der Gerechtigkeit!« Aber damit erschöpft sich der Sinn dieser Worte nicht. Schon der Ausdruck »Tore der Gerechtigkeit« weist darauf hin, daß die Tempel-Türen hier zum Gleichnis höherer Pforten werden. Höhere Welten wollen sich erschließen.

»Gerechtigkeit« ist nicht selbstzufriedene Korrektheit. Wir sprechen davon, daß etwas »werk-gerecht« oder »material-gerecht« ist. »Gerecht« ist, was sich wie ein rechtwinklig behauener Stein in den Bau fügt, so daß man »darauf bauen kann«. »Gerecht« ist, was sich der göttlichen Weltenharmonie einschwingt. Darum können nur »Gerechte« die Tore durchschreiten. Aus den »Toren der Gerechtigkeit« wird dann das »Tor des Herrn«. Aller harmonische Weltenzusammenklang hat seinen letzten Ursprung in dem Christus selber.

Wir wollen auch nicht übersehen, wie unmittelbar nachdem von den »Gerechten« die Rede war, die »Demut« hereinkommt. Die Gerechten, denen jene Tore sich auftun sollen, hätten ihre »Gott-Angepaßtheit« nicht, wenn sie nicht der Demut fähig wären.

*Tut mir auf Tore der Gerechtigkeit!*
*Durchschreiten will ich sie,*
*den HERRN zu lobpreisen.*
*Dies ist das Tor des HERRN.*
*Gerechte durchschreiten es.*
*Ich lobpreise Dich, der Du demütig mich machst,*
*und bist mir zum Heile.*

(V. 19–21)

## VI.

Nach diesem Wort von der Demut erscheint das Rätselbild vom »Stein, den die Bauleute verwarfen und der zum Eckstein wurde«. Der Gott selbst, in seinem Messias, geht in der Demut voran. Hier finden wir die Ahnung, daß der Messias, wenn er kommt, nicht in unwidersprochener Selbstverständlichkeit das Regiment ergreift, sondern daß er sich in Unscheinbarkeit verhüllt. So weit, daß er sich der Verkennung, ja der Verwerfung

aussetzt. Aus Liebe zu unserer Freiheit. Am Dienstag der Karwoche zitiert der Christus Jesus selber dieses Psalmwort im unmittelbaren Anschluß an das passionsdunkle Gleichnis von den
bösen Weingärtnern, die den geliebten Sohn des Weinbergbesit-
zers umbringen. Der Christus wußte, daß er gerade als der Ver-
worfene und zu Tode Gebrachte durch die Auferstehung den
neuen Tempel erbauen würde. Zunächst den Tempel seines Auf-
erstehungs-Leibes, der seinerseits wieder der Anfang ist zu der
ins Große und Umfassende geweiteten Auferstehungs-Welt des
»himmlischen Jerusalem«. So enthält das Wort vom »Eckstein«
ein christliches Bau-Mysterium, das erst im Lichte der Oster-
Ereignisse erkennbar wird. »Vom Herrn her ist solches geschehen, als ein Wunder vor unseren Augen.« Worte, in die noch
heute die Christenheit ihr ehrfürchtiges Erstaunen vor dem
Oster-Geschehen hineinergießen kann; denn Ostern ist »das«
Wunder schlechthin.

Durch das Wunder tritt das Ewige in die Zeitlichkeit herein.
Die Zeit wird dadurch etwas anderes. Sie nimmt einen Ewig-
keitsgehalt in sich auf, der sie fast sprengen will. Ein neuer »Tag«
strahlt auf wie einst der erste Schöpfungs-Tag im göttlichen Ur-
Lichte. Der Oster-Tag ist dieser neue Tag, der wie unmittelbar
aus Gottes Händen hervorgeht und der sich im Freudenglanz der
erlösten Seele verherrlichen will.

> *Ein Stein – die Bauleute verwarfen ihn.*
> *Zum Eckstein ist er geworden!*
> *Vom HERRN her geschah dies,*
> *ein Wunder vor unseren Augen.*
> *Dies ist der Tag – der HERR hat ihn gemacht.*
> *Lasset uns jubeln!*
> *Lasset uns seiner froh werden!*

(V. 22–24)

## VII.

Von wahrhaft sonntäglichem Glanze fühlte sich die Volksmenge umstrahlt an jenem Palm-Sonntag, dessen »Oktave« ja dann der Oster-Sonntag ist. In dem Lichte des Tages wandelnd, »den der Herr gemacht hat«, stimmen die Menschen spontan den Begrüßungs-Vers an: »Gelobt sei, der da kommt im Namen des Herrn.« Das damit verbundene »Hosianna« gehört ebenso wie »Amen« und »Halleluja« zu den hebräischen Worten, die das Neue Testament nicht ins Griechische übertrug, sondern in ihrer ursprünglichen Klang-Gewalt beibehalten hat. »Hosianna« heißt: »So hilf doch!« – »Gelobt sei…« – das ist in seiner lateinischen Wortgestalt zusammen mit dem Hosianna in die Messe und damit in die großen Messekompositionen eingegangen: »Benedictus qui venit in nomine Domini.« Bruckners f-moll-Messe zeigt wohl am schönsten, welche Gemütswerte christlicher Frömmigkeit aus diesen Worten hervorgeblüht sind.

Im Psalm folgt jetzt ein Wort, das offenbar damals, bei jener alttestamentlichen Festesfeier-Prozession, von den im Tempel wartenden Priestern zu den Einziehenden gesprochen worden ist: »Wir segnen euch vom Hause des Herrn her.« Man könnte daraus schließen, daß der vorausgehende Satz »Gelobt sei, der da kommt« ja gar nicht notwendigerweise den Messias meine, sondern jedem Wallfahrer gegolten habe, der sich feierlich dem Tempel nahte. Das mag damals auch mit in den Worten gelegen haben. Aber offenbar hat man doch auch gefühlt, daß noch Größeres in dieser heiligen Formel mitschwingt. Die Wallfahrer, die feierlich zum Tempel in Jerusalem zogen, waren schließlich nur die Vor-Gänger dessen, der einmal wahrhaft in seinen Tempel kommen würde: in den Menschenleib, dessen Gleichnis der äußere Tempel war. Für die ahnenden Frommen des Alten Bundes erschien hinter dem heranziehenden Festpilger die Gestalt des großen »Kommenden«, des Messias, des Christus. – Als das Judentum später dem Christentum gegenüberstand, da ließ es solche »messianischen« Bezüge alttestamentlicher Texte geflissentlich in den Hintergrund treten. Aber aus dem Verhalten der Volksmenge am Palmsonntag geht deutlich hervor, daß man damals diesen Vers »Gelobt sei, der da kommt« auf den Messias bezog.

Wie im Rückblick heißt es dann gegen das Ende des Psalms: »Der Herr ist Gott – er leuchtete vor uns auf« (V.27). Schau-Erlebnisse und Schau-Bezeugungen uralt-vergangener Gottesdienste klingen in einem solchen Wort an uns heutige Menschen heran. Einst wurde in einem wirklichen Gottesdienst den Menschen der schauende Blick für die Gegenwart des Gottes erschlossen. Auf dem Höhepunkt trat die »Epiphanie«, die Erscheinung, des Gottes vor den Feiernden auf. Allmählich verglommen dann im Laufe der Zeiten die Fähigkeiten des Schauens. Sie lebten in gewisser Weise in der christlichen Ära wieder auf, wenn bis ins Mittelalter hinein von manchen Christen das wirkliche Kommen Christi beim Altar-Sakrament unmittelbar erfahren wurde. Aus neuen Bewußtseinskräften heraus soll in der Zukunft ein solches Erleben wiederum möglich werden. Dann findet wieder ein alttestamentliches Wort seine Erfüllung. »Er leuchtete vor uns auf.« – »Wir sahen seine Herrlichkeit«, heißt es im Johannes-Evangelium. »Wie hell grüßt uns heute der Herr«, läßt Richard Wagner den greisen Titurel bei der Grales-Feier sagen.

Der Psalm spricht im Anschluß daran von den grünen Zweigen, die von den Fest-Teilnehmern beim heiligen Reigen getragen wurden. Auch das erinnert uns wieder an den Palmsonntag. Die grünen Zweige sind auf der Natur-Stufe eine Verkündigung des großen Geheimnisses: wie aus dem Tode das neue Leben aufersteht. »Ich werde leben...«

*O HERR – Hosianna – so hilf doch mit Deinem Heil!*
*O HERR – so gib doch Gelingen!*
*Gesegnet, der da kommt im Namen des HERRN.*
*Den Segen geben wir euch vom Hause des HERRN her.*
*Gottheit – im HERRN ist sie da.*
*Er leuchtet vor uns auf.*
*Feiert den Reigentanz mit Zweigen bis an die Hörner des Altars.*
*Mein Gott – Du!*
*Ich will Dich lobpreisen.*
*Du Fülle mir der göttlichen Kräfte –*
*Ich will Dich erheben.*
*Lobpreis-Bekenntnis dem HERRN!*
*Denn gut ist er.*
*Denn in Zeitenkreisen ewig – seine Gnade.*

(V.25–29)

# »SETZE DICH ZU MEINER RECHTEN«

## PSALM 110

Mit der Himmelfahrt des Christus verband sich für die Christenheit seit je die Vorstellung seines Sitzens zur Rechten des Vaters. Der heutige Mensch kann damit vielfach gar nichts anfangen, weil er es physisch-räumlich nimmt und es dann absurd finden muß. Aber die Himmelfahrt ist kein äußerlicher Vorgang. Sie ist ein Schau-Erlebnis der Apostel. In dem Schau-Bilde seines Emporsteigens nehmen sie wahr, wie der Auferstandene zu höherer Seinsweise erhoben wird. Einer ent-schränkten himmlischen Daseins-Form teilhaftig geworden, kann er nun erst gerade das Wort wahr machen: »Ich bin bei euch alle Tage«, kann er nun erst wirklich göttlich-allgegenwärtig überall auf Erden »bei uns sein«. – Ebenso wie das Auffahren zum Himmel ist auch das »Sitzen zur Rechten« ein Schau-Bild, das man nicht physisch-räumlich zu nehmen hat. Wir sagen gelegentlich von einem Menschen, der ganz im Sinne eines anderen tätig ist, daß er dessen »rechte Hand« sei. So ist der erhöhte Christus der »Vollführer der väterlichen Taten des Weltengrundes«, wie es im Credo der Christengemeinschaft ausgedrückt ist.

Was bedeutet das? Christus, der »Sohn«, wird vom Menschen zunächst als eine Macht im Gebiete der Innerlichkeit erfahren. Aber von der Innerlichkeit kann er immer mehr ausstrahlen und schließlich das ganze Wesen des Menschen beeinflussen, bis hin zu Leib und Blut. Leib und Blut entstammen ganz hohen Mächten, die so stark sind, daß sie Geistiges in Physisches überführen

338

können. Es sind im edelsten und reinsten Sinne »magische« Kräfte, die es fertigbringen, den Abgrund zwischen Geist und Stoff zu überbrücken. Es sind uralte göttliche Vater-Kräfte. Wenn nun der Christus, anfangs rein innerlich erlebt, seine Wirkungen bis in jene Tiefen der Leiblichkeit auszudehnen beginnt, dann wirkt er mit den Vaterkräften zusammen. Indem er fähig ist, von innen her unseren Leib zu verklären und schließlich einmal ganz dem Tode zu entreißen, »sitzt er zur Rechten des Vaters«.

Dieses Bild-Wort, das im Neuen Testament eine so wichtige Rolle spielt, ist dem 110. Psalm entnommen. Der Christus selber zieht diesen Psalm heran, wo er den Pharisäern zeigen will, daß der Messias doch wohl noch etwas Höheres sein müsse als ein Abkömmling Davids (Matth. 22, 44). Der 110. Psalm ist der im Neuen Testament am häufigsten zitierte Psalm. Er ist auch dadurch etwas Besonderes, daß er den in der Abraham-Erzählung so geheimnisvoll erwähnten Priesterkönig Melchisedek (1. Moses 14) mit Namen nennt, was sonst im Alten Testament nirgends mehr geschieht.

Das Gespräch des Christus mit den Pharisäern zeigt, daß der 110. Psalm damals auf den Messias bezogen wurde. Der Christus durfte bei den damaligen Vertretern des Judentums die Anschauung voraussetzen: wenn David, der Dichter des Psalms, sagt: »es sprach der Herr (Gott) zu meinem Herrn: setze dich zu meiner Rechten«, so meint er mit »meinem Herrn« selbstverständlich den Messias. Erst als später der Gegensatz gegen das Christentum eine Rolle im jüdischen Geistesleben spielte, haben die Rabbinen zu der höchst gezwungenen Auslegung gegriffen, das »Sitzen zur Rechten« gelte dem Abraham. Es ist nicht uninteressant, daß es ein Vertreter der jüdischen Geheimlehre war, der Kabbalist Obadia Sforno, der an der Beziehung des 110. Psalms auf den Messias festhielt.

*

Der Psalm hebt besonders feierlich an. Er beginnt mit einem Worte, das soviel bedeutet wie »Raunung«, also: geheimnisvolle göttliche Einhauchung, Einsprechung, Inspiration.

*Ein Psalm Davids, Raunung des Herrn*
*zu dem, der mein Herr ist:*
*Setze dich zu meiner Rechten,*
*bis ich lege deine Widersacher*
*als Schemel unter deine Füße.*
*Den Stab deiner Stärke streckt der Herr von Zion aus.*
*Herrsche inmitten deiner Widersacher!*

(V. 1–2)

Die alttestamentliche Redeweise mag uns zunächst befremden. Können wir in dieser kriegerischen Gestalt eines siegreichen Königs den Christus erkennen? Er verzichtet doch gerade darauf, daß die Seinen für sein Reich mit dem Schwert kämpfen? Aber um Kämpfen und Siegen handelt es sich schließlich bei ihm doch auch – nur auf einer höheren Ebene. Sich wehrlos der Kreuzigung ausliefern und gerade in seiner Selbsthingabe das Herz der Menschen zu freier Nachfolge gewinnen – das ist seine Art des Kämpfens. »Dazu ist der Sohn Gottes erschienen, daß er die Werke des Teufels auflöse« (1. Joh. 3, 8). Aber er kämpft auf seine besondere Weise. Der »Einsatz« und das Heldentum sind dabei wahrhaftig nicht geringer als bei einem »richtigen« Krieg.

Daß der siegreiche Messias seine Feinde unter seinen Füßen haben soll, ist abermals solch ein Bild, das man sich erst aus dem Alttestamentlichen übersetzen muß. Was einer überwindet, das hat er damit »unter sich« gebracht – es gehört damit zu dem, was ihn im Dasein trägt, was ihm Boden unter den Füßen gibt. Das Widerstrebende hat gerade dann eine bedeutsame Mission, wenn es überwunden wird.

*

Einen ganz anderen Klang hat die zweite Strophe. Die kriegerisch-robusten Bilder verschwinden hier ganz. Beseligende Zukunftsgeheimnisse leuchten herein. Andererseits sind sie aber noch so verhüllt, daß gerade diese zweite Strophe den Erklärern besonders viel Kopfzerbrechen gemacht hat. Verstehbar wird sie erst vom Christlichen aus.

> *Dein Volk – ganz Freiwilligkeit*
> *am Tag deiner vollen Kraft-Entfaltung.*
> *Es erstrahlt in heiligem Ornat.*
> *Aus des Morgenrots Mutterschoß*
> *tauet dir deine Jüngerschaft.*
> *Geschworen hat der Herr,*
> *nicht wird es ihn gereuen:*
> *Du bist Priester in Ewigkeit*
> *nach dem Ritus des Melchisedek.*

(V. 3–4)

Der Messias, der Heilbringer, kämpft und siegt durch sein Selbst-Opfer. Der König ist zugleich ein Priester. Sein Priestertum ist ihm von Gott in feierlichem Spruch zugeschworen.

Es erinnert das an den 2. Psalm. Auch dort erhebt sich der Dichter, David, in eine höhere Welt, wo göttliche Inspiration vernehmbar wird. Luthers Übersetzung »ich will von der Weise predigen, daß der Herr zu mir gesagt hat« (2,7) gibt das nicht ganz wieder. »Künden will ich ein Wahrspruchwort des Herrn. Er sprach zu mir: Mein Sohn, bist du. Heute habe ich dich gezeugt.« Wie aus höchsten Höhen klingt da das innergöttliche Mysterium der Sohnes-Geburt in die Seele des Psalm-Sängers hinein. Das Hervorgehen des Sohnes, in welchem sich der Vater sein »Du« gegenüberstellt, ist als ein Vorgang göttlicher Art über alle Zeitlichkeit erhaben – es ist ein Vorgang im zeitlosen »Heute« der Ewigkeit. Es handelt sich um den »in Ewigkeit geborenen

Sohn«. »Mein Sohn – Du.« So steht es monumental im Urtext. Daß ihm der Vater das »Du« zuspricht, macht den Sohn fähig, sein »Ich« zu offenbaren. Das »Ich Bin« des Sohnes hat seinen Rückhalt in dem »Du Bist« des Vaters.

Wie im 2. Psalm David jenes ewige Zusprechen der Sohnschaft im Himmel erlauscht, so in der »Raunung« des 110. Psalmes das Zu-Sprechen des Priestertums: »Du bist Priester in Ewigkeit.« Das aus den Tiefen des Vaters hervorgegangene »Du«, der Sohn, macht von seiner Ichheit den rechten göttlichen Gebrauch. Er wendet sich opfernd dem Vater zu. Der opfernde Sohn ist der Hohe Priester des Universums. Das Opfern ist sein ureigenes freies Tun, und doch nimmt es der Sohn nicht als solches in Anspruch, er empfindet es als ihm vom Vater gegeben. So spricht der Christus im Johannes-Evangelium von dem »Werk, das Du mir gegeben hast«. So ruht sein Priester-Wirken auf der Grundlage dieses Zu-Sprechens: »Du bist Priester in Ewigkeit.«

Es wird dieses Zu-Sprechen in dem Psalm als ein »Schwören« Gottes bezeichnet. Wenn ein Mensch schwört, so ruft er die Nähe der Gottheit herbei, aus deren verstärkter Gegenwart heraus er dann spricht. Gott aber kann ja bei niemand anderem schwören als bei sich selber. Diese Bild-Rede vom »schwörenden« Gotte meint vielleicht etwas in der Richtung: Gott verstärkt, verdichtet sich gleichsam in sich selbst, wie in einer inneren Konzentration seines Gottes-Wesens. Auf solch gewaltiger Bejahung durch den sich in sich selber zusammenfassenden Gott ruht das Priestertum des Sohnes. – Nicht wird ihn dieses Schwören »gereuen«, es ist unwandelbare Ewigkeitsgrundlage für das Werk des Sohnes, der im Werden, im Opfern und Wandeln seines Priestertums waltet.

»Nach dem Ritus des Melchisedek.« Durch diesen erhabenen Priesterkönig trat dereinst dem Abraham ein reiner Sonnen-Kultus prophetisch entgegen, im Zeichen von Brot und Wein. Mit dem Namen des Melchisedek wird die Menschheitsgeschichte heraufbeschworen, in welcher sich das Opfer des Sohnes als die historische Tat von Golgatha vollenden soll.

Der Christus will die Menschen, die ihn aufnehmen, mit zur Höhe seiner eigenen Sohnes-Würde emporheben. Sie sollen aus Kindern zu Söhnen Gottes werden. Das bedeutet zugleich auch, daß er sie in sein Priester-Walten als Mit-Tätige einbeziehen möchte. Sie sollen nicht nur von außen her auf die Erlösungstat hinblicken, sie sollen in die fernere Aus-Wirkung dieser Tat mitbeteiligt eintreten. Wenn so im einzelnen Christen das Christus-Opfer zu neuem Leben kommt, dann entsteht das allgemeine Priestertum der Gläubigen. – Darum gehört im Sinne unseres Psalms zu dem Messias »sein Volk«. Der Urtext sagt wörtlich: »Dein Volk – Freiwilligkeiten.« Also: das Wort Freiwilligkeit erscheint in der Mehrzahl! Das Volk des Christus ist nicht eine »Masse«, die blind einem Diktator gehorcht, sondern ein Zusammenfluß freier Persönlichkeiten. Roger Williams, der edle Vorkämpfer für religiöse Freiheit in Amerika im 17. Jahrhundert, hat das Wort gesprochen: »Christi wahre Folger sind Freiwillige (volunteers).« – Das Volk des Christus, das sich aus lauter individuellen Freiheiten und Freiwilligkeiten zusammengefunden hat, erstrahlt in heiliger Gewandung. Die Menschen haben ihre übersinnliche Ausstrahlung geläutert. Sie haben, mit der Apokalypse zu sprechen, »ihre Kleider gewaschen im Blute des Lammes«. Der Psalm weiß sehr wohl, daß dies erst Wirklichkeit werden kann »am Tag deines Sieges«, an dem Zeitpunkt, da die Christuskraft in den Menschen zu ihrer vollen Entfaltung kommen wird.

Diese durchchristete Menschheit erscheint zugleich als »Jugend«. »Aus dem Mutterschoß der Morgenröte ertaut dir deine Jugend.« Die kommende Christus-Menschheit ist von oben her neu verjüngt. Im »Weltverjüngungsfest« (Novalis) des Christentums hat sie alle altkluge Greisenhaftigkeit überwunden und ist zu neuer schöpferischer Morgen-Frische wiederbelebt. Die

deutsche Sprache hat das wunderbare Wort »Jünger«. – Was da
in diesen Menschen vorgeht, ist aus nur irdischen Zusammenhängen, aus nur materialistischem Denken heraus schlechter-
dings nicht zu begreifen. Die Verjüngung aus dem Geist »ist den
irdischen Sinnen Rätsel«. Der Psalm hat da das Bild vom Tau.
Wenn eine Wiese naß ist vom Regen, dann hat jeder die dunkle
Wolke gesehen, aus der es in schweren Tropfen niederfiel. Aber
der Tau kommt unversehens, unmerklich, in heiliger Frühe. Der
Tau entsteht geheimnisvoll aus dem heraus, was man nicht sieht.
Er wird gleichsam ätherisch geboren, »aus der Morgenröte Mutterschoß«. Bis zu Jakob Böhme und bis zu Goethes »Faust« hin
hat man die seelenweckende Kraft der »Aurora«, der Morgenröte, noch lebendig empfunden. Im Zeichen der Morgenröte taut
die Menschheits-Verjüngung aus dem Himmlisch-Übersinnli-
chen zur Erde herab.

*

Die dritte Strophe führt wieder in die rauhere kriegerische Bil-
derwelt der ersten zurück.

> *Der Herr zu deiner Rechten*
> *zerschmettert am Tag seines Zornes Könige.*
> *Sein Völker-Gericht hinterläßt der Leichname viel.*
> *Zerschmettern wird er das Haupt über große Lande.*
> *Trinken wird er vom Bach am Wege.*
> *Darum: erheben wird er das Haupt.*

(V.5–7)

Der apokalyptisch-prophetische Blick richtet sich hier auf
künftige Katastrophen. Da der Christus die Menschen ja nicht
zu ihrem Heile zwingen will, sondern das volle Fruchtbar-Wer-
den seiner Erlösungstat von ihrer freien Bejahung abhängig sein
läßt, ist es nicht anders möglich, als daß es auch Ablehnung gibt.
Diese Ablehnung muß dann mit innerer Notwendigkeit schließ-

lich zu Katastrophen führen. Eine Menschheit, die sich der göttlichen Liebe verschließt, wütet damit schließlich gegen sich selbst. Sie setzt die in Gottes ewigem Wesen verankerten ehernen Notwendigkeiten in Kraft. Wer Mißtrauen sät, erntet Mißtrauen. Wer Haß sät, erntet Haß. Wer Tod sät, erntet Tod. Insofern, als diese Gesetzmäßigkeit in Gottes Gerechtigkeit sich begründet, ist Gott der Vollzieher dieser Katastrophen, aber die Menschen rufen sie sich selbst herbei. Die Zerstörung, die der Mensch in die Welt bringt, muß letzten Endes auf ihn zurückschlagen – er berge sich denn in dem Christus. Aber wo dessen Erlösungstat durch das ablehnende Verhalten der Menschen nicht hinwirken kann, da muß sich das Notwendige vollziehen. In diesem Sinne können wir es verstehen, wenn der Psalm von Gott sagt, er »fülle die Erde mit Leichnamen«. Diese furchtbare Vision von den vielen Leichnamen kann heutzutage schon viel tiefer in ihrer Schrecklichkeit erkannt werden als in den Tagen Davids.

Die Vernichtung schlägt auch zurück auf »Könige« und auf »das Haupt über große Lande«. Man wird da weniger an politische Machthaber zu denken haben – das vielleicht auch –, sondern in erster Linie an die Intelligenz und Souveränität des Menschen überhaupt, der immer mehr zum Herrscher über das technisch beherrschte Erdendasein wird. Das »Haupt über große Lande, über weite Erde hin« – erblicken wir heutigen Leser darin nicht das Bild der übermächtig entwickelten Intelligenzkräfte des Menschen-Kopfes?

Aber vom »Haupt« wird nicht nur negativ gesprochen. Einerseits schon: das Haupt, das die Erde weithin beherrscht in liebloser, kalter, gottferner Intellektualität, wird »zerschmettert«. Aber was im Haupte des Menschen lebt, kann ja auch von der Erlösung mit erfaßt werden. Die Intelligenz kann sich kraft der Christus-Wirkung dem Übersinnlichen neigen, sie kann von bloßer Klugheit zur Weisheit umgewandelt werden. Dann ereignet sich, was in der Bibel die »Erhebung des Hauptes« genannt wird. Eben »weil« der Erlöser »vom Bach am Wege« getrunken, was doch wohl soviel heißt wie, daß er sich ganz tief zum Irdischen hinabgebückt hat – eben deshalb vermag er die Haupt-Erhebung zu bewirken.

# DAS NEUE LIED

## PSALM 96

Man kann im Alten Testament immer wieder Stellen finden, an denen die Frömmigkeit des Alten Bundes über sich selbst hinausgreift. Der 96. Psalm mündet in den Advents-Ruf »Er kommt!«. Am Anfang steht das Motiv des »neuen Liedes«.

»Singet dem Herrn ein neues Lied!« Es ist schade, daß diese Worte sich in der erbaulichen Sprache so abgenutzt haben. Man muß einmal nach ihrer ganz konkreten Bedeutung fragen; man muß sie hören, als höre man sie zum erstenmal. Das »neue« Lied – »neu« meint hier etwas Tieferes als etwa nur: etwas anderes im Unterschied zu früher. Das »neue Lied« gehört in die Verwandtschaft solcher Worte wie: »das Neue Testament in Meinem Blute«, »ein Neu Gebot gebe ich euch«, »siehe, Ich mache alles neu«. – Es hat eine ganz eigentümliche Christus-Bewandtnis mit dem Worte »neu«. Es besteht ein Zusammenhang mit dem Geheimnis des »Ich Bin«. Im Ich wirkt das quellhaft Ursprüngliche eines Menschen, sein Einmaliges, das »originell«, unverwechselbar, unauswechselbar ist. In jedem Ich spiegelt sich die Welt auf eine einzigartige Weise, gewinnt das Dasein eine sonst nirgendwo vorhandene eigenartige Farbe, einen sonst nirgends gehörten »neuen« Klang. Durch Christus wird die Ichhaftigkeit des Menschen von anhaftender Selbstsucht gereinigt und in das schöpferische Ich-Bin hinein verklärt, aus dem das Göttliche immer unveraltet, unverbraucht, immer frisch und »neu« hervorquillt. Im durchchristeten Ich vollzieht sich eine Welt-Erneuerung aus ewigem Verjüngungs-Quell.

Es mußte in der vorchristlichen Zeit wohl auch einmal der Pessimismus laut werden, der im »Prediger Salomo« zu dem Ergebnis kommt: »Denn es ist alles eitel. Es ist alles eitel.« Nicht umsonst steht der andere Satz daneben: »Es gibt nichts Neues unter der Sonne.« Beides gehört zusammen. Da wurde so etwas wie ein »Negativ« des Christentums durcherlebt und durchlitten. Auch das war Vorbereitung. Die alten Kirchenväter haben recht, wenn sie sagten, daß eben dieses »Neue unter der Sonne« mit der Menschwerdung des Gottes-Sohnes erschienen sei. Erst mit ihr offenbart sich der Sinn des Lebens, die volle Schöpferkraft des Ich. Nun ist es nicht mehr wahr, daß alles eitel sei, wesenlos und nichtig, sondern nun erweist sich alles als auf die große Wandlung hingeordnet. »Siehe, Ich mache alles neu.« Das »neue Lied« ist der große Wandlungs-Hymnus, der Welt-Erneuerungs-Sang.

Die Offenbarung des Johannes sagt von diesem Gesang der Erneuerung, daß er nur angestimmt werden könne von denen, die vom Geheimnis des Christus-Blutes berührt sind (14,3). Nur solche vermögen das neue Lied zu »lernen«.

Der 96. Psalm, der durch den alttestamentlichen Jahve hindurch den sonnenhaften Herrn des Ich-Bin erahnt, spricht in einem menschheitlich weiten Sinne von den »Heiden«, denen die Herrlichkeit des Herrn verkündigt werden soll. Die Heiden wollen noch das »alte Lied« weitersingen, sie stehen noch unter dem Eindruck des Altgötterhaften, das sich einst im Natürlich-Gegebenen offenbarte. Wer aber das Göttliche noch weiterhin in der alten Blickrichtung nach außen hin sucht, der läuft Gefahr, es dort zu suchen, wo es gar nicht mehr aktuell vorhanden ist. Das Göttliche will sich nunmehr aus dem Innersten heraus im Ich erzeigen. Darum kann der Psalm die Götter der Heiden »Nichtigkeiten« nennen. Im übrigen leugnet er nicht, daß es »Götter« gibt – im Christentum würde man sie in die verschiedenen Ränge der Engelreiche einordnen. »Der Herr ist erhaben über alle Götter« – die es also gibt. So auch in anderen Psalmen: Er ist »ein großer Gott über alle Götter« (Ps. 95,3), »hocherhaben über alle Götter« (Ps. 97,9). Die Sonnen-Glorie, zu der die Heiden einst nach außen hin in den Kosmos hinausgebetet haben, sollen sie nun wiederfinden in dem Gotte, der das Ich-Bin spricht. –

> *Singet dem Herrn einen Hymnus der Erneuung!*
> *Singet dem Herrn, alle Erde!*
> *Singet dem Herrn!*
> *Ruft aus seinen Namen mit segnender Kraft!*
> *Verkündet seine Heilands-Hilfe von Tag zu Tag!*
> *Von seiner Licht-Glorie erzählet denen,*
> *die noch naturgebunden sind,*
> *von seinen Wunder-Taten allen Völkern!*
> *Denn groß ist der Herr und hochverherrlicht.*
> *Furchtbar erhaben überragt er alle Gottesmächte.*
> *Die National-Götter, wesenlos wurden sie alle.*
> *Der Herr aber, der das Ich-Bin spricht, erschuf die Himmel.*
>
> (V. 1–5)

\*

Die ganze Menschheit wird aufgerufen, zu diesem Gotte, der das Ich-Geheimnis trägt, in Beziehung zu treten. Der Psalm weiß von einem Kultus, der als Urbild aller irdischen Gottesdienste in höheren Welten zelebriert wird. Während der 29. Psalm, der auch diesen himmlischen Gottesdienst kennt, die »Göttersöhne« (benē elim) im Tempel Gottes priesterlich walten sieht, geht der 96. Psalm einen Schritt weiter: Es sollen nun auch die Menschen zum Zelebrieren dieses Himmelskultus reif werden. Die Menschen sollen priesterlich werden. Den Engeln gleich sollen sie mit ihrem ganzen Dasein gott-offenbarende Wesen sein. Der Mensch

349

in seiner Gefallenheit ist ja nicht ein gott-offenbarendes, sondern ein gott-verhüllendes Wesen, das nur allzuoft den Kultus der Widersachermächte zelebriert.

»Betretet seine Vorhöfe!« In langer Gott-Entfremdung ist der Mensch so tief ins Profane hineingeraten, daß er sich erst allmählich wieder an ein Zusammenleben mit höheren Welten und an den dort allein möglichen »Umgangston« der Ehrfurcht und Anbetung gewöhnen muß. Man kann nicht aus der Profanität schnurstracks in das Allerheiligste hineingehen. Es tut nicht gut, wenn gewisse moderne Theologen das übliche materialistische Weltbild hundertprozentig annehmen und daneben unvermittelt von »Gott« sprechen wollen. Man sollte sich wieder auf die Bedeutung der »Vorhöfe« besinnen.

Der »heilige Schmuck«, in welchem der priesterlich gewordene Mensch im Heiligtum anbetet, ist das Wider-Scheinen der Herrlichkeit an dem ehrfürchtig Betenden. Der gefallene Mensch erlebte sich in seiner Nacktheit. Die Schmach der Nacktheit wird überall dort erfahren, wo man vom Menschen nur noch seine materielle Körperlichkeit kennt, wo man sie nicht mehr in höhere feinere lichtere Wesensglieder eingehüllt sieht. Der ins Heiligtum zugelassene Mensch fängt den göttlichen Glanz auf im Leuchtend-Werden seiner höheren Seelen- und Geistes-Gewänder. –

> Offenbarungs-Glanz ist vor seinem Angesicht,
> und hoheitsvolle Majestät.
> Kraft ist in seinem Heiligtum, und würdereiche Schönheit.
> Bringet dar dem Herrn, ihr Völkergeschlechter,
> bringet dar dem Herrn den Wider-Schein seines Namens!
> Traget Opfergabe herbei, betretet seine Vorhöfe!
> Betet an den Herrn in strahlendem Priestergewande!
> Ehrfürchtig scheue sich vor seinem Angesicht alle Erde!

(V.6–9)

*

Ferne Zukunfts-Vollendung wird in solcher Schau vorausgenommen. Ehe sich das erfüllen kann, muß ein anderes geschehen sein. Der Mensch kann nicht einfach von sich aus in das Heiligtum eintreten. Soll er aus seinem profanen »Draußen«-Stehen erlöst werden, muß ihm die Gottheit aus dem Heiligtum heraus entgegenkommen. Ehe der Mensch in die Gotteswelt eintreten kann, tritt der Gott in die Menschen-Welt. Das geschah in Christus. Der 96. Psalm ist messianisch inspiriert. Er weiß darum, daß eine gnadenvolle Bewegung des Göttlichen auf den Menschen zu im Gange ist: »Er kommt.« Er »hat das Königtum ergriffen« (der Text sagt nicht einfach: er »ist« König, sondern: er ist es geworden – es ist etwas geschehen!). Er leuchtet auf in dem Bereich, wo die Ich-Kraft im Menschen königlich walten soll.

Das Heran-Nahen des göttlichen Ich-Bin, das in dem Königtum der heranreifenden freien Persönlichkeit des Menschen wirksam werden will, wirkt sich auf den ganzen Kosmos aus. Wohl will der neue Gott im Innern empfangen sein, aber von dort aus strahlt er in alle Welt und läßt auch die Kreatur am Heile teilnehmen. Advent geht nicht nur den Menschen an, wenngleich nur im Seelen-Innern die Advents-Feier beginnen kann.

Wunderbare Natur-Töne sind es, die der Psalm hier anschlägt. Es berührt uns adventlich-weihnachtlich, wie da von den »Bäumen des Waldes« gesprochen wird. Es ist, als werde aus dem Raunen und Rauschen der Wälder jener Ruf geboren, der den eigentlichen Höhepunkt dieses Psalmes bildet, der sich rhythmisch bedeutsam wiederholt: »Denn Er kommt! Denn Er kommt!« –

*Sprecht es aus unter denen, die noch naturgebunden sind:*
*Ergriffen hat der Herr die Königskraft im Ich.*
*Er, der den Erdkreis in Festigkeit gründete,*
*daß er nicht wanke.*
*In gerade Bahnen wird er lenken die Schicksale der Völker.*

351

*Freuen sollen sich die Himmel!*
*Aufjauchzen die Erde!*
*Das Meer erbrause, und seine Fülle.*
*Das Feld frohlocke, und alles was darauf west.*
*Jubeln sollen alle Bäume des Waldes.*
*DENN ER KOMMT! DENN ER KOMMT!*
*Einfügen wird er die Erde in die Gottes-Ordnung.*
*Richtung geben wird er allen Völkern*
*in der Amen-Kraft seiner Wirklichkeit.*

(V. 10–13)

# ADVENT

## PSALM 24

### I.

*Dem Herrn die Erde und ihre Fülle,*
*der Erdkreis, und die darauf wohnen!*
*Denn Er hat sie auf wogenden Meeren erfestigt,*
*über flutenden Strömungen hat Er sie erhärtet.*

(V. 1–2)

Ein monumentaler knapper Stil ist diesem Psalm eigen. »Dem Herrn die Erde.« Das ist zunächst eine Feststellung. Die Erde gehört Ihm. – Sie gehört Ihm von Rechts wegen; denn Er hat sie geschaffen, Er hat sie in Festigkeit gegründet. Die Erde war nicht immer so fest. Die Härte ihrer Gesteine ist nicht etwas Selbstverständliches. In Urzeiten hatte sie noch andere Aggregatzustände. Aus übersinnlichen Ursprüngen heraus schritt sie durch feine ätherische Daseins-Weisen zu immer materieller werdender Verdichtung vor. Je feinstofflicher sie einst war, desto lebendiger konnte sie noch sein. Von Lebensströmungen durchpulst, von göttlich-schöpferischen Regungen durchatmet war sie in Vorzeiten. Wie aus dem beweglichen Wasser, das dem leisesten Windhauch mit feinem Kräuseln Antwort gibt, das starre Eis sich bildet, so machte auch die Erde den Übergang durch Fließend-Lebendiges zum Festen, um da erst wirklich »Erde« zu werden; denn ihr Name ist ja bedeutungsvoll von dem festen Element her genommen. Härter als der Stein kann die Erde nicht mehr werden, ihre Verdichtung ist zum Ende gekommen. Sie ist nicht mehr die lebendige Mutter Erde von einst; die Lebendigkeit, die sie als Ganzes einmal hatte, lebt jetzt in den einzelnen Lebewesen weiter. Die Verhärtung der Erde geschah um des Menschen willen. Der zur Selbständigkeit und Freiheit berufene Mensch brauchte den harten Widerstand, wie der Hammer den Ambos braucht, um sich selber als Ich innerlich in Besitz nehmen zu können. Die Schaffung des festen Bodens für den Menschen war ein Werk des Ich-wollenden Gottes.

Aber mit dieser Erfestigung der Erde hängt auch das andere zusammen, daß der Mensch die Möglichkeit hatte, in dieser nicht mehr von unmittelbarem göttlichen Leben erfüllten Welt seinem himmlischen Ursprung fremd und den Ein-Flüssen der Widersachermächte zugänglich zu werden. So konnte durch den vom Himmel sich immer mehr unabhängig machenden Menschen auf dieser Erde ein Reich des Un-Göttlichen, ja des Wider-Göttlichen allmählich entstehen. Bis zu dem Grade, daß Christus selber den Widersacher als den »Fürsten dieser Welt« bezeichnete. Hatte doch der Versucher in der Wüste gesprochen: »Dir will ich diese ganze Herrscher-Vollmacht (exousia) geben und alle Herrlichkeit; denn mir ist sie ausgeliefert, und wem ich will, gebe ich sie. Wenn Du mich anbetest, soll dir das alles gehören.« (So nach der Darstellung des Lukas, Luk. 4, 6. 7). Der Mensch hat sich auf Erden selbständig gemacht, und auf dem Wege über den Menschen, den er in seinen Bann zieht, will sich der Widersacher immer sicherer der Erdenwelt bemächtigen und dieses ganze Erden-Menschen-Reich aus dem Göttlichen herausbrechen, um es sich selber anzueignen. Noch ist es ihm nicht endgültig gelungen, aber dieser ganze Prozeß der allmählichen Herauslösung einer gottentfremdeten Welt ist im Gange. Am Menschen liegt es, ob der Widersacher seine Absicht erreicht oder nicht. In Christus ist das Göttliche auf der Erde neu erschienen, um die Freiheit des Menschen in Liebe für sich zu gewinnen und um durch den Menschen hindurch auch die Erde dem Himmel zurückzuerobern. Von Christus aus erhält der Psalm erst seinen vollen Sinn. Der Satz »Dem Herrn die Erde« ist dann nicht mehr bloß ohne weiteres eine Feststellung, eine Aussage, daß sie ihm gehört. Sondern das ist ja gerade erst wieder neu zu bewirken. Sie soll dem Göttlichen, dem sie so weitgehend schon entfallen ist, wieder neu zugebracht werden durch den Menschen, der nicht dem »Fürsten dieser Welt«, sondern dem wahren Gott seine Anbetung opfert.

Die Vorstellung, daß die Erde nicht mehr so ohne weiteres das Eigentum Gottes ist wie die Himmelswelten, ist den Psalmen nicht fremd. In Ps. 115, 16 heißt es: »Die Himmel der Himmel (gehören) dem Herrn, aber die Erde hat er den Menschen-Söhnen gegeben.« In C. F. Meyers Novelle »Jürg Jenatsch« wird dieses Wort zitiert. Im Begriffe, den Verrat an Herzog Rohan zu begehen, sagt Jenatsch: »Er (der Herzog) will sein frommhochzeitlich Kleid nicht beflecken. Doch auch ich habe eine Rede Gottes für mich. Ich wölbe mir die Himmel – spricht der Herr – den Spielraum der Erde aber überließ ich den Menschenkindern.«

Auf diesem Hintergrunde ist der erste Satz des Psalms nicht mehr die Konstatierung eines unbestrittenen Sachverhaltes, sondern er bekommt den Charakter eines Wunsches. »Dem Herrn die Erde!« wird dann eine Widmung, eine Weihung, eine Darbringung. Der Mensch, dem die Erde als »Spielraum« anheimgegeben wurde, stellt diesen Spielraum seiner Selbständigkeit in freiem Opferentschluß der Gottheit wieder zur Verfügung. Durch seine Hingabe will er das Reich Gottes wieder herstellen helfen und die Erdenwelt dem Widersacher entreißen. Alle Opfer beruhen im Grunde auf dieser Erkenntnis: Die Welt ist Gottes von Ursprung her, sie gehört ihm, und sie gehört ihm doch auch wieder nicht; ich verwende meine menschliche Freiheit dazu, ihn wieder zum vollen Eigner seines Eigentums zu machen, indem ich ihm das Seine opfernd darbringe.

## II.

Hier scheint der Psalm unvermittelt abzubrechen und ohne rechten Übergang sich einem völlig anderen Thema zuzuwenden. Aber das geistige Einheitsband liegt im Unausgesprochenen. Wenn wir in dem Satze »Dem Herrn die Erde!« eine weihende Darbietung sehen, dann ist damit die Voraussetzung gegeben, daß die Erde nicht mehr ohne weiteres zum Reich Gottes gehört, und das bedeutet: daß der Sündenfall geschehen ist. Aus seiner Gefallenheit heraus strebt der Mensch sehnsuchtsvoll wieder zum Göttlichen hin. Von diesem Streben spricht der zweite Teil des Psalms.

> *Wer wird emporsteigen auf den Berg des Herrn?*
> *Wer wird bestehen am Ort Seiner Heiligkeit?*

(V.3)

Alle »Erhebungen« der Menschen zu Gott waren anfangsweise »partielle« Überwindungen des Sündenfalls. Als Symbol »erhöhter menschlicher Zustände« ragen die Berge. Solche Berge, die dem Menschen, der sie bestieg, zu solchen »erhöhten Zuständen« verhalfen, waren die heiligen Berge, die Gottes-Berge, von denen alle Religionen wissen. So darf Moses auf dem heiligen Berge dem Gott begegnen und seine Offenbarung empfangen. Solche einsame Große waren die Lehrer von Schülern, die nach deren Anleitung versuchten, die Niederungen hinter sich zu lassen und zum Gottesberg und den dort befindlichen »Wohnungen« Gottes emporzusteigen. »Dies ist das Geschlecht derer, die nach ihm fragen, die Dein Angesicht suchen, Gott Jakobs« (V.6). Ähnlich wie der 73. Psalm den Ausdruck verwendet: »Deiner Söhne Geschlecht«, so ist hier die Rede vom Geschlecht derer, die das Antlitz Gottes suchen. Diese Menschen bilden miteinander so etwas wie einen Orden. Sie sind in Wahrheit eine unsichtbare Gemeinschaft über die Erde hin, eine communio sanctorum. Weil auf der Höhe des heiligen Berges der Ort Seiner Heiligkeit ist, muß der Mensch, der sich zu dieser Erlebnis-Höhe erheben will, gewissen Vorbedingungen genügen, muß geläutert sein in Gedanken, Worten und Taten. Es gilt nicht nur die Kraft zum Aufstieg zu finden. Oben angekommen, muß der Mensch nun auch vor dem Angesicht Gottes »stehen«, das heißt aber »be-stehen« können. Ohne vorangegangene Reinigung müßte er vom Göttlichen vernichtet werden, er könnte sein eigenes Bewußtsein nicht aufrechthalten. Erst »in Christo« wird der Mensch sein verwandeltes, durchchristetes Ich in der göttlichen Welt voll aufrechterhalten können. Er hat ein Ich-Bewußtsein dann nicht nur, wenn er auf Erden in der Isolierzelle des materiellen Leibes lebt, sondern er darf es dann auch hineintragen in das Dasein »als Geist unter Geistern«.

Die Frage »Wer wird emporsteigen...?« hat eine Prallele im 15. Psalm. Dort heißt es: »Herr, wer wird Gast sein in Deinem Zelt? Wer wird wohnen auf dem Berg Deiner Heiligkeit?« Das »Zelt« – man denke an die Stiftshütte, das »Zelt seiner Gegenwart«– ist der Ausdruck für die Sphäre der unmittelbaren, gleichsam »verdichteten« spürbaren Anwesenheit Gottes. Mit dem »Gast sein« verbindet sich das Gespeist-Werden »am Tisch des Herrn«, das Geheimnis der Kommunion, und das »wohnen« entspricht dem johanneischen »bleiben«. Das ist dann mehr noch als das vorübergehende Zugastesein. Der Mensch, der auf dem heiligen Berge wohnt (Petrus spricht auf dem Berge der Verklärung das Wort vom Hütten-Bauen), der ist nun wieder Mitbürger der höheren Welten geworden. Davon spricht der Hebräerbrief (12,22 ff.): »Ihr habt Zugang gefunden zu dem Berge Zion und der Stadt des lebendigen Gottes, dem himmlischen Jerusalem, zu Myriaden von Engeln, zu der vollversammelten Kirche der Erstgeborenen, deren Namen in den Himmeln geschrieben sind, zu Gott, dem Richter des Alls, zu den Geistern der vollendeten Gerechten und dem Mittler eines neuen Bundes, Jesus...«

Die theologische Auslegung hat mit Recht in diesem Fragen und Antworten den Nachklang alter Frage-und-Antwort-Rituale an den Pforten von Heiligtümern erblickt. Wer zu einem Tempel kam, dem gab der Priester als »Hüter der Schwelle« solche Antworten auf sein Einlaßbegehren. In solchen kultischen Bräuchen dürfen wir den Schattenwurf wirklicher Mysterienvorgänge sehen. – Die Antwort auf die Frage: »Wer wird emporsteigen...?« lautet:

> *Wer unschuldige Hände hat und reinen Herzens ist,*
> *wer nicht zum Trug seine Seele hinträgt,*
> *wer nicht frevelhaft schwört –*
> *der wird Segen davontragen vom Herrn*
> *und Gerechtigkeit von dem Gott, der ihm hilft.*
> *Das ist das Geschlecht derer, die nach ihm fragen*
> *und Dein Angesicht suchen, Du Gott Jakobs.*
>
> *Sela*
>
> (V. 4–6)

Wer den Anforderungen genügt und rein ist in Gedanken, Worten und Taten (»reines Herz, kein Trug, reine Hände«), der soll den Segen und die Gerechtigkeit davontragen. Dieser Segen ist die Liebe von oben, die das von unten her strebende Bemühen krönt. Auf das Bemühen um Reinigung antwortet der Gnadenstrahl von oben, so wie auf die Opferung die Wandlung folgt. Die »Gerechtigkeit« ist hier offenbar nicht der Ausdruck für das, was der Betreter des Heiligtums an Reinheit seines Wesens, an sittlichen Qualitäten schon mitbringt. Das muß bis zu einem gewissen Grade da sein, aber es ist immer noch etwas Unvollendetes, das der Vollendung durch die Liebe von oben her bedarf. Die Gerechtigkeit ist hier gnadenvolle Beschenkung mit dem Sein des Guten. – Erlebnisse der Läuterung, der »Katharsis«, verbergen sich in den fordernden Worten des strengen Schwellenhüters. Erlebnisse der Wandlung und der Kommunion sind der In-

358

halt, den wir nun von der christlichen Erfüllung aus den Worten »Segen« und »Gerechtigkeit« geben dürfen, wie sie hier im Psalm genannt sind.

Der vorhin schon erwähnte Satz von dem »Geschlecht derer, die Gottes Angesicht suchen«, hat als Abschluß des 2. Teiles von Psalm 24 seinen besonderen Klang. Wer den Weg zum heiligen Berg und dessen Gnadengaben gefunden hat, der steht nicht mehr allein, sondern weiß sich nun einer Geistgemeinschaft angehörig. Die alten Gemeinschaften waren Blutsverbände, vom Leibe her bestimmt. Nach dem Göttlichen »fragen« und nach Gottes Antlitz suchen – das stellt in eine neue Gemeinschaft hinein, die ihr einigendes Band im Geiste hat.

Der Psalm spricht noch einschränkend vom Gott Jakobs. Aber es hindert uns nichts, in der Art der alten Christen an das »wahre Israel« der christlichen Kirche zu denken, die, auf die Zwölfheit der Apostel gebaut, Menschen aller mannigfaltigen Sternenprägungen in sich schließen soll. – Auch dürfen wir daran denken, daß ja der Gott Jakobs der Gott ist, der sich in dem grandiosen Hierarchien-Traum von den auf der Himmelstreppe auf und nieder steigenden Engeln und in dem Gebets-Ringen am Flußübergang (»ich lasse dich nicht, du segnest mich denn«) geoffenbart hat.

Der Traum wurde geträumt zu Beth-El (»Haus Gottes«), der Kampf wurde gekämpft bei Pni-El (»Antlitz Gottes«). Vom Hinfinden zum Hause und zum Angesicht Gottes ist in unserem Psalm die Rede.

### III.

Wiederum scheinbar ohne Übergang schließt sich nun der Schlußteil an:

> *Erhebet, ihr Tore, eure Häupter!*
> *Reckt euch empor, ihr Pforten der Ewigkeit!*

*Kommen wird der König der Glorie.*
*Wer ist dieser König der Glorie?*
*Es ist der Herr, ein machtvoller Held,*
*Der Herr, ein Held des Kampfes.*

(V. 7–8)

Die Auslegung sieht in diesen Versen eine Festliturgie des alten Israels, etwa den Wechselgesang zweier Chöre bei der feierlichen Einholung der aus siegreicher Schlacht zurückkehrenden Bundeslade. Das mag der historische Anlaß zur Dichtung des Psalms gewesen sein. Es spricht sich aber eine weiterreichende Wahrheit darin aus.

Der Psalm feiert den Einzug des kommenden Gottes. Damit ist ein wichtiges apokalyptisches Motiv gegeben. – Wieso kann der Gott »kommen«? Ist er nicht schon der alles Erfüllende, der Allgegenwärtige? Wieso kann er kommen, wenn er doch schon da ist? Oder ist er vielleicht doch noch nicht ganz da, auf der Erde?

Unsere vorangegangenen Betrachtungen zu Teil I des Psalms geben den Schlüssel zu diesem Problem. Wir sahen: Das Erdenreich gehört dem Göttlichen nicht mehr ganz eindeutig. Natürlich soll damit nicht gesagt sein, daß Gott auf Erden etwa nicht gegenwärtig wäre. Er ist überall. Aber es gibt so etwas wie Intensitäts-Unterschiede, wie Grade seiner Anwesenheit. Im himmlischen Heiligtum der oberen Welt ist diese Gegenwärtigkeit Gottes sozusagen »dichter« als auf Erden. Wo zum Beispiel ein Verbrechen geschieht, da ist in einem gewissen Sinne Gott nicht; denn wäre er ganz anwesend, so könnte nicht einmal der Gedanke an ein Verbrechen aufkommen. »Die Erde hat er den Menschen gegeben«, er hat sie bis zu einem gewissen Grad geräumt und von seiner völligen Anwesenheit entblößt, damit der Mensch Raum habe für seine Freiheit. Damit ist die Voraussetzung gegeben, von einem möglichen »Kommen Gottes« zu sprechen.

Dieses Wieder-Eintreten des Gottes in die bereits dem Fürsten dieser Welt anheimfallende Erden-Sphäre begann mit der Erscheinung Christi. Dieses Erscheinen war von besonderer Art, es geschah so, daß es die Freiheit des Menschen nicht antastete. Das Kreuz ist das Mysterium des »ohnmächtigen Gottes«, der aber gerade im Verzicht auf Zwangsgewalt eine »Macht« höheren Ranges entfaltet, durch die Liebeskraft seines Opfers. Die von dem Golgatha-Mysterium ausgehende Macht bewirkt nicht in »automatischer« Weise die Erlösung. Es ist nicht so, daß die Menschen durch sie erlöst werden, ob sie nun wollen oder nicht. Der Mensch muß diese Erlösung jeweils durch sein freies »Ja« in Kraft setzen, mit anderen Worten: zum Wirksam-Werden der Erlösung gehört der »Glaube« des Menschen. Im Bereich der werdenden Christenheit beginnt das allmähliche Wieder-Einziehen des Göttlichen in die Erdenwelt. Es ist ein Prozeß, der seine Etappen hat. Das »Kommen« begann mit der Mensch-Werdung Christi. Er setzt sich fort in der Christ-Werdung der Menschheit. Die Menschen sollen allmählich fähig werden, den Christus in seiner ätherischen Lichtgestalt zu schauen. Er gab selbst die Verheißung, daß er wiederkommen werde in Herrlichkeit, in »Gloria«, das heißt eben im strahlenden Ätherlicht. Dieses Kommen ist ein immer stärkeres Sich-zur-Geltung-Bringen der durch Golgatha begründeten Anwesenheit Christi auf Erden. Diese Anwesenheit wird »dichter« und spürbarer bis zu dem Grade, daß sie unmittelbar übersinnlich geschaut wird. Diese allmählich beginnende und durch längere Zeiträume hindurch sich verwirklichende »Wiederkunft« im Ätherisch-Übersinnlichen (in den »Wolken des Himmels«) führt ein Gericht mit sich insofern, als die immer unleugbarer, immer offenbarer werdende Wirklichkeit Christi die Menschen immer ernsthafter vor die Frage stellt, wie sie nun von ihrer Freiheit Gebrauch machen wollen, ob sie auf den Christus mit »Ja« oder »Nein« reagieren, ob sie Ihm oder dem »Fürsten dieser Welt« dienen wollen.

Dieses »Kommen« Gottes in die Erdenwelt wird im Alten Testament vorgeahnt. Es gibt eine Reihe von sieben Psalmen, die alle um das Thema der wiederhergestellten Königsherrschaft Jahwes kreisen (47, 93, 95, 96, 97, 98, 99): »Der Herr ist König geworden.« In prophetischer Vorausnahme wird da das Wieder-zur-Geltung-Kommen des Göttlichen im Erdenbereiche proklamiert. So heißt es im 95. Psalm: »Kommt, laßt uns anbeten und knien und niederfallen vor dem Herrn... Heute, so ihr seine Stimme höret, so verstocket euer Herz nicht...« Der 96. Psalm beginnt mit dem apokalyptischen Motiv des »neuen Liedes« (vgl. Offenb. Joh. 5, 9 und 14, 3). »Singet dem Herrn ein neues Lied... verkündet es den Völkern: der Herr ist König geworden.« Der in all diesen sieben Psalmen zu findende Satz »Jahwe mālākh« heißt nicht einfach, wie Luther übersetzt: der Herr »ist« König, sondern: »er ist König geworden«. Es soll nicht etwas ausgesagt werden, was immer schon so war, sondern eine wendungbringende Veränderung der Welt-Situation ist gemeint und in prophetischer Weise als schon eingetreten hingestellt. Die theologische Auslegung hat ein »Thronbesteigungsfest Jahwes« angenommen, bei dem diese Psalmen gesungen worden seien. Das ist möglich, aber dann hätte dieses Fest eben einen prophetisch-vorausnehmenden apokalyptischen Charakter gehabt, und die weiterreichende Wahrheits-Bedeutung dieser Psalmen würde dadurch keinen Eintrag leiden.

In der Offenbarung des Johannes stehen die Worte: »Es ist die Königsherrschaft über die Welt unseres Herrn geworden und seines Christus« (11, 15, beim Ertönen der siebten Posaune). Und die Ältesten fallen nieder vor dem Thron und sprechen: »Wir danken Dir..., daß Du Deine große Macht an Dich genommen hast und bist König geworden.« – All das hat nur einen Sinn im Rahmen eines gewaltigen Weltendramas, das die In-Frage-Stellung der Gottesherrschaft auf Erden und ihre Wiederaufrichtung zum Inhalt hat. Es ist an der Zeit, zu erkennen, daß dieses Weltendrama nicht »Mythologie« kindlicher Völker, sondern die einzig mögliche Deutung der tatsächlichen Welt-Wirklichkeit ist.

Mit diesen Gedankengängen sind wir auch erst in der Lage, dem 24. Psalm gerecht zu werden.

»Erhebet, ihr Tore, eure Häupter! Reckt euch empor, ihr Pforten der Ewigkeit!« (So wörtlich im Urtext.) – Das Tor setzt eine trennende Wand voraus. Die höhere Welt ist wie durch eine Mauer von der sich verhärtenden und in sich abschließenden Erdenwelt geschieden. Darum können wir das Reich Gottes nicht ohne weiteres »sehen« und »betreten« (Joh. 3, 3.5). Aber auch hier gibt es Tore, durch die hindurch die getrennten Sphären doch noch in einige Beziehung kommen. Man spricht vom »Tor der Geburt« und vom »Tor des Todes«, wo die Schwelle herüber und hinüber überschritten wird. So spricht hier der Psalm von den Pforten der Ewigkeit. Man muß das hebräische »pitheche olām« vielleicht ganz genau mit »uralte, äonen-alte Pforten« wiedergeben. Das würde den Sinn nicht ändern, denn die »Zugänge« zur höheren Welt sind uralten Tempelpforten vergleichbar, man wußte von ihnen seit Beginn des in graue Vorzeit zurückreichenden Einweihungswesens. – Diese Pforten, die zwischen beiden Welten vermitteln, sollen sich »emporrecken« – es ist gleichsam eine hochragende Gestalt, die sie jetzt durchschreiten will. Der König der »Glorie« – das ist der König des Offenbarungsglanzes, des Ätherlichtes. Der »König« war in kultischer Sinnbildlichkeit der irdische Repräsentant des göttlichen »Ich-Bin«, welches das Urbild aller königlichen Haltung und Würde ist. »Du sagst es, ich bin ein König« (Joh. 18, 37). Der König der Glorie, der durch die Ewigkeits-Pforte in unsere Erdenwelt einziehen will, ist die alttestamentliche Vorschau des kommenden Christus.

Der Ankündigung seines Kommens antwortet die Frage: »Wer ist dieser König der Glorie?« Die Frage muß sich erheben zur Klärung des menschlichen Bewußtseins. Es gilt die Geister zu unterscheiden. Auch Luzifer kann sich als Engel des Lichtes darstellen. Es gibt ein altes Wort »Christus verus lucifer« – Christus ist der wahre Lichtträger. Was bei Luzifer gleißendes Schein-Licht ist, das ist bei Christus »das Licht des Lebens« (Joh. 8, 12). In der Frage lebt das Suchen nach unterscheidender Erkenntnis. Der Psalm spricht ja vorhin von dem Geschlecht derer, die nach Ihm »fragen«.

Auf diese Frage hin spricht die verkündigende Stimme: »Es ist der Herr, ein machtvoller Held, ein Held des Kampfes.« Der Herr, der das Ich-Bin spricht. – Ein Held des Kampfes? Sind wir da nicht doch noch in altisraelitischen Zeiten befangen, wo man sich von Jahwe den Sieg in der Schlacht erhoffte? Das mag der Psalmsänger zunächst in diesem alten Sinne gemeint haben. Aber das hindert uns nicht, die bleibende Wahrheit aus dieser historisch bedingten Verschalung zu lösen. Christus ist gewiß nicht ein Kämpfer im Sinne einer äußeren, den anderen vergewaltigenden Macht-Entfaltung. Er erscheint ja gerade als der »ohnmächtige Gott«. Er läßt kein strafendes Feuer fallen auf das ungastlich-abweisende Samariterdorf (Luk. 9, 54). Er läßt die Gegner höhnen: »Bist du Gottes Sohn, so steige herab vom Kreuz!« Aber er wartet in all seiner Ohnmacht darauf, daß der Mensch durch all dies hindurch seine höhergeartete Macht erkenne, die eben im Liebes-Opfer wirkt, in der »weißen Magie« der Liebe. Das ist die Art seines Kampfes gegen den Fürsten dieser Welt. Er kämpft nicht in der Art, wie man sich früher ein Kämpfen einzig und allein vorstellen konnte. Er sagt zu Petrus: »Stecke dein Schwert in die Scheide!« Und er ist dennoch im größten Stile ein Kämpfer, ein »Held des Kampfes«. Er stellt der brutalen »Macht des Widersachers«, der die Zwangsgewalten spielen läßt, die »heilbringende Macht« seines Liebes-Opfers entgegen. Das Gegeneinander dieser beiden Mächte ist der größte Kampf, den es gibt. Alle anderen Kämpfe sind nur Gleichnis.

»Er ist gewaltig und stark, der zur Weihnacht geboren ward«
singt ein altes Lied. So ist, recht verstanden, der Christus doch
der große Kämpfer, der große Sonnenheld. Im Johannes-Evangelium faßt er sein Werk in das Wort zusammen: »Ich habe die
Welt überwunden« (neníkeka; »nike« – der Sieg). Dieses Wort
»siegen« geht auch durch die Apokalypse hindurch. »Gleichwie
ich den Sieg davongetragen habe...« (3, 21). »Siehe, gesiegt hat
der Löwe... und ich sah, und siehe: ein Lamm...« (5, 5.6). Er ist
der Sonnenheld, der »Löwe«, aber in der Gestalt des sich opfernden Lammes. –

Es kann also die Formel ohne Abzug als richtig weitergelten:
»Der Herr ist es, ein machtvoller Held, ein Held des Kampfes.«

Nicht mit *einem* Erkenntnis-Anlauf kann diese Verkündigung
des Kommenden angeeignet werden, so wiederholt sich noch
einmal Verkündigung, Frage und Antwort:

> *Erhebet, ihr Tore, eure Häupter!*
> *Reckt euch empor, ihr Pforten der Ewigkeit!*
> *Kommen wird der König der Glorie.*
> *Wer ist dieser König der Glorie?*
> *Es ist der Herr der Heerscharen.*
> *Der ist der König der Glorie!*
>
> (V. 9–10)

Wir bemerken eine Abwandlung bei dieser Wiederholung.
Diesmal heißt er nicht »ein machtvoller Held, ein Held des
Kampfes«, sondern: »der Herr der Heerscharen«. – Der wiederkehrende Christus, der im Ätherlicht offenbar wird, bringt zugleich ein neues Erkennen der konkreten übersinnlichen Welten
in ihrer Mannigfaltigkeit mit sich. Das Bewußtsein der Menschen weitet sich wieder in das Übersinnliche hinein. Mit dem
Christus treten auch die Reiche der Engel, der Hierarchien, wieder in das schauende Bewußtsein ein. Bei den Verheißungen seiner Wiederkehr spricht der Christus das deutlich aus: »... wenn

er (der Menschensohn) kommt in dem Offenbarungslicht (Doxa, Gloria) seiner selbst und des Vaters und der heiligen Engel« (Luk. 9, 26). »Wenn aber der Menschensohn kommt in seiner Glorie und alle Engel mit ihm...« (Matth. 25, 31). In dem Wort »Ihr werdet sehen den Himmel offen und die Engel Gottes hinaufsteigen und herabsteigen auf des Menschen Sohn« (Joh. 1, 51) verheißt der Christus die Wiederkehr des Jakobs-Traumes von der Himmelsleiter in Form eines neuen Schauens der Engel-Welten.

Zweimal spricht der 24. Psalm die Verkündigung des Kommenden aus. Was auch sonst bei der Beobachtung des hebräischen poetischen »Parallelismus« zu sagen ist – daß nicht immer etwa zweimal genau das gleiche nur mit anderen Worten gesagt wird, daß vielmehr das zweite eine Abwandlung und Weiterführung sein kann – das gilt auch hier. Beim ersten Mal ist es der »Held des Kampfes«. Das erfüllt sich vor allem durch die Tat von Golgatha, die den Tod besiegt. Beim zweiten Mal ist es der »Herr der Heerscharen« (Zebaoth). Dieses zweite gilt vor allem für das »Wiederkommen« im Ätherlicht, das von einer neuen Offenbarung der Engel-Hierarchien begleitet wird.

Wir können nunmehr den ganzen Psalm 24 überblicken. Er besteht aus drei scheinbar unzusammenhängenden Teilen. Teil I spricht von der Erfestigung der Erde – die zugleich die Voraussetzung der menschlichen Problematik ist, wenn das auch nicht ausdrücklich gesagt wird. Aber in der Weihung »dem Herrn die Erde« liegt es schon enthalten. – Teil II spricht von dem Streben des gottfremd gewordenen Menschen, wieder die heilige Höhenwelt der Gottheit zu erreichen. »Wer wird emporsteigen auf Deinen heiligen Berg?« – Teil III ist erfüllt von dem, was dem strebenden Menschen von oben her entgegenkommt. Ging in Teil II die Bewegung vom Menschen zum Gott, so ist Teil III beherrscht von der gewaltigen Bewegung des Gottes zum Menschen hin, die im Gefolge der Gottes-Tat zugleich ein neuer Aufbruch der Hierarchien zum Menschen hin ist. Menschliches Gott-Suchen begegnet dem göttlichen Suchen nach dem Menschen. – So wird die Zusammengehörigkeit der drei verschiedenen Teile wie von einem verborgenen Zentrum aus bewirkt.

Hieß es zu Anfang: »dem Herrn die Erde und ihre Fülle!«, so findet das am Schluß seine Antwort in der Verkündigung des Herrn, der mit der Fülle der Himmelswelten (Zebaoth) auf dem Wege zum Menschen ist. –

In dem zuerst behandelten Psalm 8 erhob sich die Frage: »Was ist der Mensch?« Diese Frage findet eine Ergänzung in der apokalyptischen Frage nach dem kommenden Christus: »Wer ist dieser König der Glorie?«

ANHANG

# PSALMENWORTE,
## DIE IM LEBEN CHRISTI EINE ROLLE SPIELEN

Die Psalmen sind schon dadurch für uns verehrungswürdig, daß Christus selber betrachtend und betend in ihnen gelebt hat.

Bei der Jordantaufe kleidet sich die göttliche Stimme, wenn wir einer Lesart des Lukas-Evangeliums folgen, in Worte, die dem Messiaspsalm 2 entnommen sind: »Du bist mein Sohn, heute habe ich dich gezeugt« (Luk. 3, 22). – Bald darauf kommt die Stimme des Versuchers »getarnt« in der mißbräuchlich benützten Hülle eines Psalmwortes an ihn heran: »Denn es steht geschrieben: er hat seinen Engeln Befehl gegeben deinetwegen, daß sie dich auf Händen tragen...« (Matth. 4, 6 – Ps. 91, 11. 12). – Diese beiden aus so verschiedenartiger Quelle fließenden Inspirationen würden sich nicht in Psalm-Worte eingehüllt haben, hätten diese nicht in der Seele des Jesus von Nazareth bereitgelegen, als Inhalte, mit denen er sich offenbar beschäftigt hatte und die darum von der herandringenden Ein-Sprechung als Einfahrtsmöglichkeiten in sein Inneres gebraucht werden konnten.

In der Auseinandersetzung mit den Gegnern entnimmt der Christus mehrfach seine Argumente den Psalmen. »Ihr seid Götter« (Joh. 10, 34) ist Zitat aus dem 82. Psalm. – Beim Einzug in Jerusalem weist er die an dem Hosianna der Kinder Anstoß nehmenden Hohenpriester und Schriftgelehrten mit einem Wort aus dem 8. Psalm zurecht (Matth. 21, 16). – Um zu begründen, daß der Messias über David steht, greift er auf den Melchisedekpsalm 110 zurück: »Der Herr sprach zu meinem Herrn: setze dich zu meiner Rechten« (Matth. 22,44). – Die große Wehe-Rede schließt er mit den Worten: »bis daß ihr sprechet: Gelobt sei, der da kommt im Namen des Herrn« (Matth. 23,39), womit er den 118. Psalm auf sich bezieht, dem auch das »Hosianna« entnommen war.

In den Abschiedsreden macht sich der Christus das düstere Mysterium des Verrates und des ihn grundlos treffenden Hasses durch zwei Psalmenworte verständlich und aussprechbar. »Aber die Schrift sollte in Erfüllung gehen: der mein Brot isset, hat wider mich seinen Fuß erhoben« (Joh. 13,18, Ps. 41,10), »Aber es sollte in Erfüllung gehen, was in ihrem Gesetz geschrieben steht: sie haben ihren Haß auf mich geworfen ohne Ursache« (Joh. 15,25, Ps. 35,19 und Ps. 69,5). – In den Gethsemane-Worten »meine Seele ist betrübt...« (Matth. 26,38) klingt der Exil-Psalm 42 (V.6) an.

Wie zu Beginn bei der Jordan-Taufe spielen auch beim Tode die Psalmen eine wichtige Rolle. Ihnen sind zwei der sieben Worte am Kreuz entnommen. »Mein Gott, mein Gott, warum hast du mich verlassen« (Matth. 27,46) ist der Anfang des Leidenspsalms 22, der ja dann mit der endlichen Verherrlichung des Leidenden und mit der Fruchtbar-Werdung seines Leidens für die Menschheit schließt. – Das andere Wort »Vater, in deine Hände befehle ich meinen Geist« (Luk. 23,46) findet sich (ohne die Anrede »Vater«) im 31. Psalm (V.6). – Der Auferstandene öffnet den Jüngern den Sinn für die Christus-Prophetie des Alten Testamentes. Diese deutende »Hermeneutik« (Luk. 24,27) erstreckt sich auch auf die Psalmen, die neben Gesetz und Propheten ausdrücklich als drittes genannt werden (Luk. 24,44).

# DIE PSALMEN IN DER CHRISTENHEIT

Es war den Aposteln selbstverständlich, die Psalmen im Lichte des vollzogenen Christus-Mysteriums und der ihnen zuteil gewordenen Belehrung durch den Auferstandenen zu lesen. So werden die Psalmen immer wieder herangezogen auch in den Schriften des Neuen Testamentes, die auf die Evangelien folgen.

Psalmenworte wurden auch zu einem Bestandteil des christlichen Kultus. In der lateinischen Messe begegnen uns die Psalmen 43 (»Judica...« am Eingang), 141 (beim Offertorium, die Worte vom Rauchopfer und vom Hände-Heben), 26 (bei der Waschung). Osanna und Benediktus entstammen dem 118., das Kelch-Kommunion-Wort dem 116. und 18.Psalm (116,12.13 und 18,4). – In den ersten Jahrhunderten sang man zur Kommunion den 34.Psalm (»Schmecket und sehet...«). Die heutigen Messe-Teile »Introitus«, »Graduale« und »Offertorium« sind die Reste langer Psalmen-Gesänge.

Dazu kommt die Verwendung der Psalmen im Brevier der Kleriker, im Officium der Mönche. Es gab strenge Asketenschulen, die in jeder Nacht alle 150 Psalmen durchbeteten.

Die reformierte Kirche ließ die Psalmen als einzige Gottesdienst-Gesänge gelten. Luther liebte die Psalmen ganz besonders. In schweren Schicksalslagen trösteten ihn die Worte »Ich werde nicht sterben, sondern leben...« (Ps. 118) – In vielen Gesangbuchliedern wirken Psalmen-Motive weiter. (»Ein' feste Burg« Ps. 46, »Befiehl du deine Wege« Ps. 37, »Macht hoch die Tür« Ps. 24, »Aus tiefer Not schrei ich zu Dir« Ps. 130.)

Die Auswirkungen der Psalmen im Bereich der vom Christentum berührten Kultur sind unübersehbar mannigfaltig. Eine Fülle von Bildern, von Geschichts-Erinnerungen steigt beim Lesen der Psalmen auf. Um nur einiges herauszugreifen: Der Einsiedler betet sie in seiner Klause. Die Mönche psalmodieren im Chor der Klosterkirche. Die iroschottischen Mönche verjagen die Dämonen durch ihren schallenden Psalmengesang. Ein Psalmwort (»Nicht uns, o Herr, nicht uns, sondern Deinem Namen...«, Ps. 115, 1) wird das Motto des Templerordens. Ein Psalmwort steht an der Spitze so mancher historischen Papst-Bulle und gibt ihr den Namen. Die Hugenotten begeistern sich im Psalmengesang zu heroischen Kämpfen, Paul Gerhardt dichtet in den Nöten des 30jährigen Krieges das Lied »Befiehl du deine Wege«. Ein Humboldt bewundert die Naturschilderung des 104. Psalms. Ein Herder begeistert sich für die urwüchsige Poesie der alten Hebräer. –

Herman Grimm nennt unter den fünf erlauchten Namen, von denen er glaubt, daß sie für die abendländische Kultur grundlegend waren, auch den Namen David – als Sänger der Psalmen.

Wir haben heute die Aufgabe, die Welt der Psalmen für das gegenwärtige Bewußtsein neu zu erobern.


## GESICHTSPUNKTE DER AUSLEGUNG

Wenn es sich darum handelt, alten heiligen Texten ihren Sinn abzugewinnen, drohen zwei Abirrungsmöglichkeiten.

Die eine, vor allem dann naheliegend, wenn mit gläubiger Pietät an den Text herangegangen wird: man »legt zuviel hinein«. Man belädt und überlädt die Texte mit Bedeutsamkeiten, die ihnen an sich ganz fremd sind.

Die andere Abirrung besteht darin, daß man in dem Bestreben, traditionelle Befangenheiten abzustreifen und nur das historisch-kritische Gewissen sprechen zu lassen, die Texte trivial nimmt und ihren tatsächlich vorhandenen Tiefen nicht gerecht wird.

Das anfechtbare »Hineinlegen« von Bedeutungen, von denen der Text sozusagen nicht weiß, wie er zu ihnen kommt, ist oftmals die Folge eines an und für sich richtigen Gefühles. Man ahnt noch : »Diese Texte haben es in sich.« Aber andererseits hat man zu den übersinnlichen Tatbeständen, die in Betracht kommen, nur noch ein epigonenhaftes Verhältnis. Man weiß darüber nicht mehr so recht etwas Konkretes und ist deshalb unsicher, wenn man aussprechen will, was denn nun eigentlich das ist, das die Texte »in sich haben«. Dann tut man ihnen leicht Gewalt an.

Dadurch wird das andere Extrem herausgefordert. Man hat durch eine unorganische Auslegung das ganze Prinzip in Mißkredit gebracht, daß aus den Texten etwas herauszuholen sei, das nicht gleich am Tage liegt, und so geht man nun ganz profan und kritisch heran. Aber dieser Betrachtungsweise entgeht es – und deshalb ist sie nicht wahrhaft wissenschaftlich besonnen –, daß sie zwar nicht von pietätvollen Traditionen, dafür aber von den Vorurteilen und Voraussetzungen des Materialismus befangen ist und deshalb nicht objektiv-gemäß sein kann.

Durch die Anthroposophie Rudolf Steiners ist uns eine neue konkrete Anschauung der übersinnlichen Welten erschlossen. Zugleich gibt die Anthroposophie einen Entwicklungs-Aufriß, der uns instand setzt, die bisherigen Phasen der Geistesgeschichte zu verstehen und zu würdigen. Danach war am Anfang eine Geistes-Schau vorhanden. Die Dinge der Sinnenwelt waren dem ursprünglichen Menschen noch transparent. Deutlich war noch ihre Tiefen-Dimension erkennbar. Darum waren sie noch wahrhaft bedeutend. – Allmählich machte sich, im Fortschreiten der Loslösung des Menschen vom Ursprung, ein Abklingen des alten Schauens bemerkbar. Eine Art »Götterdämmerung« zog herauf. Was einmal unmittelbares Schauen und Erleben gewesen war, wurde nunmehr bloß noch traditionell weitergegeben. Im Bannkreis dieses nur noch traditionellen Nach-Wirkens kommt die anfechtbare Auslegungsart auf, die Nicht-Zugehöriges in die Texte einlegt. Man weiß nicht mehr, inwiefern im einzelnen das Vergängliche ein Gleichnis ist. – Schließlich verliert der traditionelle Nachklang überhaupt seine Kraft, und ein rein materialistisch-intellektualistisches Bewußtsein sieht die Dinge nur noch als Vordergrund, »oberflächlich«, ohne Geistes-Tiefe und Bedeutung. Dieses nur uneigentlich so zu nennende Welt-»Bild« ist der Schildbürgerstreich des Bewußtseins: das Haus ohne Fenster. Die Transparenz hat aufgehört. – Durch das Christus-Ereignis ist der Keim einer neuen Geistes-Schau bereits in die Menschheit eingesenkt. In der Entwicklung dieses Keimes, in der Anwendung des Erlösungsprinzipes auch auf die Erkenntnis, ist die Anthroposophie entstanden. Sie gibt wieder ein Welt-Bild, transparent für den Goldgrund des Übersinnlichen.

Dieses nun ergibt für unser Verhältnis zu den Psalmen das Folgende. Der Eindruck früherer kirchlicher Jahrhunderte, daß sie es »in sich haben«, ist richtig. Um aber dieses tief Bedeutsame auslegen zu können, müssen wir die Begriffe und Bildvorstellungen der altheiligen Texte erst wieder auffüllen. Solches Auffüllen mag den Anschein erwecken, daß wir nicht »aus«-, sondern »ein-legen«. Letzteres ist dann aber vollberechtigt, wenn wir nichts anderes hineinlegen, als was von Anbeginn her von Gottes und Rechts wegen in diesen Inhalten daringelegen war. Daß wir es hineinlegen müssen, ist die Schuld der vergangenen Jahrhunderte, die hinausgetan und weggenommen haben, indem sie die Dinge ihrer Bedeutsamkeit entleerten. Zum Beispiel, wenn vom »Morgen« die Rede ist, so dürfen wir natürlich nicht abstrakt einen »tieferen Sinn« dekretieren, dessen Beziehung zum allgemein menschlichen Morgen-Erlebnis nicht einleuchtet. Vielmehr kommt es darauf an, im Sinne einer reinen Anschauung das Phänomen des Morgens in seiner ganzen Breite zu erfassen. Dann ergibt sich ungenötigt ganz von selbst die Beziehung etwa zum Schöpfungs-Morgen, zum Oster-Morgen. Diese Beziehung ist dann nicht künstlich bewirkt, indem man etwas »an den Haaren herbeigezogen« hat. Sie stellt sich selber her. Man muß nur die Hindernisse wegräumen, die in unserem Bewußtsein diesem Sich-selber-Herstellen einer organischen Beziehung im Wege stehen. In dieser Art ist die Auffüllung mit der ursprünglichen Bedeutsamkeit am Platz zum Beispiel bei Worten wie Morgen und Abend, Tag und Nacht, Himmel und Erde, Wolken, Wasser, Wind, Regen, Brunnen, Berge, Angesicht, Hand, Odem, Hunger und Durst, Speise und Trank, um nur einiges herauszugreifen. Nicht darauf kommt es an, jeweils eine bestimmte »Bedeutung« lexikologisch zu fixieren und etikettenmäßig aufzukleben, sondern darauf, die schöpfungsgemäße Bedeutungs-Fülle wieder herzustellen – wieder zusammenzufügen, was der Mensch im Sündenfall der Erkenntnis geschieden hat.

Außer dem »Auffüllen« verlangen die alten Texte oft noch eine zweite Betätigung von ihrem Ausleger: daß er keimhaft Veranlagtes zum Aufgehen bringt. Wir finden im Alten Testament immer wieder so etwas wie Gedanken-Keime, die sich in das Christliche hineinentfalten wollen. Viele Worte sind in der Richtung des damals noch erwarteten Christus-Sonnenaufgangs »orientiert«. Das Bevorstehende ist schon irgendwie am Zustande-Kommen dieser Worte beteiligt, das Zukünftige wirkt voraus. Diese Keime werden aber als solche erkannt und weiterentwikkelt erst im Lichte der aufgegangenen Christus-Sonne. Solches Weiterentwickeln von Veranlagtem im Lichte christlicher Erkenntnis ist kein unberechtigtes »Hineinlegen« in die Texte. Mit einem anderen Bild gesprochen: Man begegnet im Alten Testament mehrfach solchen geistigen Gebilden, bei denen gewisse Linien nur erst »punktiert« angedeutet sind. Diese bereits projektierten Linien sichtbar auszuziehen, ist Aufgabe einer richtigen Auslegung. Es wird damit der Text nicht überfremdet, auch wenn der Verfasser es damals noch gar nicht so im Sinne gehabt hätte. Es gehört zum Wesen der Inspiration, daß Worte sich einstellen, die weit über das hinauszielen können, was im Augenblick dem Sprecher oder Schreiber vorschwebt – ohne daß man ihn deshalb zu einem »Medium« herabwürdigen müßte. Die Frage kann nur sein, ob das Hinzugefügte wirklich in der Linie des Textes liegt. Wenn solch eine Weiterführung organisch-richtig ist, dann ist sie nicht bloß statthaft, sondern sogar notwendig. Wollte man die veranlagte Entfaltung sich nicht vollziehen lassen, so wäre das so etwas wie ein Unrecht am keimenden Leben. Es ist auch eine Vergewaltigung des Textes, wenn man sein Keimhaftes in diesem Keimzustand konserviert. Eine christliche Auslegung solcher Keim-Gedanken ist objektiv richtiger und treffender als eine sich historisch-kritisch vorkommende Betrachtungsweise, die ja doch von der »Historie« nur eine ganz äußerliche Vorstellung hat und das wichtigste historische Ereignis – Christus – nicht versteht.

Die alten Christen durften sich das Alte Testament aneignen, es gehörte ihnen mit besserem Recht als den ursprünglichen Besitzern, die über den Alten Bund nicht hinausgehen wollten. Die wirklich inspirierten alttestamentlichen Texte (es wäre verkehrt, die Inspiration in mechanischer Weise ohne Unterschied gleich stark überall annehmen zu wollen) sind »auf Zuwachs berechnet«.

Die Christenheit schuf den schönen und tiefen Brauch, einen im christlichen Zusammenhang zu verwendenden Psalm sozusagen zu »taufen«, durch Hinzufügung der Formel »Gloria Patri et Filio et Spiritui Sancto. Sicut erat in principio, et nunc et semper et in saecula saeculorum«. Man fühlte: man kann die Psalmen nicht ganz ohne weiteres übernehmen, so wie sie sind, man muß sie in das Licht der inzwischen aufgegangenen christlichen Wahrheit stellen. Erst wenn sie so getauft werden, geben sie das her, was sie in sich haben. Unsere heutige Aufgabe ist es, mit modernen Bewußtseinsmitteln an den Psalmen diese Taufe zu vollziehen, indem wir sie nicht nur äußerlich in Besitz nehmen durch Anfügung der trinitarischen Formel, sondern indem wir die »Gloria«, das Offenbarungslicht des christlichen Mysteriums, in konkreter Erkenntnis an sie herantragen.

# ANMERKUNGEN

1 Bei Luther steht für »groß«: »herrlich«. Er hat »Du bist schön und prächtig geschmückt« für »hôd und hādār hast Du angezogen als Kleid«.

2 Die Psalmen, Leipzig 1922.

3 In: Die Christengemeinschaft, Jahrgang 11, Nummer 5, S. 104.

4 Die Wesensverwandtschaft dieses Gesangs mit den Psalmen legt nahe, die Betrachtung über ihn hier aufzunehmen. (Anm. d. Hrsg.)

5 Näheres über die tieferen Hintergründe bei Emil Bock, Könige und Propheten, Stuttgart 1977[5], S. 302ff.

6 Die Ptolemäer waren eine ursprünglich mazedonische Dynastie, die in der Nachfolge Alexanders des Großen in Ägypten herrschte. Sie taten Großes für das kulturelle Leben.

7 Im katholischen Kultus spielt der Gesang der drei Männer insofern eine wichtige Rolle, als er viermal im Jahr an den sogenannten Quatember-Samstagen auftritt, an denen auch die Priesterweihen stattfinden. Der Priester betet den Lobgesang der drei Männer, das »canticum Benedicite«, in der Danksagung nach jeder Messe. – Im alten gallischen Ritus, wie er bis zum 8. Jahrhundert gefeiert wurde, wurde der Hymnus in jeder Messe während der Lesungen eingeschaltet, an Stelle des »Alleluja«.

8 »Der Gesang Asarjas« und der »Gesang im Feuerofen« wurden zwischen Vers 23 und 24 des 3. Danielkapitels eingeschoben.

9 Äonen sind die wesenhaft erlebten Zeitenkreise, die im Schließen des Kreises ins Ewige einmünden.

10 Dornach 1976[8].

11 Dornach 1968, S. 40f.

12 Vgl. Die Christengemeinschaft, Jahrgang 1965, S. 114: »Abraham Lincoln«.

13 G. G. Scholem, Major trends in Jewish Mysticism, S. 97.

14 Der Urtext ist hier fraglich. Wir folgen im obigen R. Kittels Textkonjektur.

15 So in der griechischen Übersetzung. Das Hebräisch ist auch hier nicht eindeutig.

16 Nicht wie bei Luther: »der Herr ist meine Zuversicht«, sondern in direkter Anrede: »Du, Herr«.

17 Der zentrale Gottesdienst der Christengemeinschaft, die erneuerte Messe. Die vier Hauptteile sind: Evangelium, Opferung, Wandlung, Kommunion.